KB101693

무소 장편소설 **집사님은**
**폭군 사육 중?!**

위즈덤하우스

# 차 례

# 0
## *Prologue*

집사가 죽으면 먼저 간 고양이가 마중을 나온다는 이야기를 들은 적이 있다.

"여기 사람이 치였어요!"

"어서 119! 119에 전화해!"

주변을 둘러싼 사람들의 비명과 머리 뒤에서 흐르는 따뜻한 피, 전신을 강타하는 고통은 분명 생생한 날것 그대로의 감각이었으나, 어찌 된 일인지 정신만은 희미하게 죽어가고 있었다.

나는 이것이 곧 나의 죽음을 의미함을 알았다. 달려오는 버스에 정면으로 치였으니 살아날 가능성은 극히 적으리라. 눈꺼풀이 점점 아래로 내려갔고, '이대로 죽는 건가' 하는 생각이 들었다.

그리고 지금 이 순간 떠오르는 건 딱 하나, 유일한 가족이었던 고양이 네로였다.

'보고 싶다, 우리 네로.'

지금은 무지개다리를 건넜지만 곧 볼 수 있을 것이다. 나는 희미하게 미소 지으면서 완전히 눈을 감았다. 네로가 정말로 나를 마중 나왔는지 직접 확인해 보고 싶었다.

# 1

## *Replay*

❀

Part 1. Satordi's Residence

바깥에서는 추적추적 비가 내리고 있었다.

"……."

나는 상념에 잠긴 듯한 얼굴로 창밖을 쳐다보았다. 원래 비가 오면 평소에는 밝고 명랑한 사람이라도 갑자기 처지고 생각이 많아지는 법이다. 나같이 감상적인 사람이라면 더더욱 그렇고.

"흐음……."

상념의 주된 이유는 내 존재 자체였다. 이 무슨 철학적인 이야기냐 싶겠지만 정말이었다.

내 이름은 유리네트 조셋 엘 사토르디. 사토르디 자작의 적장녀로, 올해 스무 살이라고 한다. 아직 미혼이고 사귀는 사람은 없음.

가족관계로는 아래로 3살 차이 나는 여동생 하나와 나를 낳아주신 부모님이 있다고.

자기소개가 무슨 친구 소개하는 것처럼 보였다면 정답이다. 그럴 수밖에 없는데, 그건 내가 진짜 유리네트가 아니기 때문이었다.

지금 나는 엘스워드 제국의 유리네트지만, 원래는 권유린이라는 이름을 가진 평범하디 평범한 대한민국 직장인이었다. 어느 날 늦게까지 야근을 하다 차에 치여 눈을 감았는데, 정신을 차리고 보니 다른 세계였다……. 같은 진부한 사연으로 지금 이곳에 있게 된 것이다. 듣기로 이 몸의 원래 주인인 유리네트는 호수에 빠져 1주일 정도 정신을 잃었다고 했는데, 아무래도 내가 여기에 빙의해 버린 듯싶었다.

처음에는 적응이 정말 어려웠다. 하긴, 상식적으로 원래 살던 곳과는 판이하게 다른 곳에서 눈을 뜨게 되었는데 처음부터 잘 적응하는 것도 웃기는 일이기는 하지. 다행스럽게도 언어는 말하기, 듣기, 쓰기가 가능한 상태였고, 나는 물에 빠진 충격으로 기억을 잃어버린 척을 했다.

내 기억 상실을 믿어주지 않는 사람은 없었다. 그만큼 이 몸의 주인이 심각한 상황이었다는 거지.

"유린 언니!"

뒤쪽에서 익숙한 목소리가 나를 불렀다. 나는 저 목소리의 주인을 알고 있었다.

"오드리."

유리네트의 하나뿐인 자매, 오드리 핀 엘 사토르디. 아까 말한 나와 세 살 차이 나는 여동생. 죽을 뻔했던 언니와는 원래도 끔찍한 사이였다고 했다.

"무슨 일이야?"

"어머니가 식당으로 내려오래. 오늘은 언니가 좋아하는 칠면조 요리도 있어!"

올해로 열일곱 살인 오드리는 상당히 활발하고 밝은 성격을 가지고 있었다. 이 집안의 비타민 같은 존재랄까.

나는 조용히 고개를 끄덕였다. 사토르디 자작가는 따로 식사를 하는 게 아니라, 식당에 모여 다 같이 식사하는 관례가 있었다.

나랑 손잡는 걸 참 좋아하는 오드리와 함께 식당으로 내려가자, 우리를 발견한 사용인들이 습관적으로 고개를 숙이고 인사했다. 계급제 사회 출신이 아니라 이런 상황은 꽤 어색하게 느껴졌다. 나름 오랫동안 이곳에서 지냈는데도 적응이 안 된달까.

"어머니, 언니를 데리고 왔어요!"

"잘했다, 오드리. 다들 어서 앉으렴."

사토르디 자작부인이 다정한 미소와 함께 우리 자매를 맞아주었다. 나도 자연스럽게 웃으며 사토르디 자작부인의 맞은편에 앉았다. 가장 상석은 아버지 사토르디 자작의 것이었고, 그 오른편에 사토르디 자작부인, 왼편에는 내가 앉는 식이었다. 당연히 오드리는 내 오른쪽에 앉았다.

"아버지는요?"

"곧 오실 거다, 오드리. 하여튼 너희 아버지도 꾸물대시는 건 알아 드려야 해."

"지금 왔소, 부인. 조금만 더 늦었더라면 내 욕을 진창 했겠군."

"아버지!"

그때 식당으로 사토르디 자작이 모습을 드러냈고, 오드리는 까르르 웃음소리를 내며 사토르디 자작에게로 달려가 안겼다. 자작은 그런 둘째 딸을 익숙하다는 듯 번쩍 들어 올려 안아 주었다.

"우리 오드, 시집가고 나면 얼마나 서글플까?"

오드는 오드리의 애칭이었다. 사토르디 자작의 말에 오드리가 입술을 비죽거렸다.

"아직 데뷔탕트도 되지 않았는걸요. 한참 멀었어요."

"그래 봐야 내년이잖니."

"언니도 아직 시집 안 갔는데. 뭘. 언니부터 걱정하세요."

"맞아. 그래서 이 애비는 유린에 대해서는 천천히 마음의 준비를 하고 있단다. 매우 괴롭기는 하지만……."

자작은 침통한 표정으로 중얼거리다가, 이내 호탕하게 말을 맺었다.

"아직 결혼하려면 멀었단다. 알지? 이 애비는 우리 큰 딸을 좀 더 오래 곁에 두고 싶거든!"

나는 어색하게 웃음소리를 냈다. 유리네트의 가족들은 자작부부는 물론이고 오드리까지 애교와 미소가 넘치는 사람들이었다. 유리네트도 그랬다고 알고 있는데, 나는 그런 것과는 썩 거리가 먼 편이었다. 유감스럽게도. 이렇게 행복한 가족이 생긴 건 처음이었으니까. 이전 세상에서는 동생은커녕 부모도 없었다. 그래도 다행히 달라진 성격으로 내가 정말 나인지 의심하는 사람은 없었다. 죽을 고비를 넘기고 갑자기 조숙해졌다고 생각하는 모양이었다.

"칠면조가 입에 맞니, 유린?"

식탁 위에 풍성하게 차려진 요리들을 하나씩 맛보고 있는데, 사토르디 자작부인이 말을 걸어왔다.

"이번에 요리사가 향신료를 조금 다른 걸 썼다고 하더구나. 후추 값이 너무 올랐단다."

"네, 어머니. 괜찮아요."

"맞다, 여보. 그러고 보니 내가 하지 않은 말이 있소."

"뭔데요?"

"다음 주에 폐하께서 이곳으로 오실 거요."

"네에?"

너무 뜻밖의 말이라고 생각했는지 사토르디 자작부인이 눈을 휘둥그레 떴다. 그리고 내 옆에서 같이 듣고 있던 오드리도 깜짝 놀라는 표정으로 입을 틀어막았다. 그 자리에서 차분한 사람은 나와 사토르디 자작뿐이었다.

"폐하께서? 왜요?"

"지난번에 과로로 쓰러지신 이후 궁의들이 열렬히 건의했다더군. 폐하께 휴식이 필요하다고 말이오."

"으음……. 하긴 폐하께서 과로하시는 분인 건 맞아요. 게다가 1년 전에는 정말 큰일 날 뻔하셨으니 긴 휴식이 필요하겠죠."

"그래서 사토르디 지방에 머무르시면서 요양을 하게 될 것 같소."

"얼마나요?"

"한 달 정도로 말을 들었소. 확정된 부분은 아니라 더 길어질 수도 있고."

"제가 뭐 신경 써야 할 부분이 있나요?"

"아마 이 저택에서 머무르시게 될 거요. 아직 이 지역에서 머무르실 만한 곳은 이곳뿐이니까. 폐하께서 지내시는 데 불편함이 없도록 최대한 사용인들을 조심시켜주면 좋겠소."

"세상에! 당연하죠, 여보. 폐하께서 이곳에 머무르게 되신다니, 가문의 영광이네요."

사토르디 자작부인은 뛸 듯이 좋아했지만, 오드리는 아니었다. 그녀는 자신들의 생활공간이 타인에게 침범당한다고 생각하는지 떨떠름한 표정이었다. 오드리가 불만스러운 목소리로 물었다.

"폐하가 계시는 동안에는 큰 소리도 함부로 못 내는 것 아니에요?"

"당연하지, 오드. 폐하께서는 굉장히 예민하고 무서운 분이시란다."

"절대 경거망동해서는 안 돼."

부모님의 말을 들은 오드리의 표정에 불만이 더욱 커졌다.

"그럼 전 차라리 별채에서 머무르면 안 될까요? 폐하와 같은 저택 쓰는 거 불편해요."

"으음……. 그것도 나쁘지 않겠구나."

사토르디 저택은 수도에 있지 않은 탓에 상당히 거대했고, 본채 옆에는 작지 않은 크기의 별채가 있었다.

"어머니, 아버지야 여기 계시는 게 맞겠지만, 저랑 언니는 굳이 그럴 필요 없잖아요. 그냥 언니랑 같이 별채에서 지낼게요."

"네 생각은 어떠니, 유리네트?"

사토르디 자작부인이 걱정스러운 목소리로 내게 물어왔다. 아무래도 혼수상태에서 깨어난 지 얼마 되지 않은 딸을 걱정하는 듯했다. 나는 천천히 고개를 끄덕였다.

"전 좋아요, 어머니."

별채라고 해서 코딱지만 한 크기도 아니니 상관없었다. 낯선 사람과 부대끼며 지내는 것보다는 훨씬 낫겠지, 뭐. 사토르디 자작도 같은 생각인지 오드리의 의견에 동조했다.

"내 생각도 오드와 같소. 낯선 사람과 함께 지내는 건 아무래도 아이들에게는 불편하게 느껴질 수밖에 없지."

"그럼 오늘부터 당장 별채를 청소하라고 지시해두어야겠어요. 아, 식료품도 넉넉히 구매해 두라고 말해두어야겠네요."

황제의 요양에 대한 이야기는 거기에서 끝났다. 가족들은 언제 그랬냐는 듯 또 다른 화제를 가지고 이야기를 나누기 시작했다.

.

.

.

식사를 끝낸 뒤에는 오드리와 함께 2층의 방으로 올라갔다. 그녀는 내 방에서 굳이 설탕에 절인 자두를 먹으며 내게 말을 걸었다.

"언니, 언니."

"왜?"

"폐하께선 어마어마하게 무시무시한 분이라고 들었는데, 정말일까?"

하지만 나는 오드리가 손에 들고 있던 자두에서 떨어지는 설탕물에 신경을 쓰고 있던 나머지 오드리의 질문을 제대로 듣지 못했다. 결국 내 대답을 기다리던 오드리가 짜증을 냈다.

"언니, 내 말 듣고 있어?"

"깜짝이야. 듣고 있지, 그럼."

나는 티슈로 바닥에 떨어진 설탕물을 닦으며 오드리에게 타박을 주었다.

"여기서 먹을 거면 흘리지 말고 먹어."

"알았어."

너무 기를 죽였나 싶었지만, 그게 무색하게 오드리는 다시 발랄해졌다.

"그보다 언니, 폐하를 만나 뵙고 싶지 않아? 그렇게 잘생기셨대. 천 년에 한 번 태어날까 말까 하는 미모라던데?"

천 년에 한 번이라니. 과장은. 나는 속으로 실소했다.

"나보다는 네가 더 만나 뵙고 싶어 하는 것 같은걸."

"에이, 난 그냥 얼굴만 한번 보고 싶은 것뿐이야."

"정말로?"

"성정이 그렇게 잔혹하시다는데 무서워서 근처에도 못 갈 것 같아."

"그러니 그렇게 수많은 전쟁을 일으키시고도 전부 승리하셨겠지."

나는 무덤덤하게 대꾸했다. 이 세계에서 눈을 뜨고 가족관계 다음으로 배웠던 게 바로 내가 살고 있는 엘스워드 제국의 황제에 대한 내용이었다.

이름 레이놀즈 천시 라 엘스워드. 가족관계로는 아래로 남동생이 하나. 특징은 어마어마한 전쟁광. 그래서 즉위 초부터 제국 밖을 나돌며 수많은 정복 전쟁을 일으켰다고.

그가 탄 말의 말발굽이 닿는 곳이라면 전부 엘스워드의 소유가 되었다고 하니, 확실히 전쟁 영웅이라면 전쟁 영웅일 터였다. 물론 우리나라 사람들의 인식에 한해서만.

'다른 나라 사람들 입장에서는 그렇게 무서울 수가 없었겠지.'

게다가 외치에만 신경 쓰는 인물은 아니었고, 내치도 훌륭하게
해내는 것으로 신민들에게 평판이 좋았다. 다만 아까 오드리가 말
한 대로 성정에 다소 잔혹한 면이 있고, 자신의 뜻에 반대하는 신하
들은 즉결 처형해 버리는 폭군이라는 것도 문제라면 문제였다.

'명군이라고 해서 꼭 성군일 필요는 없으니까……'

거기에 여자를 가까이하지 않기로 유명해 적지 않은 나이에도
황손은커녕 황후조차 맞이하지 못하고 있다고.

당연히 귀족들은 제국의 미래와 직결된 레이놀즈 황제의 후사를
걱정하며 황후를 들이라고 애원하다시피 하고 있지만, 그럴 때마
다 황제가 목소리가 큰 이들을 전부 죽이거나 유배 보내는 바람에
지금은 그런 상황이 좀 뜸하다고 들었다.

'다들 포기해버린 거지.'

어차피 황제에게 남동생도 있겠다, 당장 그가 죽어도 제국의 대
가 끊어지지는 않을 거라고 다들 합리화를 해 버린 것이다.

또 다른 특이사항이라면, 음…… 1년 전 갑자기 혼수상태에 빠져
모두가 걱정했다는 점 정도?

아까 사토르디 자작부인이 말했던 것처럼 지금 엘스워드를 다스
리는 황제는 대략 1년 전 어느 날 깊은 잠에 빠져들었다고 했다.

꼭 잠자는 숲속의 공주처럼.

평소 건강했던 황제가 기별 없이 잠에만 빠져드니 당연히 신하들은 걱정할 수밖에 없었다. 결국 황제가 깨어나기를 기다리며 황제의 하나뿐인 남동생이 섭정을 맡아 제국을 통치했다.

그리고 쓰러지고 1년이 조금 못 되어서 황제는 눈을 떴다.

'건강에도 크게 문제가 없어서, 그냥 깊은 잠을 자다가 깨어난 사람 같았다고 그랬던가.'

어쨌든 레이놀즈 황제는 깨어난 이후 정복 전쟁을 잠시 보류하고 내치에 신경 쓰고 있는 중이었다. 그러던 중 과로로 얼마 전 쓰러져 요양 차 사토르디 지방을 방문하는 것이었다.

사토르디 지방은 온천 특구로 개발된 지 얼마 되지 않은 지역으로, 엘스워드의 오래된 온천에 질린 관광객들이 현재 끊임없이 밀려드는 있는 중이었다. 그런 사정으로 당장 황제가 머무를 별궁조차 없어서, 앞으로 한 달간은 사토르디 저택에서 머무를 계획인 것이고.

"우린 그냥 평소처럼 지내면 돼. 별채로 옮겨서 한 달 동안 생활할 거니까. 괜히 폐하의 심기를 건드려서 가문에 누 끼치지 말고."

"언니도 참. 내가 무슨 앤가? 나도 그 정도는 알아."

오드리가 입술을 비죽이며 대꾸한 다음 빠르게 화제를 바꾸었다.

"그보다 언니, 오늘도 아마나의 꽃집에 갈 거야?"

"아, 맞다."

내가 깜빡 잊고 있었다는 얼굴로 손뼉을 짝 쳤다. 아마나는 사토 르디 영지에서 가장 예쁜 꽃들만 취급하는 꽃집을 운영하고 있었 는데 – 물론 내 주관적인 생각이었다 – 나는 때때로 그녀의 꽃집에 들러 예쁜 꽃을 사 오곤 했다.

'사실 본질적인 목적은 꽃보다는 수다 떠는 거지만······.'

어쨌든 그 덕분에 아마나는 어느새 낯선 세계에서 내가 마음을 터놓고 이야기를 나누는 몇 안 되는 상대가 되어 있었다.

나는 천천히 자리에서 일어난 다음 중얼거렸다.

"가봐야겠다. 2시부터가 제일 한가하다고 했으니까 늦어지면 안 되겠어."

현재 시각 1시 반이었다. 내 말을 들은 오드리가 눈살을 폭 구기 며 말했다.

"비도 오는데 오늘은 건너뛰지 그래?"

"어차피 할 일도 없잖아."

나는 씩 웃으며 대꾸했다. 오드리에게 말한 대로 이세계에 떨어 진 뒤로부터 정말 한가로운 나날을 보내고 있었다.

이 세계에서 귀족 아가씨의 소양이란 잘 먹고, 잘 자고, 잘······ 어쨌든 그런 것이었으니까. 물론 한국인이었던 나는 그런 한가로 움에 질려버리고 빠르게 할 거리를 찾아냈지만 말이다.

'이를테면 독서라던가 꽃꽂이, 자수 놓기 같은 것들?'

하지만 뒤의 두 가지는 한국에서도 해본 적이 없어서 실력이 형편없었다. 특히 처음으로 장미를 수놓았을 때는 그 난해한 형체를 알아보지 못하고 모두가 곤란해 했었다. 기억을 잃어버리면 자수 실력도 같이 없어지는 거냐고 오드리가 농담을 건넬 정도였으니 말 다 했지. 그때 얼마나 가슴이 철렁했는지.

'다행히 지금은 연습해서 그 정도 수준은 아니지만……'

솔직히 말하자면 도긴개긴이었다.

어쨌든 비가 온다고 해서 바깥 외출을 포기하기에는 집 안에 서 할 수 있는 것들이 그리 많지 않았다. 나는 나가기로 마음을 굳혔다.

"오드리, 여기서 계속 그 자두 먹을 거면 절대 설탕물 흘리지 마."

오드리에게 신신당부를 한 뒤에 드레스 룸으로 가자, 나를 전담 하는 하녀 에이미가 내 외출 준비를 도와주었다.

"비가 오는데 꼭 가셔야겠어요?"

얇은 모슬린 재질의 드레스를 입히며 에이미가 물어왔다. 어쩜 이렇게 질문들이 다들 똑같은지. 나는 키득거렸다.

"어차피 할 일도 없잖아. 심심해."

"아가씨, 깨어나신 이후로 뭔가 달라지셨어요."

"뭐가?"

"예전에는 되게 여유롭고 한가로운 생활을 즐기셨다면, 요즘은 되게 뭐랄까…… 성실하고 부지런해지셨다고나 할까?"

"흐음……."

그런가.

'하지만 내가 생각하기에는 지금 생활도 되게 여유로운데……'

아무래도 원래의 유리네트는 지금 내 생활보다 더 게으르게 지냈나 보다. 맙소사, 도대체 얼마나 아무것도 안 했으면!

"게으름은 귀족의 미덕이라고요."

"지금도 나름 게으르게 지내고 있어."

원래부터 귀족이었다면 그 사실에 수긍할지도 모르겠지만 유감스럽게도 나는 태생적으로 귀족은 아니었으니까.

'오히려 그 반대일지 모르지.'

나는 소리 없이 미소 지은 다음 드레스 룸을 나섰다. 계단을 내려가고 대문을 열자 에이미가 자연스럽게 내게 검은 우산을 씌워주었다. 이곳에서 지낸 지 얼마 되지 않았기 때문인지 이런 대접은 영어색하게만 느껴졌다.

어쨌든 나는 익숙하게 사토르디 가문의 마차에 올라탔고, 곧 아마나의 꽃집으로 출발했다. 사토르디 저택에서 아마나의 꽃집까지는 마차로 70분 거리로, 드넓은 사토르디의 영지 면적을 고려한다면 그리 먼 것은 아니었다.

내가 마침 졸기 시작할 즈음에 마차는 꽃집이 있는 거리로 들어섰고, 머지않아 아마나의 꽃집까지 도착했다. 내가 탄 마차를 발견한 아마나가 꽃을 다듬다 자리에서 벌떡 일어섰다.

"아가씨."

"안녕, 아마나."

"비도 오는데 여기까지 오신 거예요?"

그녀는 내가 이 날씨에 여기 올 줄은 몰랐는지 퍽 놀란 표정이었다. 나는 머쓱하게 웃어 버리고 짤막하게 답했다.

"심심해서."

"마침 잘 오셨어요. 오늘 비가 와서 꽃집도 한산했거든요."

그게 꽃집 주인으로서 썩 좋은 일은 아닐 텐데도 아마나의 목소리는 밝았다. 그 덕분에 대화 나눌 시간이 길어져 기뻐하는 것처럼 들려서, 나도 덩달아 기분이 좋아졌다. 돌아갈 때 꽃 몇 송이를 사가야겠다고 생각하면서 나는 아마나의 꽃집 안으로 들어섰다.

아마나가 손님용 테이블에 앉은 내게 따뜻한 과일차를 내주었는데, 차에서는 아까 오드리가 먹었던 절인 자두와 비슷한 냄새가 났다.

"입에 맞으실지 모르겠어요. 그리 귀한 건 아니라……."

"아주 맛있어, 아마나. 내 동생도 이걸 아주 좋아해."

"그래요?"

"내 방에서 먹다가 설탕물을 떨어뜨릴 만큼."

아마나가 깔깔거리며 웃었다.

그리고 본격적으로 수다가 시작되었는데, 늘 그랬던 것처럼 근본 없이 시작해서 근본 없이 끝났다.

아마나는 꽃집에서 일하는 만큼 사토르디 지방에서 일어나는 일에 아주 빠삭했는데, 똑같이 잘 알고 있으면서도 귀족으로서의 품위 유지 등을 이유로 딸들에게 아무 말 하지 않는 사토르디 자작부인과는 달리 내게 있는 그대로 전부 말해주었다.

그리고 내가 들은 것들은 그날 저택으로 돌아가면 전부 오드리에게도 전해졌기 때문에, 결과적으로 사토르디 자작부인의 노력은 전부 헛되이 된 셈이었다. 물론 우리 자매가 이 사실을 일체 자작부인에게 숨겼기 때문에 아직은 들키지 않고 있었지만. 사실 내가 아마나를 만난 것 자체가 그리 오래된 일이 아니긴 했다.

"맞다, 아가씨. 저 그 이야기 들었어요."

그때 아마나가 화제를 바꾸려는 시도를 했고, 나는 눈만 깜빡거렸다. 무슨 이야기를 들었다는 걸까?

"황제 폐하께서 사토르디에 오신다면서요? 정말이에요?"

"아, 맞아."

오늘 들은 이야기였다. 나는 조금 놀란 목소리로 말했다.

"다음 주에나 오신다고 하셨어."

"세상에, 이 사토르디까지 오실 줄이야."

아마나는 이미 들어 알고 있는 사실을 내가 확실히 해주자 놀라 까무러치겠다는 표정을 지었다.

그녀의 반응이 이해 가지 않는 건 아니었다. 황제가 수도를 떠나는 일이 그리 흔한 것은 아니었고, 그 목적지가 수도에서 멀리 떨어진 사토르디 지방이라면 더더욱 그럴 테니까.

"요양 차 온천욕을 하러 오시는 것 같아."

하지만 우리에게는 온천이 있지 않은가?

비록 개발된 지 얼마 안 되기는 했지만, 그 새로움만큼이나 사토르디 온천의 효험은 엘스워드에서 손꼽힐 정도라고 했다. 내 설명을 들은 아마나이 그럴 수 있겠다는 듯 고개를 끄덕였다.

"사토르디 저택에 묵으신다면서요?"

"응. 덕분에 나는 별채 신세야. 그보다, 그 얘긴 어디서 들었어?"

"수도에서 온 관광객들이 이야기하는 걸 들었어요. 대부분은 모르고 있을걸요."

"아아."

"그런데 아가씨, 폐하께서는 아주 무서운 분이시라고 들었어요."

"그렇다더라고."

"아이참, 그렇게 쉽게 말씀하실 게 아니에요. 모르세요? 폐하가 타신 말의 말발굽이 닿는 곳이면, 피가 모여서 강을 이룬다고 다들 그러던걸요."

상당히 무시무시한 비유에 나도 모르게 침을 꿀꺽 삼켰다. 아무래도 정복 전쟁을 많이 다니고, 일으키는 전쟁마다 승리하니 그런 말이 나온 거겠지. 호전적인 성격이 아니고서야 그렇게 많은 전쟁에 참전할 리 없을 테니까.

"거기에 신분 고하를 막론하고 마음에 들지 않으면 가차 없이 목을 베신대요."

"끄응……. 확실히 더 조심해야 할 것 같긴 하네."

"그렇죠? 그러니까 아가씨께서도 가급적 별채에서만 지내시는 게 좋을 거예요. 그리고……."

"……레이디 유리네트?"

그때 귀에 익은 목소리가 내 귓전을 울렸고, 나는 흠칫한 얼굴로 꽃집 안에 들어서는 남자를 쳐다보았다. 금발에 파란 눈, 뚜렷한 이목구비를 가지고 있지만 나는 느끼하다는 이유로 영 취향이 아닌 남자였다.

"맞군요."

이 남자의 이름은 말콤 호로웨이. 나보다는 1살 많고 – 그래봤자 원래의 나이로 치면 내가 훨씬 더 많았지만 – 사토르디 지방에서 꽤 부호로 이름난 남자애였는데, 남작가의 방계라 작위는 승계받지 못했어도 아예 평민은 아닌 신분이었다.

그리고 특이사항이 하나 더 있었는데…….

"언제 오셨습니까?"

나를, 아니 유리네트를 좋아한다. 매우 유감스럽게도.

"……좀 전에요."

나는 일부러 거짓말을 했다. 꽤 오래전 왔다고 사실대로 말하면 이제 자기랑 이야기하자고 징징댈 게 뻔했으니까. 아마나는 눈치 빠르게 아무 말도 하지 않았고, 때문에 그가 진실을 확인할 수 있는 방법은 없었다.

"얼마 안 됐어요."

"이런. 아마나 양과 대화하기 위해 오신 겁니까?"

"네에."

나는 건성으로 대답했다. 보고 있던 아마나가 민망해질 정도의 성의 없음이었지만 말콤은 포기하지 않고 내게 계속 말을 걸었다.

"아마나 양과는 언제까지 시간을 보낼 생각이십니까?"

"집에 갈 때까지요."

"그전에 저와 잠깐 만날 생각은 없으시고요?"

"네."

내가 유리네트의 몸으로 눈을 뜨자마자 날 걱정했다며 온갖 친한 티는 다 냈으니, 아마 권유린인 유리네트가 아니라 진짜 유리네트에게 진즉 반해 있었을 가능성이 컸다. 그리고 아마 유리네트가 물에 빠지기 전에도 그녀를 쫓아다녔을 것이다.

하지만 나는 이 남자가 싫었다. 내가 아니라 유리네트를 좋아했다는 그런 순진한 이유 때문이 아니었다. 이 남자를 얼마간 겪어보니 속셈이 빤히 보이는 것이었다.

말콤은 딸만 둘인 사토르디 가문에 입성해 자신이 사토르디 가문을 차지하려는 불순한 야심을 가진 남자였다. 심지어 살짝 이야기를 섞어보니 가치관이나 사상도 나랑은 전혀 맞지 않았다. 전형적인 구시대 사상을 가진 남자랄까.

'그래, 이 세계 특징상 그건 어쩔 수 없다손 치더라도……'

그래도 나는 싫었다. 싫다면 싫은 거였다. 심지어 아마나는 말콤이 폭력적인 성향을 가지고 있어서 집안의 사용인들에게 함부로 군다는 이야기도 들었다고 했다.

'아, 머리부터 발끝까지 최악이야.'

유리네트와 어떤 관계였는지는 모르겠지만 연인 관계는 확실히 아니었다. 일단 오드리가 그를 싫어했고, 사토르디 자작 내외도 그를 유리네트와 어떤 관계였다고 말하지 않았기 때문이었다.

"죄송하지만 늘 말씀드렸듯, 저는 호로웨이 군과 가깝게 지내고픈 마음이 없습니다. 전혀요."

그래서 나는 단호하게 싫다고 여러 번 말해왔다. 당신의 마음을 받아줄 생각이 없으며 당신과 가까워질 생각도 전혀 없다고. 하지만 이 남자는 그런 내 말을 도통 알아먹질 못했다.

"그냥 하신 말씀 아니었나요?"

아, 말귀 못 알아먹는 남자도 딱 질색인데. 나는 인상을 팍 쓰며 반복했다.

"그냥 하는 말 아니고 진심입니다. 저와 어떤 관계를 가지기를 바라시는지 모르겠지만, 저는 호로웨이 군과 가까워질 생각이 전혀 없습니다. 전혀, 전혀요."

세 번이나 거절의 말을 들은 말콤의 얼굴이 하얗게 질렸다. 내가 이렇게까지 단호하게 나올 줄은 몰랐겠지. 나는 그 모습을 보고 쾌감을 느끼며 말에 쐐기를 박았다.

"그러니까 제게 말을 걸지 않아 주셨으면 좋겠어요. 저는 아마나를 만나러 꽃집에 온 거거든요."

애당초 그가 지금 이 시간에 꽃집에 있는 이유도 너무나 투명하지 않은가. 말콤 호로웨이는 내가 지금 이 시간에 아마나의 꽃집을 방문한다는 사실을 알고 있었다. 그래서 일부러 나와 겹치는 시간에 이곳을 방문한 것이었다.

꽃을 사지 않고 빈손으로 돌아가는 건 아니라 그동안은 입 닫고 있었지만 더 이상은 나도 피곤했다.

"어떻게 제게 그런 심한 말을 할 수 있으십니까, 레이디 유리네트. 저 상처 받……."

"이렇게 단호하게 말씀드려야 헛꿈을 꾸지 않으실 것 같아서요."

나는 말콤의 말을 끊고 냉정하게 대답했다. 사실 그전에도 단호하게 말했지만, 이 남자가 들어 처먹지를 못한 것이었다. 하지만 그게 내 잘못은 아니잖아?

"무슨 꽃을 보여드릴까요?"

내가 더 화를 내기 전에 아마나가 눈치 있게 끼어들었다. 그러자 말콤이 아마나를 무섭게 노려보았는데, '감히 네가 낄 자리가 아니다'라고 말하는 것 같아서 나는 더욱 불쾌해졌다. 나는 빠르게 그에게 쏘아붙였다.

"꽃을 사러 오신 게 아니라면 이만 나가주세요, 호로웨이 군."

내 말에 말콤은 입술이 하얗게 변할 정도로 깨물다가, 곧 말없이 꽃집 밖으로 나갔다. 쾅! 문을 닫는 소리가 폭력적으로 들려왔다. 나는 미간을 사정없이 좁히며 구시렁댔다.

"정말 피곤한 사람이야."

"괜찮으세요, 아가씨?"

아마나가 걱정하는 목소리로 물어왔다. 나는 안 괜찮을 이유가 없어서 당연하다는 듯 고개를 끄덕였다.

"가급적 저 남자와 마주치지 마세요, 아가씨. 저번에도 말씀드렸지만 음흉하고 폭력적인 남자예요."

"아무렴 제정신인 이상 나한테 손대기야 하겠어?"

"그래도요. 조심해서 나쁠 건 없잖아요."

딸랑. 그때 손님이 문을 열고 안으로 들어오는 소리가 들려왔다. 이만 가봐야 할 시간이라는 뜻.

"너무 오래 있었네. 이만 가봐야겠다."

"벌써요? 더 계시다 가시지……."

"더 있으면 영업 방해야. 오늘은 무슨 꽃이 가장 싱싱해?"

"하얀 장미요."

그 말을 듣고, 나는 잠시 생각하는 표정을 짓다 입을 열었다.

"한 송이만 포장해 줘."

"한 송이만요?"

늘 열 송이씩 사 갔기에, 아마나는 내 말에 의아해하는 눈치였다.

"응. 한 송이만."

"열 송이 드릴게요."

"아냐. 하얀 장미 한 송이에 담긴 뜻이 좋아서."

"아……."

그제야 아마나는 알겠다는 얼굴로 가장 탐스러운 하얀 장미 한 송이를 예쁘게 포장해 주었다. 나는 그것을 받아든 뒤 물었다.

"얼마야?"

"한 송인데요, 뭘. 그냥 가세요."

"미안해서 그렇게는 안 되지."

"매번 와서 꽃 사 가시잖아요. 선물이에요."

아마나가 씩 미소 지으며 말했고, 나는 그녀의 성의를 더 거절하지 못했다.

하얀 장미 한 송이의 꽃말은, 다시 만날 수 있을까요.

ℒ ℒ ℒ

시간은 빠르게 흘러, 2주 남짓한 시간은 금세 사라졌다.

나는 황제가 사토르디 지방에 온다는 날짜도 머릿속에 잘 박아두지 못한 채 오드리와 별채에서 지냈다. 좁지 않은 별채에서 둘만 지내니 자매끼리 여행 온 기분이라 좋았다.

그날은 내가 아침에 사토르디 자작으로부터 황제가 온다는 소식을 접한 날이었다. 그는 황제가 오면 가족 모두가 인사를 나가야 하니 하녀를 보내면 늦지 않게 본채로 건너오라는 말을 덧붙였다.

톡톡, 토도독.

그날의 늦은 오전에 책을 읽고 있다가, 창밖에서 들려오는 낯선 소리에 자연스럽게 고개가 돌아갔다. 비가 내리고 있었다.

요즘 좀 뜸하다 싶더니 또 내리는 것이었다. 사토르디 지방은 비가 많이 오는 편은 아니었기에 이것도 진귀하다면 진귀한 광경이었다. 넋을 놓고 창밖을 구경하다가, 나는 이내 중요한 사실 하나를 기억해 내고선 퍼뜩 놀랐다.

"아, 오늘 아마나 만나러 가는 날인데."

오늘 달리아 꽃이 들어온다고 아마나가 신나 했던 기억이 났다. 하지만 나는 곧바로 머뭇거릴 수밖에 없었는데, 다름 아닌 오늘이 황제가 사토르디 저택에 도착하는 날이었기 때문이었다. 그가 저택에 도착하고 하녀가 그 사실을 알리러 별채로 오면, 나는 오드리와 함께 본채로 건너 황제에게 인사를 올려야만 했다.

'근데 저녁쯤에나 오신다고 했던 것 같은데⋯⋯.'

지금은 늦은 오전이었다. 그러니 나는 아마 저녁은커녕 해가 기울어 넘어가기도 전에 저택으로 되돌아올 가능성이 높았다.

'늦지 않게만 돌아온다면 괜찮겠지?'

결심을 마친 나는 빠르게 준비를 끝내고 바깥으로 나섰다. 여전히 비가 차게 내리고 있었다.

"아마나의 꽃집으로."

마차를 탄 뒤에는 익숙한 경로를 따라 이동했다.

"……."

나는 별생각 없이 비가 내리는 마차 밖을 바라보며 멍을 때리고 있었다. 그때 내 머릿속을 지나가는 생각이라고는 이따 아마나를 만나서 해줄 이야기나, 오늘 저녁으로 나올 메뉴 등등 별것 아닌 것들뿐이었다.

"……어?"

그때 시야로 낯선 광경이 들어왔다. 나는 내 눈을 의심하고 중얼거렸다.

"뭐지……?"

내가 잘못 본 게 아니라면, 어떤 남자가 비를 맞고 서 있었다. 그런데 왠지 모르게 그 존재에 기시감이 들었다.

"잠시만……."

나는 무의식적으로 마부에게 마차를 세우라고 지시했다. 마부는 어리둥절했겠지만, 어쨌든 마차를 세워주었다.

나는 우산을 펴고 마차 밖으로 나갔다. 남자는 여전히 비를 맞고 서 있었고, 나는 그에게로 가까이 다가갔다. 어째서 그런 행동을 했는지는 모르겠다. 나는 비를 맞고 있는 낯선 사람에게까지 관심을 기울일 정도로 착하거나, 따뜻한 마음을 가지지 않았으니까. 더구나 저 남자가 누구인지 알고 함부로 다가간단 말인가. 괜히 해코지를 당할지도 모르는데.

그 모든 이상한 점에도 불구하고 내가 그에게 다가간 것은, 이상하게도 그의 모습에서 '익숙하다'는 감정을 느꼈기 때문이었다.

"어쩐지 익숙하단 말이야……."

그조차도 말이 안 되는 일이기는 했다. 나는 이 세계에 떨어진 지 얼마 되지 않았고, 그러니 내가 익숙하다고 여길 만한 사람이라면 응당 대한민국에 있어야 할 테니까.

하지만 이상하게도, 그 남자가 비를 맞고 서 있는 모습에서는 무시할 수 없는 기시감이 느껴졌다. 스스로도 그런 감정을 느끼는 게 이상하게 느껴졌지만, 나는 꿋꿋이 그에게로 걸어갔다.

남자는 그 자리에 오래 서 있었던 건지 몸이 완전히 젖어 있었고, 무슨 생각을 하고 있는 건지 비를 뿌리는 하늘을 가만히 올려다보며 허공을 응시하고 있었다.

"……."

나는 말 없이 그에게 내가 쓰고 있던 우산을 함께 씌워주었다. 그 또한 무의식에서 지시한 행동이었는데, 나는 그때 또다시 기시감을 느꼈다.

'……언젠가 한 번 이런 적이 있었던 것 같아.'

그리고 남자는, 머리 위로 떨어지던 빗방울이 멎자 자연스럽게 내 쪽으로 시선을 돌렸다.

'아…….'

그는 대단한 미남자였다.

흑단 같은 머리카락과 까마귀 같은 검은 눈동자, 피처럼 붉은 입술과 뱀파이어처럼 흰 피부가 내 눈길을 사로잡았다. 만약 여자의 성별이었다면 기꺼이 그를 백설 공주라고 묘사했을 정도. 그 호칭이 민망하지 않을 정도로 수려한 미모였다. 대한민국에서 그를 마주했더라면 연예인이 아닌 것을 의심했을 만큼.

"……."

"……."

우리는 한동안 서로를 가만히 바라보기만 했다. 남자는 타인에게 말도 없이 우산을 씌워준 내게 왜 이러느냐고 묻지 않았고, 나 역시 그에게 여기서 왜 이러고 있느냐고 묻지 않았다. 다만 다소 건조했던 내 시선과는 다르게 남자가 나를 바라보는 시선에는 일종의 뜨거움과 혼란함이 배어 있었다. 왜, 그도 나처럼 기시감 같은 걸 느끼기라도 한 걸까. 아니면…….

'혹시 이 남자도 나처럼 엘스워드로 넘어온 사람인가?'

문득 궁금증이 일었지만, 그걸 내 겉모습만 보고 알아본다는 건 말도 안 되는 일이라는 걸 나는 알고 있었다. 애당초 나의 겉모습은 그의 그것과는 달리 검은 눈에 검은 머리도 아니었기 때문에.

혼란함을 담았던 그의 눈동자는 어느새 파르르 진동하고 있었다. 그는 마치 아주 오랫동안 잃어버렸던 가족을 찾은 것 같은 표정을 지었고, 나는 그런 그의 반응에 당황하면서도 왜 그러느냐고 감히 묻지 못했다. 그러기에는 상대가 너무 진지했고, 어떤 생각에 아주 깊이 몰입해 있어서 내가 질문한다고 해도 듣지 못할 것처럼 보였기 때문이었다.

결국 아무도 입을 열 생각이 없어 보여서, 우리는 꽤 오랫동안 침묵을 유지하고 서로를 바라보기만 했다. 그 상황이 이상하다는 것쯤은 나도 알고 있었지만, 먼저 입을 열기에는 더 어색한 무언가가 있었다. 그렇지만 그 남자의 울 것 같은 눈동자를 계속 보고 있자니, 참을 수 없는 궁금증이 치밀어 올랐다.

'왜 처음 만난 사람을 저런 눈으로 보는 걸까?'

그래서 결국 내가 먼저 입을 열었다.

"왜 이러고 있어요?"

"……."

남자는 답이 없었고 나는 민망함을 느꼈다. 그래도 포기하지 않고 계속 물었다.

"누구세요?"

"……."

여전히 답이 없었다. 이쯤 되자 나는 이 남자가 감옥 탈주범이나 범죄자는 아닌지 걱정되기 시작했다. 정체를 밝힐 수 없는…….

"너……."

마침내 남자가 입을 열었지만, 그건 문장도 뭣도 아니었다. 나는 그 남자의 입에서 나온 것이 도대체 무슨 의미인지 궁금해졌다. 마치 나를 아는 듯한 뉘앙스의 표정과 어투와 말.

하지만 거듭 말했듯이, 나는 이 남자를 지금 처음 보는 것이다. 기시감을 느끼고 가까이 다가갔지만, 초면이었다. 유감스럽게도.

"폐하!"

그때 뒤쪽에서 누군가가 소리치며 이쪽으로 달려왔다. 나는 깜짝 놀라 고개를 돌렸다. 칼을 찬 기사 여럿이 이쪽으로 오고 있었다. 나는 갑작스러운 상황에 몸을 움찔 떨었다. 하지만 그보다 더 나를 놀라게 만든 것은 이어지는 그들의 말이었다.

"폐하, 여기 계셨습니까."

'폐하'라고 했다. 지금 엘스워드에서 폐하로 불릴 수 있는 사람은 단 한 명뿐일 텐데.

나는 서서히 커지기 시작하는 눈동자를 돌려, 믿을 수 없다는 얼굴로 남자를 쳐다보았다. 그렇지만 남자는 여전히 알 수 없는 눈동자로 나를 가만히 응시할 뿐이었다.

'그러니까 이 남자가……'

오늘 사토르디 지방에 요양 오기로 한 레이놀즈 황제였던 것이다.

❧ ❧ ❧

나는 아마나와의 약속을 취소하고 곧바로 마차를 돌려 되돌아왔다. 나의 정체를 알게 된 황제의 측근들이 내 마부에게 사토르디 저택 쪽으로 마차를 몰게 했기 때문이었다. 예상했던 것과는 다른 길로 들어서는 바람에 마부가 길을 헷갈려 한다나.

어차피 황제에게 인사를 드리러 가야 했기 때문에 오늘 아마나를 만나러 가는 건 사실상 무리였다.

'마음 같아선 여기서 인사 끝내고 바로 꽃집으로 가고 싶지만……'

이래저래 그건 안 될 말이었다. 결국 나는 마차를 타고 본채까지 도착했다.

"유린, 너 도대체 어디에……!"

뒤늦게 나타난 내 모습을 본 사토르디 자작부인이 나를 혼내려던 것도 잠시, 뒤이어 들어서는 황제 일행을 보고 자연스럽게 입을 다물었다.

'이따가 보자.'

그녀는 엄한 눈빛으로 나를 흘겨본 다음, 오드리와 나를 당신의 옆에 세우셨다.

'어디 갔었어, 언니?'

오드리 역시 내게 날카롭게 입 모양으로 묻기는 마찬가지였다. 하지만 나는 자작부인에게 그랬던 것처럼, 똑같이 '이따가 말할게'라고 입 모양으로만 답할 뿐이었다. 어쨌든 우리는 꿔다놓은 보릿자루처럼 자작부인의 옆에 섰고, 사토르디 자작은 비에 흠뻑 젖은 황제의 모습을 보고 픽 놀란 모습을 보였다.

"제국의 태양 황제 폐하를 뵙습니다. 엘스워드에 번영을."

"빛나는 아버지, 황제 폐하를 뵙습니다. 치세에 영광을."

우리 가족은 모두 한마디씩 황제에게 인사를 올렸지만, 예상치 못하게 특수해진 황제의 처지로 인해 사실 흐지부지되었다고 볼 수 있었다. 어쨌든 지금 상황에서 누가 봐도 중요한 건 인사치레 따위가 아니리라. 이건 사실 나중에도 얼마든지 할 수 있었으니까.

중요한 건, 황제가 감기에 걸리지 않도록 따뜻한 물에 목욕부터 하는 것이었다. 이 사실을 모를 리 없는 사토르디 자작이 빠르게 하인들에게 황제의 목욕 준비를 지시했다.

하인들은 혹시라도 황제가 감기에 걸리면 자신들에게 불똥이 떨어질까 봐 정신없이 움직이기 시작했다. 저택의 사용인들 역시 폭군의 악명에 대해서는 익히 알고 있던 상황이었다. 시종들은 급한 대로 마른 수건을 가져와 황제의 젖은 몸을 닦아주었다. 역시나 황제의 심기를 건드리지 않게 하기 위해 애쓰는 기색이 역력했다.

'사실 저렇게 된 건 누가 봐도 본인 과실 같은데.'

그로 인해 나빠질 기분을 주변 사람들이 걱정해야 한다니 참 아이러니한 일이었다. 어쨌든 그런 분위기 속에서 나는 정말로 장식용 인형이라도 된 듯한 기분이었다. 그 상황에 지루함을 느끼며, 나도 얼른 별채로 가 씻고 싶다는 생각만 들었다. 아까 마차 밖으로 나갔을 때 잠깐 비를 맞았기 때문이었다.

'어……?'

그 순간, 나와 황제의 눈이 마주쳤다.

아니, 정확히는 그가 먼저 나를 빤히 바라보던 중, 내가 우연찮게 시선을 돌려 그를 쳐다본 것이었다. 그 사실을 깨달은 나는 당황한 얼굴로 똑같이 그와 시선을 주고받았다. 감히 황제의 앞에서 그렇게 눈을 똑바로 뜨는 게 얼마나 무례한 건지 전혀 눈치채지 못한 행동이었다. 그건 내 옆의 다른 사람 - 사토르디 자작부인- 이 내 옆구리를 쿡 찌른 뒤에나 상기된 사실이었다.

나는 당황한 얼굴로 재빨리 고개를 숙였지만, 그 이후에도 황제는 나를 바라보는 행위를 지속했다.

'왜 저렇게 쳐다보지?'

혹시 내가 벌써 그에게 무슨 실례라도 저지른 건가?

'설마 아까 우산을 씌워준 게 못마땅한 건 아니겠지?'

속으로 진지하게 고민해 보았지만, 특별히 답은 나오지 않았다. 그러는 와중에도 시선은 계속 느껴졌고, 나는 점점 부담을 느꼈다.

"폐하, 목욕 준비가 다 되었습니다."

그러다, 아까 길 위에서 맨 처음 황제를 '폐하'라고 불렀던 금발의 남자가 황제에게 다가와 말했다. 그제야 황제의 시선은 내게서 금발 미남에게로 옮겨갔다. 나는 다행이라고 생각하면서 여전히 고개를 숙이고 있었다.

"······."

잠시 후 황제는 원래 그가 머물기로 한 방으로 여러 시종들과 함께 올라갔고, 나는 이제야 돌아갈 수 있겠구나 싶어 속으로 만세를 불렀다. 하지만 곧바로, 아까 그 금발 미남이 나를 불렀다.

"사토르디 영애."

여기서 사토르디 영애는 나 하나가 아니었지만, 누가 들어도 그건 나를 지칭하는 말이었다. 내가 그를 빤히 쳐다보자, 그는 안도의 감정이 섞인 미소를 지으며 내게 감사를 표했다.

"사토르디 영애께는 깊이 감사드립니다. 하마터면 저희 폐하께서 잘못되실 뻔했습니다. 안 그래도 근래 많이 쇠약해지셔서 걱정이 컸는데……."

그는 곧이어 자신을 '애슐리 피니 드 윅스'라고 자신을 소개했는데, 눈부신 금발에 눈동자까지도 금색인 대단한 미남이었다.

'아무래도 황궁에는 잘생긴 사람만 들어갈 수 있나 봐.'

나는 어색하게 미소 지으며 대꾸했다.

"별것 아니었는걸요."

"아닙니다. 영애의 우산 덕에 폐하를 빨리 찾을 수 있었습니다."

애슐리가 빙긋 미소 지었고, 나는 미남의 미소에 정신이 혼미해졌다. 아무리 봐도 적응될 것 같지 않은 미모다.

그는 이내 황제의 방이 있는 2층으로 건너갔고, 남겨진 우리 가족들은 모두들 조금씩은 정신이 혼미해진 얼굴을 했다. 곧이어 사토르디 자작이 내게 영문을 모르겠다는 목소리로 말했다.

"도대체 이게 무슨 일인지 설명 좀 해보렴, 아가."

나는 마차를 타고 아마나의 꽃집에 가던 중, 길 위에서 홀로 비를 맞던 황제를 발견하고 그에게 우산을 씌워주었다고 사실대로 말했다. 그가 황제인 줄은 몰랐고 그저 동정심에 그랬다고 이유까지 덧붙이면서.

'사실 그런 단순한 이유는 아니었지만…….'

그편이 설명하고 이해시키기에는 편했으니까.

내 말을 들은 가족들의 관심은 곧바로 황제가 '왜 그러고 있었느냐'에 초점이 맞춰졌다.

"왜 비를 맞고 서 계셨을까? 비 맞는 걸 혹시 좋아하시나?"

"……그 나이에?"

"역시 아니겠지?"

"무슨 사연이 있나 봐. 비 오던 날 떠나간 첫사랑이라도 생각났다던가."

"언니도 참."

"왜? 나름 현실적이지 않나……?"

아, 여기 사람들 기준으로는 아니려나.

'어쨌든.'

만약 그렇다면 아까 날 보고 지었던 그 이상한 표정이 마음에 걸렸다. 방금 전 나를 바라보던 집요한 시선도.

'혹시 내가 죽은 첫사랑과 닮기라도 한 건가?'

골똘히 생각하다가, 나는 이내 고개를 저어 버렸다. 영 쓸데없는 생각이었다. 애초에 그가 정말로 죽은 첫사랑 때문에 그랬는지도 확실하지 않고.

"어쨌든 다시 뵐 일 없는데, 뭐. 우린 별채에서만 지낼 거잖아."

나는 별생각 없이 그렇게 말했고, 오드리는 동의한다는 듯 고개를 끄덕이며 맞장구쳤다.

"무서운 분이시라니까, 불똥 튀지 않게 잘 피해 다니자."

"내 생각도 그렇단다. 괜히 폐하의 심기를 건드리면 곤란하니까."

"그럴게요, 어머니."

사토르디 자작부인의 염려에 우리는 고개를 끄덕이며 한목소리로 대답했다. 그때는 앞으로 일어날 일에 대해 전혀 예상하지 못했다.

·

·

·

그날, 오전부터 내리던 비는 저녁이 되어서야 그쳤다.

나는 오드리와 함께 식당에서 간단히 저녁을 먹은 다음, 내 방으로 올라왔다. 별채라고 해도 본채보다 크기만 조금 작을 뿐이지 구조는 거의 동일했다. 한마디로 사토르디 저택은 정원까지 포함한다면 대단히 넓은 면적을 자랑하고 있었다.

나는 책상 앞에 앉아 책을 읽다가, 밤 9시 즈음이 되었을 때 책장을 덮고 자리에서 일어났다. 저녁 식사 이후 내내 거북함을 느꼈는데, 아까 크림 스튜를 너무 급하게 먹어서 그런 것 같았다.

소화제도 먹어 보았지만, 딱히 호전되는 것은 없었다.

'아무래도 조금 걸어야겠어.'

비가 온 직후라 날씨는 쌀쌀할 게 뻔했다. 나는 가볍게 숄을 걸친 다음 방 밖으로 나갔다.

오드리는 벌써 자는 건지 문틈 사이로 새어 나오는 빛이 없었다. 별채에 많은 사용인들이 배치된 건 아니라 복도의 분위기는 상당히 조용했다. 아마 본채도 황제의 심기를 거스르지 않게 하기 위해 사용인만 많다 뿐, 시끄러운 분위기는 아니리라.

나는 조용히 저택 밖으로 나갔다. 사토르디 저택의 정원은 조경에 관심이 많은 사토르디 자작부인의 영향으로 상당히 아름답게 꾸며져 있었고, 나는 어둠이 어스름하게 내려앉았을 때 그곳을 산책하는 것을 좋아했다. 물론 지금은 저녁이라기보다는 어두컴컴한 밤이었지만.

어쨌든 특유의 조용하고 고요한 분위기가 속을 편안하게 만들어 주는 듯한 착각이 들었다. 나는 생각을 비우고 정원을 걷다가, 문득 낯선 인영을 발견하고선 저도 모르게 흠칫 놀랐다.

"……누구세요?"

이 시간에 정원을 오는 사람은 흔치 않다. 나는 살짝 긴장한 목소리로 물었지만, 돌아오는 대답은 없었다. 나쁜 사람일 리는 없을 것이다. 사토르디 저택은 제법 보안이 잘 되어 있었으니까.

'그렇다면 누구지?'

그 궁금증은 얼마 지나지 않아 풀렸다. 잠시 후 드러난 인영의 정체는 낯익지는 않아도 한 번은 본 적 있는 이의 얼굴을 하고 있었으니까. 나는 맥이 풀린 얼굴로 남자를 쳐다보았다.

레이놀즈 황제였다.

# 2

## *First*

✳

"어……. 안녕하세요."

뭐라고 말을 걸어야 할지 모르겠어서 고민하다가, 제일 무난한 인사를 꺼냈다. 그러다 그가 제국의 황제라는 사실을 뒤늦게 기억해 내고선, 방금 건넨 인사가 상당히 간소하다 못해 무례하다는 사실을 깨달았다. 하지만 다시 인사를 하기도 전에 그가 물어왔다.

"넌 누구지?"

……이쪽에서 먼저 인사한 거 못 들으셨나요?

'자기소개는 아까도 했는데.'

나는 황당해졌지만 애써 참았다. 저 사람은 황제다, 황제! 심지어 폭군으로 소문난 황제였다. 잘못 입 놀리면 그대로 죽는 거야.

나는 그 사실을 굳게 마음속에 새기고선 입을 열었다.

"유리네트 조셋 엘 사토르디라고 합니다."

그렇게 소개한 뒤에, 나는 '혹시라도' 그가 까먹었을까 봐 한마디를 더 덧붙였다.

"아까 뵈었었지요. 우산을 씌워 드렸습니다."

　공치사를 하자고 꺼낸 말은 아니었지만, 그는 그 말을 듣고 나를 빤히 쳐다보더니 이내 성큼성큼 내 쪽으로 다가왔다. 나는 당연히 당황했지만, 그렇다고 도망갈 수도 없는 노릇이었다.

　아니, 애당초 도망가는 게 무의미한 상황이었다. 여긴 우리 집이었으니까.

　'도망쳐봤자 저택 안인데 무슨.'

　어느새 황제는 내 지척까지 다가왔고, 그건 내가 그의 얼굴을 아주 가까이서 볼 수 있을 만큼의 거리였다. 그 거리는 아까의 비 오던 상황을 연상시켜서, 나는 기분이 조금 이상해졌다.

　밤에 본 황제의 얼굴은 특유의 음울하고 색스러운 분위기가 더 부각되고 있었는데, 그건 보는 사람을 홀리는 듯한 느낌을 주었다. 나도 모르게 침을 꿀꺽 삼키자, 그가 피식 웃으며 물었다.

"긴장했나?"

　그렇게 다가오면 누구라도 긴장할걸.

"네, 폐하."

"누가 보면 내가 잡아먹기라도 하는 줄 알겠어."

"폐하의 앞에 선다면 그 누가 긴장하지 않겠습니까."

"긴장하지 않는 사람도 있어."

그가 고개를 저으며 덧붙였다.

"그런데 영애는 아닌가 보네."

"……."

나는 침묵을 지켰고, 그는 그런 나를 빤히 바라보았다. 그의 말마따나 나는 '황제의 앞에서 긴장하지 않는 사람'이 아니었고, 그래서 그 시선이 몹시 부담스럽게 느껴졌다.

하지만 그는 그런 내 마음은 아랑곳하지 않고 계속 나를 쳐다보기만 했다. 결국 참다못한 내가 물었다.

"제 얼굴에 뭐라도 묻었나요?"

그 질문은 스스로 내뱉고도 당돌하게 들려서, 나는 약간 머뭇거리며 그의 눈치를 보았다. 다행히 특별히 불쾌하거나 하는 기색은 없었지만, 대륙을 공포에 떨게 한 폭군이라는 소문은 내가 그의 눈치를 보게 하기에 충분했다.

"그런 건 아니고, 그냥……."

"그럼 제가 누굴 닮았나 보지요?"

"……."

내 추측을 들은 그는 입을 다물었고, 나는 설마 하는 표정으로 덧붙였다.

"첫사랑이라던가."

"상상력이 기발하네."

아닌 듯했다. 내가 머쓱한 표정으로 변명하듯 대꾸했다.

"처음 뵀을 때부터 절 이상한 시선으로 보시기에."

"이상하다니?"

"누굴 떠올리는 것 같은 느낌이었거든요."

"……."

그는 침묵했고, 나도 따라서 침묵했다. 자연스럽게 적막한 분위기가 흘렀다. 나는 괜한 말을 꺼냈나 싶어 얼른 말을 돌렸다. 자꾸만 실수하는 기분이다.

"아까는 왜 그러고 서 계셨어요?"

괜한 질문인가 싶었지만 정말 궁금하긴 했다. 어째서 비가 오는 날 우산도 없이 그렇게 오래 서 있었는지. 하늘을 바라보면서.

"비 오는 날이면 생각나는 시간이 있거든."

"그게 첫사랑인가요?"

"……왜 이렇게 내 첫사랑에 집착하는 거야?"

"아니, 뭐……."

나는 머쓱해져서 얼른 변명했다.

"보통 소설 속에서는 그러더라고요."

"첫사랑이라고 하기에는 설명이 좀 부족하고."

그가 '흐음' 하고 중얼거리다가 이번에는 내게 물었다.

"그러는 영애는 왜 낯선 사람에게 우산을 씌워줬지?"

애매모호하게 대답하고서는 질문을 떠넘기다니. 나는 미간을 좁혔지만 따질 수는 없었다. 황제였으니까.

"그냥…… 우산이 없어서 그렇게 비를 맞고 있나 해서요."

새빨간 거짓말. 원래의 나라면 그냥 마차를 타고 가버렸을 것이다. 순전히 기시감 하나 때문에 마차에서 내렸지만, 솔직하게 말했다가는 이상한 사람처럼 보일까 봐 속내를 숨겼다.

"확실히 닮았어."

의미심장한 목소리와 의미심장한 말. 그리고 의미심장한 미소.

완벽한 삼위일체에 나는 궁금증을 느꼈다.

"저요? 누구랑요?"

또 첫사랑이냐고 물어보려고 했다가 지나친 것 같아서 말을 삼켰다. 그런 내 속을 읽었는지 그가 낮게 웃었다.

'사람이 저렇게 매력적으로 웃을 수도 있구나.'

새삼 감탄이 나오는 미소였다.

"첫사랑이라기보다는."

그다음에 나오는 말이 꽤 충격적이었다.

"내 주인님?"

나는 순간 내 귀를 의심했다. 방금, 뭐라고……?

"못 들을 걸 들었다는 얼굴이네."

그가 재미있다는 듯 다시 한번 낮게 웃었다. 아차. 너무 내 속을 그대로 보여 버렸나. 나는 혹시 그가 화가 난 건 아닌가 싶어 눈치를 살폈지만, 다행히 그건 아닌 것 같았다.

"이상하잖아요."

"뭐가?"

"사람한테 주인님이 있다는 거……. 있다고 쳐도 폐하는 노예도 아니신데요."

"글쎄……."

왜 부정을 안 해?

내가 황당한 표정으로 그를 바라보았지만, 그는 자기만의 세계에 완전히 빠진 사람처럼 그저 중얼거릴 뿐이었다.

"어쩌면 그때 난 노예였을지도 모르고……."

설마 레이놀즈가 노예 출신의 황제인가?

'하지만 그런 말은 들은 적이 없는데.'

내가 혼란스러운 표정으로 그를 쳐다보자, 레이놀즈는 아까와 같은 의미심장한 미소로 나를 쳐다보았다.

"못 믿겠나?"

나뿐만 아니라 아무도 못 믿을 것 같았지만, 아무 말도 하지 않기로 했다.

"뭐, 못 믿겠지."

나도 못 믿었으니까, 하고 그는 중얼거렸다. 어째 말을 섞으면 섞을수록 이상한 사람 같았다. 전쟁을 너무 많이 해서 정신이 이상해졌나.

"그보다 이 밤에 영애는 여기 어쩐 일이지?"

그건 이쪽에서도 묻고 싶은 질문이었지만, 나는 일단 대답부터 했다.

"저녁을 먹은 게 좀 얹혔어요. 소화도 시킬 겸 산책하러 나왔습니다."

"흐음……."

"폐하께서는요?"

"난 생각이 많아서."

"요양을 오신 것으로 아는데 좀 쉬시지요. 원래 정신이 건강해야 육체도 건강해지는 법이거든요."

"지금 나 걱정하는 건가?"

왜…… 대답이 그런 식으로 나오는 거지? 내가 황당한 표정으로 레이놀즈를 바라보자, 그는 재미있다는 듯 낮게 웃었다. 어쩐지 나한테 장난을 치고 있다는 생각이 들어서 기분이 묘해졌다. 나는 어떻게 대답할지 고민하다가 제일 무난한 답변을 해주었다.

"제국의 신민으로서 폐하를 걱정하는 건 당연한 일이지요."

그 대답을 하는 내 모습조차도 그는 흥미롭게 바라보는 듯했다.

그래서 기분이 더 이상해졌다.

"사토르디 지역의 온천은 개발된 지 얼마 되지 않았지만, 그 덕분에 효험은 다른 오래된 온천들보다 좋습니다. 근래 과로로 쓰러지셨다고 들었는데 이곳에서 한 달 정도 지내다 가시면 분명 건강해지실 거예요."

"흐음……."

내 말을 들은 레이놀즈가 잠시 생각하는 표정을 지었고, 나는 입을 다문 채 아무 말도 하지 않았다. 그리고 한참 시간이 흘러서야 레이놀즈는 입을 열었다.

"영애는 사토르디 지방에 대해 잘 알고 있나?"

황당한 질문이었다. 사토르디 자작영애에게 사토르디 지방에 대해 잘 알고 있느냐고 묻다니. 물론 유리네트로 산 지 얼마 되지 않아서 완벽하게 아는 것은 아니었지만, 워낙 주변 사람들이 교육시켜준 덕에 나는 원주민 비슷하게 사토르디 지방에 대해 알고 있었다. 내가 고개를 끄덕이며 답했다.

"물론입니다, 폐하."

"잘됐군. 그럼 내일부터 그대가 이 일대를 좀 소개해주도록 해."

"네?"

순간 잘못 들었나 해서 나는 눈을 동그랗게 뜨고 물었다. 하지만 그는 제 말에 조금도 잘못된 구석이 없다는 듯 태연하게 한 번 더 말해주었다.

"내일부터 사토르디 지역에 대해 안내해 달라고."

"……"

"한 번 더 말해줄까?"

"왜 굳이 제가……"

"사토르디 자작이나 그 부인에게 그런 명령을 내릴 수는 없으니까."

"저택의 다른 하인들도 이 일대에 대해서는 잘 알고 있습니다."

"그래서 지역 소개를 지금 하인에게 맡기겠다는 건가?"

뒤에 '감히 황제인 나에게?'라는 말이 생략되어 있는 거 같아서 나도 모르게 마른 침이 꿀꺽 넘어갔다. 하기야 그것도 어폐가 있기는 했다. 다른 사람도 아니고 황제인데.

'아니, 그럼 요양 오기 전에 본인 신하한테 사전 답사라도 좀 시키시던가.'

하다못해 나한테 미리 말이라도 해주던가. 내 일정은 어쩌고 갑자기 이런 명령을 내린담?

"아뇨. 그럴 수는 없지만……."

……이라고는 당연히 절대 못 말했다. 그가 뿌듯한 표정으로 말했다.

"그럼 됐네."

"하지만 저도 꽤 바쁜 사람이라서……."

나는 슬그머니 그의 눈치를 보며 말을 맺었다.

"……요."

"그래서?"

그가 미소 지으며 물었다.

"안 된다는 건가?"

왜 하필이면 저 미소 띤 얼굴로 말하는 건지! 내가 미남의 미소에 약하다는 걸 애슐리 경이 눈치채고 말하기라도 한 건가? 게다가 저

런 식으로 질문해 오면 누가 거기에다 대고 '안 됩니다, 폐하'라고
감히 말할 수 있겠어?

'간이 배 밖으로 나온 사람이 아니고서야……'

나는 속으로 구시렁댔고, 그러는 사이 그는 한 번 더 물어왔다.

"대답은?"

"아닙니다, 폐하."

어쩔 수 없었다. 폭군 황제라는데 이쪽에서 먼저 몸을 사려야지.

'자칫하다가는 가문에 피해가 갈 수도 있으니까……'

나는 속으로 한숨을 내쉬며 그에게 물었다.

"정확히 뭘 어떻게 해야 하는 건지……."

"어렵지 않아. 내일부터 내 일정 전부에 동행하면 되니까."

"네……?"

아니, 죄송하지만 저는 댁의 시녀가 아닌뎁쇼. 내 어이없다는 표
정에 그가 다시 한번 상큼한 미소로 물어왔다.

"불만 있나?"

"……."

누차 말하지만 간이 배 밖으로 나오지 않는 이상 여기에서 '물론
이죠!'라고 대답할 용자는 없을 것이다.

그리고 나는 겁이 많은 사람이었다.

.

"이건 말도 안 돼."

결국 나는 산책을 갔다가 본의 아니게 무임금의 노동을 떠맡는 처지가 되어 버린 것이었다. 얹혔던 속이 좀 내려가나 했더니만 다시 꽉 막힌 듯 답답해졌다.

의미 없이 시간 죽이는 걸 싫어할 뿐이지 나도 여유로운 생활은 좋아했다. 그래서 피곤하지 않은 선에서 책도 읽고 아마나와 수다도 떨고, 산책도 나가는 것 아닌가.

하지만 내일부터 황제를 따라다니면 분명 그 여유로운 생활은 깨지고 피곤함은 덕지덕지 달라붙을 게 뻔했다. 나는 예상되는 괴로움에 인상을 찌푸렸다. 이렇게 운이 없을 수가!

"언니."

별채로 돌아온 후 계단을 올라 방으로 올라가는데 오드리의 목소리가 들려왔다. 잠에 취한 듯한 목소리는 그녀가 방금 일어났음을 암시했다. 고개를 들어 올리자 2층에서 오드리가 눈을 비비며 나를 바라보고 있었다.

"어디 다녀와?"

"아, 산책 좀."

"오래 있다 왔는걸. 아까부터 기다렸는데."

"으음……."

사실대로 말해야 할지 고민하다가, 결국 아까 있었던 일을 전부 말했다.

"실은 아까……."

이야기를 듣던 오드리는 눈이 점점 커지더니, 마침내는 경악했다.

"뭐어? 그게 진짜야?"

"어……."

"맙소사. 황제 폐하와 그런 식으로 엮일 줄이야. 도대체 이게 무슨 일이람?"

그건 나 역시도 잘 모르겠는 일이라 아무 말도 하지 못했다. 분명 내 계획은 별채에서 지내면서 황제를 마주치는 일도 가급적 없애는 거였는데……. 첫날부터 망해버렸다, 젠장.

"어쩔 수 없지, 뭐. 이미 하겠다고 말을 해버렸어."

"괜찮을까? 폐하는 엄청나게 무서운 폭군이시라며."

"그러니까 더더욱 가야지. 안 갔다가 무슨 화를 입으려고."

"어휴, 정말. 그보다 언니 괜찮겠어? 아직 사토르디 지리를 다 모르는 거 아냐? 병상에서 일어난 지 얼마 되지도 않았는데……. 걱정스럽네."

"하지만 사실대로 말했다간 나 대신 네가 가게 될 텐데, 그건 더 안 될 말이지."

오드리는 아직 어렸기 때문에 만약 오드리를 보낸다면 나는 물론이고 자작부부 역시 훨씬 불안해하실 것이다. 그래도 이왕이면 좀 더 큰 내가 안심이 되지 않을까? 내 말에 오드리는 일리가 있다는 듯 고개를 끄덕였다.

"그것도 그렇네……."

"너무 걱정하지 마, 오드리. 그래도 어느 정도는 아니까. 길을 헤매거나 하는 일은 없겠지."

"당연히 그래야지. 그보다 언니 무섭겠다."

딱히 무섭다는 생각은 들지 않았지만, 걱정스럽기는 했다. 상황이 생각한 대로 흘러가지 않았을 때 흔히 겪는 불안감이었다.

하지만 나는 곧 머리를 털어버렸다. 이미 일어난 일이고, 원래 인생이란 계획대로 흘러가지 않는 법이니까.

'가서 길만 잘 소개해주고 비위만 잘 맞춰 주면 큰일은 없을 거야.'

나는 별것 아니라는 것처럼 미소 지으며 오드리에게 말했다.

"너무 걱정하지 마. 난 괜찮으니까."

그건 어쩌면 사실 나 스스로에게 하는 말이었을지도.

❧ ❧ ❧

다음 날이 되었을 때 나는 사토르디 자작부부에게 간밤에 있었던 일을 이야기해 주었다.

내가 가이드를 맡게 되었다는 소식을 전하자 자작부부는 어제의 오드리처럼 걱정하는 모습을 보였다. 하지만 별수 없는 노릇이어서, 부부는 떨떠름해하면서도 고개를 끄덕였다.

나는 아침 식사만 마치고 레이놀즈 황제의 방으로 갔다. 2층 전체가 레이놀즈가 쓰는 구역이었는데, 경비가 상당히 삼엄했다.

이 집에서 이런 광경을 보게 될 줄이야. 나는 생경함을 느끼면서 애슐리 경에게 인사를 건넸다.

"안녕하세요, 애슐리 경."

"아, 레이디 유리네트. 좋은 아침입니다."

나를 발견한 애슐리 경이 반가운 낯으로 내게 인사했다. 나는 어색하게 웃으며 고개를 끄덕였다.

"폐하께 지난밤 말씀은 들었습니다. 영애께서 이 일대 가이드를 해주기로 하셨다고요."

본의 아니게 여행가이드로 취직해 버린 느낌이다.

'권유린으로 살 때는 가이드는커녕 여행 한 번도 제대로 못 가봤는데……'

나는 떨떠름한 기분을 느끼며 고개를 끄덕였다.

"그렇게 되었습니다."

"모쪼록 잘 부탁드립니다. 폐하께서 호위도 가급적 붙이기를 원치 않아 하셔서, 아마 다니시는 데 불편함은 없으실 겁니다."

저, 잠시만요?

'그 말은 지금…….'

나랑 황제랑 둘이서만 다니게 된다는 이야기 아냐? 나는 당황한 나머지 말까지 더듬어가며 물었다.

"그, 그래도 되나요?"

"네?"

"그래도 황제 폐하신데……."

"아아. 안전 문제라면 걱정하지 않으셔도 됩니다."

애슐리 경이 낮게 웃으며 나를 안심시켰다.

"검술 실력이 웬만한 기사들만큼이나 뛰어나시거든요."

"아……."

하긴 전쟁광 폭군이라는데 아무렴 자기 몸 하나쯤은 지킬 수 있 겠지.

"그리고 아무래도 이곳은 폐하의 얼굴이 알려져 있지 않으니, 드 러내놓고 경호를 받으신다면 아마 더 의심을 살 겁니다."

"그럼……."

"저희가 보이지 않는 곳에서 두 분을 지켜볼 예정이니, 안전 문제 는 너무 걱정하지 않으셔도 됩니다."

한마디로 단둘이 다니되 단둘인 상황은 아니라는 소리였다.

'어쨌든 완전히 단둘이 가는 건 아니니까 괜찮으려나…….'

영양가 없는 생각을 머릿속으로 하고 있는데, 애슐리 경이 잡담 이 너무 길었다는 듯 미안해하며 말했다.

"참, 폐하께서는 저 방에 계십니다."

나는 애슐리 경에게 고맙다고 말한 다음 그가 손가락으로 가리 킨 방으로 다가갔다. 노크를 했음에도 안에서 아무 기척이 들려오 지 않아서, 나는 다시 노크를 했다. 하지만 여전히 아무런 답변도 들려오지 않았고, 결국 갑갑해진 나는 '들어가겠습니다, 폐하' 하고 말한 뒤에 문을 열었다.

"어……."

그리고 전혀 예상하지 못했던 광경이 눈앞에서 펼쳐지고 있었 다. 내 눈이 당황과 놀람으로 잔뜩 커졌고, 나는 아무 말도 하지 못 했다. 그리고 그런 나를 레이놀즈가 빤히 쳐다보았다.

"무슨 일이지?"

목소리가 그 시선만큼이나 무뚝뚝하기 짝이 없었다. 그리고 반 라 상태로 셔츠를 걸치는 움직임조차, 그 목소리를 닮아 무신경했 다. 나는 순간 숨이 턱 막히는 기분이었지만, 애써 내색하지 않고 입술을 열었다.

"어, 저, 그게……."

하지만 입을 열자 나오는 건 바보 같은, 문장은 고사하고 단어조 차도 되지 않은 이상한 말들뿐이었다. 그런 나를 가만히 바라보던 레이놀즈가 돌연 내 쪽으로 걸어오기 시작했고, 나는 다시 당황했 다. 아니, 최소한 사람이 노크를 했으면 그전에는 벗고 있더라도 빠 르게 옷을 입어야 하는 것 아닌가요? 아, 당신은 황제라 그러실 필 요가 전혀 없다는 건가?

나는 주춤거리다가, 이내 그를 피할 이유가 전혀 없으며 지금 이런 반응은 상대 쪽에서 보여야 더 자연스럽다는 사실을 떠올려 내고선 그 자리에 우뚝 멈추어 섰다. 어느새 레이놀즈는 내 코앞까지 다가왔고, 자연스럽게 상체를 숙여 나를 빤히 응시했다. 셔츠 단추를 하나도 채우지 않은 탓에 그의 가슴이 눈앞에 적나라하게 펼쳐졌다. 오, 신이시여.

그 광경에 부담스러움을 느끼며 나는 자연스럽게 시선을 더 아래로 내렸다. 하지만 그러니까 뭔가 더 이상한 기분이 들어서 그냥 시선을 옆으로 돌렸다.

"왜 그렇게 눈을 이리저리 움직이는 거지?"

그걸 또 들킨 모양이었다. 오, 하느님.

"그냥……."

변명하려고 입을 여는데 갑자기 억울해졌다. 왜 내가? 지금 상황에서 변명할 쪽은 벗은 사람 아닌가요?! 울컥한 내가 쏘아붙이듯 말했다.

"의복을 정갈히 해주시기를 청합니다, 폐하."

나름 격식 있게.

"지금 하고 있잖아?"

"그럼 제가 노크했을 때 들어오지 말라고 하셨어야죠."

"나는 들어오라고 한 적이 없는데."

그는 여전히 나를 빤히 바라보며 물었다.

"아닌가?"

"……"

틀린 말은 아니었지만…… 그렇게 침묵하고 있으면 바깥의 사람이 어떻게 아느냐는 말이다. 하지만 괜히 이 문제로 더 입씨름하고 싶지가 않아져서 나는 그냥 한 수 접어들기로 했다.

"네, 폐하. 저의 과실이었군요. 이만 물러가 보겠으니 준비가 다 되면 불러주세요."

그럼 이만. 인사와 함께 그 방에서 뒷걸음질 쳐 나오려던 순간이었다. 순간 무언가가 내 손목을 붙잡았고, 놀란 나는 커진 눈으로 그를 올려다보았다. 새삼스럽게 그와 나의 키 차이가 느껴졌다.

'유리네트도 작은 편이 아닌데.'

황제가 180cm는 가뿐히 넘어 보여서 그런가. 사실 레이놀즈의 키는 180cm 후반 정도는 되어 보였다. 아주 큰 키지.

"어디 가는 거지?"

어이없는 질문이라고 생각했지만, 나는 충실히 답해주었다.

"폐하께서 의복을 다 입으실 때까지 밖에서 대기를……."

"여기 있어."

"네?"

아니, 제가 관음증 환자도 아니고 이성이 옷 갈아입는 모습을 구경하라는 말입니까? 나는 황당해진 얼굴로 레이놀즈를 쳐다보았지만, 그는 잘못된 게 무엇인지 조금도 모르는 듯한 표정이었다.

결국 내가 나서서 설명했다.

"폐하께서도 제가 있는 데서 옷을 입으시는 건 불편하실 겁니다."

"하나도 안 불편해."

"……."

아니, 내가 불편하다고요.

"괜찮으니 들어오도록 해."

이렇게까지 강하게 말하는데, 을이 어쩌겠나. 따라야지. 나는 눈으로 욕을 하며 문을 닫고 안으로 들어갔다. 분명 익숙한 우리 저택인데 그가 하룻밤 썼다는 이유 하나만으로 어색하게 느껴졌다.

나는 머뭇거리다가 테이블 앞 스툴에 앉았다. 그러는 사이 그는 흰색 셔츠의 단추를 섬세하게 하나하나 채워나갔는데, 그 모습은 솔직히 좀…… 광고나 잡지 화보 촬영 같았다. 사람이 뭐 저렇게 잘생겼대.

"아."

그때 셔츠의 단추를 다 채운 그가 나를 불렀다.

"영애."

"네, 폐하."

"타이 매는 법 아나?"

"압니다만."

꽤 가물가물하긴 했지만, 대충은 알았다. 사토르디 자작부인이 자작에게 해주는 걸 본 적이 있어서, 어깨너머로 보고 가끔 연습했기 때문이었다. 잘하는 건지는 모르겠지만…….

"좀 매주지."

"시종을 시키시지요."

내 단호한 대답에 그는 순간 당황해 하는 듯했다. 그러나 이내 말도 안 되는 대답을 내놓았다.

"그들의 실력은 형편없어."

아무렴 저보다는 시종들이 더 잘 매지 않을까요……?

"저도 형편없습니다."

"그건 내가 판단해."

"……."

폭군이네, 폭군이야. 이 독선적인 성격 좀 봐. 나는 속으로 구시렁대며 입을 열었다.

"후회하실 겁니다."

그게 뭐가 그렇게 재밌는 말인지는 몰라도, 그는 내 말을 듣더니 낮게 웃었다. 하여간 이해 못 하겠는 황제 같으니라고. 나는 천천히 자리에서 일어나 침대 옆에 놓인 타이를 집어 든 다음 조심스럽게 레이놀즈의 목 뒤로 가져갔다. 그리고 별생각 없이 타이를 매주다가 무심코 위를 올려 보았다.

"……."

"……."

그 순간, 나와 레이놀즈의 눈이 마주쳤다. 동시에, 나는 그와 나의 거리가 지금 상당히 가깝다는 사실을 알아차리고 당황했다. 그 감정이 눈에 그대로 나타났을까. 레이놀즈가 돌연 기묘한 미소를 지어 보이더니 내게 물어왔다.

"무슨 생각해?"

아까와는 비교조차 할 수 없는 낮고, 작고, 간지러운 목소리.

침을 꿀꺽 삼키는 소리가 크게 들렸다. 나는 파르르 눈썹을 떨며 시선을 다시 아래로 내렸다. 올려다보지는 않았지만, 분명 웃고 있을 것만 같다는 생각이 들었다. 아까는 잘 움직였던 손가락이 이상하게 기름칠한 지 오래된 기계처럼 뻑뻑하게 움직였다.

"다…… 됐습니다."

그렇게 말하는 목소리가 유독 떨리는 것처럼 들려왔다. 나는 마른 침을 다시 삼키고선 그에게서 떨어졌다. 그런 나를 레이놀즈가 빤히 쳐다보았다. 저 남잔 왜 자꾸 날 저런 식으로 쳐다보는 건지.

"그래서 폐하, 오늘 특별히 일정이 있으신가요?"

아, 이런 질문이라니. 내가 무슨 그의 수행비서라도 된 느낌이다. 정작 '진짜' 시종들은 저 밖에 포진해있는데 말이지.

"뭔가 오해하고 있는 것 같은데, 영애."

레이놀즈가 천천히 입을 열어 내 '오해'를 바로잡아주었다.

"난 직무 수행을 하러 온 게 아니라 요양차 이곳에 온 거야."

"……그렇지요?"

"그러니까."

그가 생긋 웃으며 말을 이었다.

"일정 같은 건 없어."

그 말을 듣고 나는 조금, 아니 많이 당황할 수밖에 없었다.

'일정 같은 건 없다고?'

그럼 날 왜 부른 거야? 여행가이드 시키려고 부른 것 아니었어?

"그럼 저도 필요 없겠군요."

"왜 이야기가 그렇게 되지?"

"전 폐하께 길 안내를 하려고 왔거든요."

"맞아. 잘 알고 있네."

"그런데 일정이 없으시다면서요."

"지금부터 짜야지."

그러면서 레이놀즈는 손가락으로 나와 그 자신을 번갈아 가리켰다. 설마……

"우리 둘이서 같이."

"네에?"

아니, 누가 들으면 패키지여행이라도 신청한 사람인 줄 알겠어요.

"그럼 오늘 할 일에 대해 아무 생각도 안 해두셨다고요?"

여기까지 오면서 어딜 갈까 고민조차 안 한 거야? 도통 이해 못할 사람이네.

"사실 아무 생각도 없는 건 아니고."

그가 은근한 표정으로 나를 바라보며 말했다.

"하고 싶은 건 있어."

"뭔데요?"

"뭘 것 같아?"

"……."

뜻밖의 수수께끼 시작이었다.

"아무래도 온천……이려나요?"

여긴 신생 온천 특구, 사토르디였으니까. 내가 조심스럽게 묻자 그가 빙긋 웃었다. 정답……인가?

"저희 가족들만 이용하는 온천이 있습니다. 그리로 모실까요?"

"좋아."

그가 순순하게 고개를 끄덕였고, 나는 그제야 조금 개운해진 표정으로 말했다.

"일어나시지요. 마차를 타고 이동해야 합니다."

# 3
# *Hot Spring*

�֍

우리는 사토르디 가문의 마차를 타고 온천으로 이동했다. 아무래도 황궁의 마부는 이쪽 지리에 빠삭하지는 않을 테니까. 뒤쪽에서는 호위기사들만 따로 탄 마차가 우리를 뒤쫓아 왔다.

사토르디 지역에는 사토르디 가문 사람들만 이용할 수 있는 온천이 있었는데, 산속에 있어서 마차로 이동해도 2시간 반 정도가 걸렸다. 왕복 5시간이니 짧은 거리는 아니었다. 나는 마차 안에서 2시간 반 동안 책이나 읽으며 시간을 보낼 생각이었다.

하지만 유감스럽게도 내 계획은 산산이 조각나 버렸다. 내가 책을 읽을라치면 레이놀즈가 자꾸 방해했기 때문이었다.

"영애는 좋아하는 과일이 뭐지?"

이런 식으로.

"혹시 못 먹는 음식은 없어?"

아니면 이런 식.

아, 레이놀즈가 읽을 책도 가져왔어야 하나. 물론 심심한 건 알겠지만 그래도 마차 안에서만큼은 내 시간을 온전히 보내고 싶은 게 솔직한 심정이었다.

하지만 당연하게도 내가 그 말을 당당히 레이놀즈 앞에서 할 수 있는 방법은 없었다. 어쨌든 이쪽은 무조건 을이고, 저쪽은 지고하신 황제 폐하에 폭군으로 악명 높은 사람이었으니까.

'괜히 심기 건드려 봐야 좋을 건 없겠지.'

나는 그 사실을 계속 상기하며 친절히 답해주었다.

"전 복숭아를 못 먹습니다, 폐하."

"……복숭아를? 어째서?"

"그건…….

여긴 아직 알레르기라는 개념이 있을 만큼 과학이 발달하지 않았다. 그래서 잠시 고민하다가 이렇게 대답했다.

"복숭아만 먹으면 피부에 두드러기가 생기고 숨을 못 쉬거든요."

"…….

그런데 그 말을 들은 레이놀즈의 표정이 돌연 이상하게 변했다.

'왜 그러지?'

내가 의아한 표정으로 물으려던 찰나, 그가 다시 내게 물어왔다.

"가장 좋아하는 날씨는 뭐지?"

"저요?"

"그래."

"비 오는 날이요."

"……."

대답을 듣더니 또 표정이 이상해진다.

'뭐야, 도대체 왜 저런담?'

지켜보는 나는 영문을 알 수 없어 답답하기만 할 뿐이었다. 결국 참지 못하고 물었다.

"무슨 일 있으십니까, 폐하?"

"……어?"

"안색이 안 좋으셔서요."

마치 출생의 비밀을 갓 알아 버린 사람 같은 표정이어서, 나는 묻지 않을 수 없었다. 하지만 내 질문에도 레이놀즈는 심란한 표정으로 나를 쳐다보더니 이렇게만 대답할 뿐이었다.

"……아무것도 아니야."

그 대답에 어쩐지 서운해졌다. 비밀이 생긴 기분이랄까.

'물론 대답하고 안 하고는 그의 자유지만…….'

나는 쓸데없는(?) 질문에도 다 정성스레 대답해 줬는데. 나는 더 이상 묻지 않았고, 레이놀즈도 아까와는 다르게 잠잠해졌다. 그는 깊은 상념에 잠긴 듯 말없이 미간만 좁혔다.

그 모습을 보는 나도 괜히 심각해져서, 나는 책을 펴는 대신 말없이 멍만 때리며 시간을 보냈다.

.

.

.

해가 정상에 떠 있을 때 우리는 코잘트 산의 온천에 도착했다. 이곳의 온천에는 관리인 부부를 따로 두었기 때문에, 준비 없이 갔음에도 전혀 문제 될 게 없었다.

"어머, 유리네트 아가씨."

사토르디 가문의 마차가 산장 앞에 선 것을 본 관리인 부부가 서둘러 산장에서 뛰쳐나와 우리를 반겼다. 기별 없이 간 것이라 나는 괜히 미안해졌다. 내가 어색하게 웃으며 두 사람에게 인사했다.

"안녕하세요. 연락 없이 와서 미안해요."

"어머, 미안해하실 필요 없어요. 그런데 혼자 오신 거예요? 주인 어른이나 주인마님은……."

"아……."

나는 그들에게 사실대로 말할지 말지 고민했다.

'괜히 황제라는 사실을 알릴 필요는 없겠지?'

관리인 부부는 우리 가족을 대할 때조차 늘 조심하는 사람들이다. 내 뒤에 서 있는 사람이 엘스워드의 황제라는 사실을 알면…… 마음 약한 아주머니는 어쩌면 졸도하실지도 몰라.

"제 친구예요!"

……그래서 이런 겁없는 대답을 했고, 나는 뒤에서 혹시 레이놀

즈가 나를 노려보는 건 아닌지 심히 걱정스러워졌다. 하지만 변명은 나중의 일이고, 일단은 지금 상황에 잘 대처하는 게 중요했으니까.

"근처 지역에서 놀러 온 영식이에요. 저와는 어릴 때부터 보아 아주 막역한 사이지요."

거짓말이 아주 술술 나왔다. 난 내가 이렇게 거짓말에 능숙한지 처음 알았다.

"그러니 제 형제라고 생각하시고 편하게 대해 주세요."

내 말에 관리인 부부는 조금 당황하는 듯했지만, 내가 워낙 태연자약하게 설명한 덕에 큰 부담은 가지지 않는 듯했다.

나는 알 수 없는 시선으로 나를 바라보는 레이놀즈를 데리고 산장 안으로 들어갔다. 관리인 부부가 평소 거주하는 데다, 우리 가족이 방문하면 최소 여섯 명이 함께 묵어야 했기 때문에 산장은 꽤 넓었다. 나는 레이놀즈를 이곳에서 가장 좋은 방으로 데려간 다음 아까 일에 대해 사과부터 했다.

"아까는 제가 무례했습니다, 폐하. 용서하세요."

그는 대답이 없었고, 나는 괜히 눈치가 보여서 계속 해명했다.

"그분들이 폐하의 정체를 알고 나면 많이 부담스러워하실 것 같아서요……. 하지만 어떤 변명을 대든 제가 폐하께 무례했다는 점은 변하지 않겠지요. 사과드립니다."

"……."

그는 말이 끝나고 난 뒤에도 계속 나를 바라보았고, 나는 그가 많이 화가 났는지를 걱정했다. 그리고 한참 후에 조심스럽게 물었다.

"⋯⋯많이 화나셨나요?"

그런 나를 여전히 빤히 바라보던 레이놀즈가 천천히 입을 열었다.

"만약에 화가 났다면."

"⋯⋯."

"어떻게 풀어 줄 거지?"

"네?"

갑작스러운 말이라고 생각해서, 나는 당황스러운 소리를 냈다.

"그게 무슨 말씀이신지⋯⋯."

"말 그대로. 만약 내가 화가 났다면 어떻게 내 화를 풀어 줄 생각이냐고."

"⋯⋯."

아니, 내가 나 좋자고 그런 거짓말을 한 것도 아니고!

'순전히 저 생각해서 그런 건데.'

이거 폭군이 아니라 좀생이 아냐?

하지만 사전에 말하지 않은 내 잘못도 있었으니까. 속으로 더 욕하는 건 지양하기로 했다. 나는 숨을 작게 내쉰 다음 물었다.

"원하시는 게 있으세요?"

나는 그의 눈을 똑바로 바라보며 덧붙였다. 어째서 그 순간 그게 무례라고 생각지 못했는지는 모르겠다.

"들어드릴게요. 그게 뭐든 제 선에서 가능한 거라면요."

"……정말?"

그걸 물어보는 레이놀즈의 눈빛이 기묘하게 번뜩였다. 당시의 나는 그가 왜 그런 눈을 한 건지 이해하지 못했고, 그저 건수를 잡은 자의 기쁨이라고 치부했다.

"네. 뭐든 말씀해 보세요."

사실 제국의 황제씩이나 돼서 나한테 원하는 게 뭐가 있겠느냐만. 내 말을 들은 레이놀즈는 무언가를 깊이 생각하는 표정을 짓다 입을 열었다.

"지금 말고. 나중에."

그가 낮은 목소리로 말했다.

"원하는 게 생기면 그때 말해도 되나?"

"그러세요."

그걸로 화가 좀 풀리신다면야.

내 말을 들은 레이놀즈는 짙게 미소 지었는데, 참 아름다워서 나는 순간 심장이 두근거릴 뻔했다. 하지만 곧 정신을 부여잡고 그의 화가 풀린 것 같아 다행이라는 쪽으로 생각을 돌렸다.

"그럼 이제 온천욕 하러 가는 건가?"

"그전에. 배는 안 고프세요?"

벌써 정오였다. 내 물음에 그가 잊고 있었다는 듯 피식 웃었다.

"벌써 점심 먹을 시간이군."

❧ ❧ ❧

식사는 훌륭했다. 기별 없이 갑작스럽게 방문한 것임에도 관리인 부부는 우리를 위해 성의껏 요리를 만들어 주었다. 나는 그런 그들의 정성이 미안한 한편 고마워서, 평소 잘 먹지 않는 요리들까지도 전부 싹싹 접시를 비웠다. 다행스럽게도, 걱정했던 것과는 다르게 레이놀즈 역시 훌륭하게 접시를 비워냈다.

개인적으로 남이 해준 음식을 남기는 걸 실례라고 생각하는 편이었는데 다행이었다. 나는 식사를 마친 후에 방으로 돌아가면서 레이놀즈에게 슬쩍 물어보았다.

"식사는 입에 맞으셨어요, 폐하?"

그런데 그의 입 밖으로 나온 대답이 영 뜻밖이었다.

"아니."

"엥? 정말요?"

나는 믿을 수 없다는 얼굴로 말했다.

"하지만 식당에서는 분명 잘 드시던 걸요……. 그리고 전 되게 맛있었는데, 그렇게 별로셨어요?"

"내 입에는 조금 싱거웠어."

"아아……."

간을 말하는 거였나. 하긴 간 중요하지. 간이 안 맞으면 아무리 맛있는 재료로 요리해도 풍미를 제대로 느끼기 어려우니 말이다.

내가 걱정스러운 얼굴로 그에게 물었다.

"그럼 억지로 드신 거예요?"

"남길 수는 없으니까."

그가 무심하게 대꾸했다.

"음식 남기는 거 싫어하잖아."

"네, 맞아요. 남이 해준 음식을 남기는 건……."

아무렇지 않게 대꾸하려던 나는 순간 멈칫했다. 그걸…… 레이놀즈가 어떻게 알고 있지?

"어떻게 아셨어요?"

"뭘?"

"제가 음식 남기는 거 싫어하는 거요."

나는 이상하다는 듯 고개를 갸웃거렸다.

"말씀드린 적이 없던 것 같은데……."

"어제 사토르디 자작이 말해줬어."

"아아."

그제야 나는 이해한다는 표정을 지으면서, 얼굴을 살짝 붉혔다.

아버지도 참…….

"저희 아버지가 제 이야기를 많이 하시나 봐요?"

"그래."

"뭐라고 하셨어요?"

나는 조금 기대하는 눈초리로 물었고, 레이놀즈는 그런 나를 알수 없는 표정으로 바라보다가, 잠시 후에 답해주었다.

"예쁘고 착한 딸이라고."

상당히 상투적인 결론이었지만 악담은 아니니 다행인 건가. 나는 혹시 팔불출인 자작이 괜한 소리까지 한 건 아닌지 걱정되어 물었다.

"다른 소리는 안 하셨죠?"

"무슨 소리?"

"으음…… 저희 아버지가 좀 팔불출이셔요. 혹시 너무 과하게 저나 동생 이야기를 하셨다면 제가 아버지께 언질을 드릴게요. 제게 말씀하세요."

내 말을 들은 레이놀즈는 대답은 하지 않고 나를 빤히 쳐다보기만 했다. 나는 대답을 기다리며 눈을 동그랗게 뜨고 그를 똑같이 응시했지만, 레이놀즈는 입을 열 기미조차 보이지 않았다.

결국 기다리다 지친 내가 왜 대답을 안 하시냐고 물으려는데, 레이놀즈가 그보다 먼저 입을 열었다.

"괜찮았어."

아주 짧은 한마디만 내뱉고서 그는 방으로 들어갔고, 혼자 남겨진 나는 어리둥절한 표정으로 사라진 그의 뒷모습을 쳐다보았다.

참, 알겠다가도 모르겠는 남자다.

．

．

．

소화를 위한 잠깐의 휴식을 가진 뒤에, 나는 다시 레이놀즈의 방을 찾았다. 그가 있는 방은 내가 머무는 바로 옆방이었다.

똑똑. 문을 두드리자 안에서 낮은 목소리가 들려왔다.

"들어와."

그리고 별생각 없이 들어가려던 찰나였다. 문득 아까 있었던 일이 떠오르며 나를 붙잡았다.

'혹시 이번에도 벗고 있는 건 아니겠지⋯⋯?'

진지하게 걱정하다가, 이번에는 직접 들어오라고까지 말했으니 괜찮을 거라는 결론을 얻었다. 나는 마음을 편히 먹고 안으로 들어갔다.

예상대로 그는 전부 차려입은 상태였다. 하긴 지금 상황에서 옷을 벗을 일도 없기는 했다.

"폐하, 온천욕이 더 늦어지면 안 될 것 같습니다. 오늘 돌아가셔야 하니까요."

"흐음⋯⋯."

그가 시계를 쳐다보았고, 나도 따라서 그쪽으로 시선을 옮겼다. 벌써 2시에 가까운 시간이었다. 해가 진 뒤 마차가 움직이는 건 위험한 일이었기 때문에 아무리 늦어도 5시에는 출발해야 했다. 온천욕 후 씻는 시간 등을 감안한다면 지금 온천으로 들어가야 여유로울 터였다. 내 말에 그가 알겠다는 듯 고개를 끄덕였다.

"영애도 들어가는 거지?"

뜻밖의 질문이었다. 나는 놀란 목소리로 되물었다.

"……네? 저요?"

"왜 그렇게 놀라지? 안 들어갈 거야?"

"전 괜찮습니다, 폐하."

나는 온화하게 거절했다. 하지만 레이놀즈의 표정은 내 그것만큼 온화하게는 보이지 않았다.

"어째서?"

부루퉁한 목소리에 나는 침착하게 대답했다.

"평소에도 자주 오니까요."

"누구와 함께?"

"가족과 함께이지요, 당연히?"

어째서 그런 질문을 하는 건지 이해되지 않을 정도로 당연한 질문이었지만, 그 대답을 듣고 난 후 레이놀즈의 표정은 그리 좋지 않아 보였다. 굳이 묘사하자면 심통이 난 듯한 표정이랄까?

'내가 무슨 말실수를 했나?'

기억을 더듬어 보았지만, 딱히 그런 것도 아닌 듯싶었다. 그럼 도대체 왜 그러는 거지?

"폐하, 무슨 문제가 있습니까?"

내가 조용히 물었지만, 레이놀즈는 답하지 않았다. 정확히는 무슨 하고 싶은 말이 있는 것처럼 보였는데, 입 밖으로 못 꺼내는 듯했다. 뭘까?

"나도……."

"네?"

"……아니다."

그가 한숨을 푹 내쉬며 내게 말했다.

"아니야. 아무것도."

뭐야, 싱겁게. 내가 미간을 좁히고 '도대체 왜 저러는 거지' 하고 생각하고 있는데, 다시 레이놀즈의 목소리가 들려왔다.

"소원이라면?"

"네?"

"같이 온천욕을 하는 게 내 소원이라면."

그가 나를 빤히 바라보았고, 나는 갑작스러운 시선에 조금 당황했다.

"그럼 들어줄 텐가?"

"……."

소원권을…… 고작 이런 데다 쓰는 거야?

나는 잘 이해되지 않았다. 하지만 고작 그런 게 소원이라면…….

못 들어 줄 이유도 없어서 나는 어안이 벙벙해진 얼굴로 고개를 끄덕였다. 그런 나를 보고 레이놀즈가 만족스럽다는 듯 입꼬리를 끌어 올렸다.

"그럼 준비하고 나오도록 해."

.

.

.

"……흐음."

거울 앞에 선 나는 조금 난감한 표정으로 중얼거렸다.

"너무 야한가."

가족들 앞에서는 스스럼없이 입었던 가운이었지만, 레이놀즈는 가족도 아니고 심지어 이성이라 더 신경 쓰였다. 이대로 나가도 되나 싶어 우물쭈물거리고 있는데, 갑자기 문 뒤에서 노크 소리가 들려왔다. 나는 깜짝 놀란 표정으로 대꾸했다.

"드, 들어오세요!"

"놀라셨어요, 아가씨? 말까지 더듬으시고는."

관리인 아주머니가 호호 웃으며 내 방 안으로 들어왔고, 나는 머쓱하게 웃은 다음 그녀에게 물었다.

"이 옷…… 괜찮죠?"

"가운이요?"

"네."

"예쁜데요, 왜? 문제 있어요? 혹시 구멍 난 데라던가. 꿰매 드릴까요?"

"아, 아녜요."

내가 대충 웃으며 얼버무리자, 그런 나를 빤히 바라보던 관리인 아주머니가 은근한 목소리로 물어왔다.

"옆방에 머무르시는 분하고는 많이 친하신가요?"

"어…… 네. 뭐…… 그렇죠."

어색한 대답이 나왔지만, 다행히도 관리인 아주머니는 눈치챈 것 같지는 않았다.

"괜히 주책 같아서 내색은 안 했는데, 엄청 잘생긴 영식이시네요. 아가씨들 마음깨나 울릴 것 같아요."

"아하하……."

"우리 아가씨도 얼른 저런 멋진 영식과 결혼하셔야 할 텐데."

"네에?"

너무 난데없는 소리라 나도 모르게 큰 소리가 나갔다. 하지만 관리인 아주머니는 개의치 않고 계속 말했다.

"뭐 어때요? 어릴 적부터 친하게 지내온 분이시라면서요. 양친께서도 그렇게 결혼하지 않으셨어요? 보기 드물게 연애결혼이라 다들 부러워 말이 많았다죠."

유감스럽게도 저 남자는 여자라고는 관심이 조금도 없는 전쟁광 폭군이고, 저는 그런 남자 밑에서 1달이나 무임금으로 일하게 된 불쌍한 가이드 겸 시녀 처지인데요…….

"그런 사이 아니에요."

⋯⋯하지만 사실 그대로 말할 수는 없어서 나는 그냥 어색하게 웃기만 했다.

"그런 사이 될 수도 없고."

"뭐 어때요. 친구가 연인 되고, 연인이 부부 되는 거지. 전 저분 괜찮은 것 같은데."

"하하⋯⋯. 저 이만 나가볼게요."

나는 빠르게 대화를 종료시켰다. 거기서 그런 화제로 더 이야기를 해나갈 자신이 없었다. 역시 소꿉친구 같은 영식으로 소개한 내 잘못인가 싶었다. 자업자득이지, 뭐.

문을 열고 바깥으로 나오는데 마침 방에서 나오는 레이놀즈가 눈에 띄었다. 그는 하체에 흰 수건을 두른 다음 겉에는 얇은 가운을 입고 있었다. 의외로(?) 멀쩡한 차림이라 놀라웠다.

자연스럽게 그를 부르려는데, 뒤쪽에서 관리인 아주머니 역시 문을 열고 바깥으로 나왔다. 나는 빠르게 열렸던 입술을 닫았다. 여기서 그를 '폐하'라고 부를 수는 없는 노릇이다. 하지만 그렇다면 어떻게⋯⋯.

"레이놀즈."

그건 나름의 기지였다. 내 목소리를 들은 레이놀즈가 퍽 놀란 표정을 지었다. 하지만 곧 내 뒤에 있던 관리인 아주머니를 보고선 아무렇지 않게 내 연극에 동참해 주었다.

"……유린."

그 말을 듣고 나는 순간 멈칫했다.

'내 애칭을 어떻게 알았지?'

물론 '유린'은 내 애칭이자 본명이었지만…… 이것도 사토르디 자작이 말해준 건가? 머릿속으로 복잡하게 생각들이 꼬여 들어갔다. 그럼에도 나는 아무렇지 않은 척 미소 지으며 그에게 – 심지어! – 반말까지 했다.

"딱 맞게 나왔네?"

나는 안면근육이 경직되어 가는 것을 느끼며 억지로 입꼬리를 끌어 올렸고, 뒤에서 관리인 아주머니가 그런 나와 레이놀즈를 흐 뭇하게 바라보는 게 느껴졌다. 얼른 이 자리를 빠져나가야만 한다. 그 생각 하나로 나는 레이놀즈에게 말했다.

"얼른 나가자. 춥겠네."

그 말과 함께 바깥으로 나가려는데, 갑자기 누가 내 팔에 팔짱을 꼈다. 동시에, 낯선 듯하면서도 초면인 아닌 체향이 훅 풍겨왔다.

당황한 내가 커진 눈으로 위를 올려다보았다.

'어…….'

레이놀즈였다. 지금껏 한 번도 보지 못했던 아름다운 미소를 띤 채 그가 나를 내려다보았다. 그건 마치 오래된 연인을 바라보는 듯 한 눈빛이어서 나는 더 당황할 수밖에 없었다. 혼란으로 점철된 시 선으로 그에게 왜 이러느냐고 설명을 요구했지만, 그는 대답하지 않은 채 미소만 계속 지어 보일 뿐이었다. 마치 그것이 그가 해줄 수 있는 답변의 전부라고 말하는 것처럼.

나는 아무 말도 하지 못했지만, 내 입은 놀라는 바람에 살짝 벌어 진 상태였다. 그런 내게 그가 속삭였다.

"나가자, 유린."

목소리는 왜 또 그렇게 달콤하고 듣기가 좋은 건지. 아무래도 내 가 미쳤다고 생각하면서 의식적으로 입술을 꾹 깨물었다. 뒤에서 관리인 아주머니가 남편과 함께 우리 둘의 관계에 대해 뭐라고 쑥 덕일지가 파노라마처럼 내 눈앞에 펼쳐졌다. 아아…….

'이럼 아까 내가 정색했던 게 전혀 쓸모가 없잖아.'

연극에 동참해준 건 고맙지만, 다소 과한 느낌이 없잖아 있었다. 하지만 지금 상황에서 레이놀즈를 뿌리칠 수가 없어서, 나는 어색 한 미소를 입가에 띤 채 그를 데리고 바깥으로 나왔다. 마침내 우 리 둘만이 남겨지고 난 뒤에야 그와 팔짱을 꼈던 팔을 풀어낼 수 있 었다.

"협조해 주셔서 감사합니다, 폐하. 무례하게 군 건 다시 한번 사 과드리고요."

그런데 그 뒤에 나오는 말이 참 뜻밖이었다.

"사과할 필요 없어."

"……네?"

이건 또 무슨 소리야. 내가 어벙해진 얼굴로 레이놀즈를 쳐다보았다. 그는 바깥으로 나온 뒤에도 여전히 웃는 낯이었다. 마치 내게 보여주었던 아까 그 미소가 연극이 아니라 진심이었다고 말해주는 듯해서, 나는 순간 심장이 덜컹거렸다.

"좋았거든, 나도."

그 말을 듣고 내가 무슨 반응을 보였어야 적절했던 걸까. 나는 멍해진 얼굴로 그가 했던 말의 진의를 파악하기 위해 애써 머리를 굴렸다. 그리고 꽤 괜찮은 답안지를 생각해 냈다.

"하긴 궁에서는 이런 일이 일어날 수가 없지요."

답답하고 틀에 박힌 황궁에서는 이런 일이 생길 수가 없을 것이다. 애당초 그를 모르는 사람은 황궁에 없었으니까. 그러니 이건 꽤 즐거운 돌발 상황이리라. 나는 그렇게 이해했다.

"조금이라도 폐하께 즐거움을 드렸다니 다행입니다."

"……"

그 말을 듣고 레이놀즈는 의미심장한 미소와 함께 나를 응시했다. 도대체 저 미소 속에 감추어 놓은 진심이 무엇일까. 굳이 그렇게 과하게 연기해야만 했던 이유는 정말로 일탈 같은 즐거움 때문이었을까? 문득 궁금해졌으나 물어볼 용기는 없었다. 그래서 어색하게 웃으며 빠르게 화제를 돌렸다.

"어서 들어가시는 게 좋겠습니다. 자칫 감기 걸리시겠어요."

"걱정해 주는 건가, 지금?"

언젠가 한 번 들어본 적 있던 질문이었다. 그게 언제였더라. 기억을 더듬던 나는 그것이 바로 어젯밤의 일이라는 것을 떠올리고선 묘한 표정을 지었다. 왜 자꾸 저런 질문을 하는 거지.

"요양 차 오셨는데 감기에 걸리시면 곤란하지요."

내 대답은 무난했고, 그래서 마음에 들었다. 하지만 상대는 안 그런 모양이었다. 표정이 금세 삐뚤어졌으니.

'기대하던 대답이라도 있었던 건가.'

나는 혹시나 하는 표정으로 그에게 물었다.

"어디 안 좋으세요, 폐하?"

"왜 그런 걸 묻지?"

"안색이 안 좋아지셔서요."

"……."

그는 잠시 침묵했다 대답했다.

"아니야."

하지만 그렇게 말하는 목소리에 한숨 소리가 가득이었다. 그래서 나는 레이놀즈가 거짓말을 하고 있다는 사실을 빠르게 알아차렸다.

'이건 또 뭐람.'

답정너도 아니고. 사람 신경 쓰이게.

"그래서 온천이 어디 있지?"

분위기가 어색해질 거라는 걸 알았는지 드디어 그도 화제 돌리기라는 것을 했다. 나로선 당연히 환영할 만한 일이었다.

"이쪽으로 오세요."

나는 방긋 웃으며 그를 온천이 있는 쪽으로 안내했다. 산장에서 멀리 떨어지지 않은 곳으로, 거의 지척에 위치해 있었다. 도보로 1분 거리였으니, 뭐.

"여기랍니다, 폐하."

마침내 우리 앞에 모습을 드러낸 온천은 산비탈을 주변에 두고 고고하게 위치해 있었다. 초월적인 존재가 아꼈을 것만 같은, 조용하고 고즈넉한 분위기는 내가 사랑하는 것이었다. 새삼 여기까지 와서 온천욕을 안 했더라면 후회했을 것이라는 생각이 들었다.

"마음에 드시나요?"

나는 조금 두근거리는 마음으로 그에게 물었다. 가족들과 이곳에 많이 와본 것은 아니었다. 한 서너 번 정도? 나는 올 때마다 만족했고 가족들도 그런 눈치였지만, 황제인 레이놀즈 역시 그럴지는 장담할 수 없었다.

'다른 사람도 아니고 황제였으니 오죽 까다로울까.'

혹시 마음에 안 들면 어쩌나 걱정하면서 그의 표정을 살폈다. 다행히 안 좋아하는 눈치는 아니었다.

"괜찮은데."

"다행이네요."

나는 뿌듯한 표정으로 온천에 다가가 발부터 담갔다. 하지만 온천물은 예상했던 것보다 너무 뜨거웠다. 전에는 분명 이렇게까지 온도가 안 높았던 것 같은데!

"악!"

나는 깜짝 놀라는 소리를 내며 저도 모르게 휘청거리기 시작했다.

여기서 뒤로 넘어진다면 뇌진탕, 요추 혹은 경추 골절 중의 하나는 꼭 걸리겠지. 대한민국에서 이미 죽었는데 엘스워드에서 또 한번 죽으라고? 아, 그건 싫었다. 초등학생 때 배웠던 낙법까지 떠올리면서 나는 부상을 최소화하기 위해 애썼다.

"아……."

하지만 전혀 예상치 못한 상황이 나를 구해주었다.

"……."

목이 뒤로 젖혀져 하늘을 향해 곧게 뻗은 시선 위로, 낯설지 않은 남자의 얼굴이 보였다. 언제 내 뒤로 온 건지 레이놀즈가 나를 뒤에서 잡아준 것이었다. 그의 동공은 나보다 더 확장되어 있었고, 표정은 약간 화난 듯했다.

아무리 잘생긴 얼굴이라도 노기를 띤 얼굴은 무섭게 느껴지는 법. 나도 모르게 움츠러드는 기분이 들었다. 자연스럽게 당황한 표정으로 그를 올려다보자, 레이놀즈는 나를 조심스럽게 세워주었다. 나는 머쓱한 표정으로 그에게 감사 인사를 건넸다.

"감사합니다, 폐하."

"조심해야지."

나를 타박하는 목소리에서 미세하게 떨림이 묻어 나왔다.

"하마터면 큰일 날 뻔했잖아……!"

크지 않은 목소리였지만 나는 확실히 알 수 있었다. 그가 지금 화를 내고 있다는 걸. 예상치 못한 뜨거움에 그랬다고는 하지만 어쨌든 내 과실인 건 맞아서, 나는 입술을 꾹 깨물고 고개를 푹 숙인 채 아무 말도 하지 못했다. 무사해서 기쁘긴 한데, 금방이라도 눈물이 나올 것 같았다.

그런 나를 어떤 시선으로인지는 몰라도 계속 바라보던 레이놀즈가 갑자기 깊게 한숨을 내쉬었다. 그러더니 내 팔 위를 붙잡고 꼼꼼하게 살피기 시작하는 것이었다. 갑작스러운 행동에 당황하는데, 그가 갑자기 다정하게 물어왔다.

"다친 곳은 없고?"

"……네, 폐하."

"화내서 미안해."

뒤에 나온 말은 아까 그 상황보다 더 예상치 못했던 것이라, 나는 조금 놀란 눈으로 레이놀즈를 쳐다보았다. 그가 날 잡아준 것, 화를 낸 것, 전부 다 놀랐지만 사실 이것만큼 놀랍지는 않았다. 나는 순식간에 얼떨떨한 표정이 되었다. 지금 이 상황이 너무 안 믿겼다.

"너무 놀라서 그런 거야. 영애가 다칠까 봐."

"그렇지만 화낸 건 잘못했어."

"아닙……니다, 폐하."

나는 더듬더듬 대꾸했다. 여기서 아무 말도 안 하고 있기란 멋쩍은 일이었다.

"잡아주셔서 감사합니다. 말씀하신 대로 큰일 날 뻔했으니까요."

"……."

"물이 뜨거우니 조심히 들어오세요."

"그래."

그가 한숨 쉬듯 낮게 읊조리며 입고 있던 가운을 벗었……다? 이어지는 당황스러운 상황에 나는 다시 커진 눈을 끔뻑였다. 잔근육이 잘 분포된 탄탄한 가슴이 지나치게 시선을 잡아끌었다.

"폐, 폐하. 그런데 가운은 왜 벗으시는지……."

"온천에 들어가는데 가운을 입고할 수는 없으니까."

그죠……. 그렇죠. 일리 있는 말이기는 한데…….

"그냥 입고 계셔 주시면 안 될까요?"

"뭐?"

"……아닙니다."

"내가 이러고 있는 게 부담스럽나?"

누군들 안 부담스러울까. 물론 안 부담스러울 사람도 찾아보면 있긴 하겠지만 그게 나는 아니다. 그래서 솔직히 대답해 주었다.

"네. 조금……."

그리고 내 대답을 들은 레이놀즈의 표정은 빠르게 굳어졌다.

'아, 이건 또 너무 솔직했나.'

하지만 나는 멈추지 않았다.

"그래서 가운은 입어 주셨으면 좋겠습니다. 물론 강요는 절대 아니지만……."

"내가 다 낫지 못하면 영애가 책임질 건가?"

"네?"

"난 이 사토르디 지방에 놀러 온 게 아니라 요양하러 온 거야, 요양."

그가 '요양'이라는 두 글자에 유독 힘을 주며 말했다.

"그런데 이 가운을 입고 온천욕을 했다가 요양에 실패하면 영애가 책임질 거냐고."

"가운을 입으면…… 요양에 차질이 생기나요?"

"온천수가 내 피부와 충분히 접촉하지 못하니까."

"하지만 가운이 온천수를 흡수……."

그리고 순간, 나는 내가 계속 황제의 말에 말대꾸를 하고 있다는 사실을 인지하고선 경악했다.

'세상에.'

당장 목이 날아가도 이상하지 않을 상황이다. 나는 그제야 레이놀즈의 눈치를 보았고, 그는 갑자기 말을 멈춘 내가 이상하다고 여겼는지 눈을 가늘게 뜨며 나를 쳐다보았다.

"아닙니다, 폐하. 뜻대로 하세요."

……일단 한 수 접어주자. 나만 시선을 잘 돌리면 되니까.

"그러는 영애야말로 내 가운을 입어야 할 것 같은데."

"저요?"

"그래."

아니, 이젠 또 내가 문제야?

"그, 가운, 그……."

말하는 법을 잃어버린 사람처럼 그가 말을 더듬었다. 자세히 보니 얼굴도 좀 붉어진 것 같기도. 나는 의아한 표정으로 고개를 숙였다가 들어 올렸다.

"가운이 왜요?"

"……너무 비치잖아."

"이게요?"

이 정도면 괜찮은 것 같은데……. 혹시나 해서 입고 있던 가운을 꼼꼼히 살펴보았지만, 처음 걱정했던 것과는 달리 나쁘지 않은 모양새를 취하고 있었다.

"이 정도면 괜찮죠. 가족들이랑 있을 때도 이 가운 입었는데."

내 말을 듣고 레이놀즈는 무슨 말이 하고 싶은 건지 입술을 우물거렸지만, 결국 단어나 문장으로 나온 건 한마디도 없었다. 나는 그런 그를 이상하다는 듯 쳐다보았다가, 무심코 레이놀즈의 가슴이 있는 쪽으로 시선이 돌아갔다.

잔근육이 고루 분포된 균형 잡힌 상체는 분명 연예인의 그것이었다. 당장 화보 촬영을 해도 어색하지 않을 만큼.

문득 오전에 저택에서 애슐리 경이 레이놀즈를 두고 했던 말이 생각났다. 웬만한 호위 기사 뺨치는 검술 실력을 가지고 있다고 했는데, 허언은 아닌 모양이었다.

"어딜 보나?"

시선을 눈치챘는지 레이놀즈가 물어왔고, 나는 빠르게 눈동자를 다른 쪽으로 돌렸다. 어쩐지 훔쳐본 모양새가 되어서 부끄러워졌다. 아, 이거 가지고 괜히 놀리는 건 아니겠지?

"날 봐, 영애."

"……."

"왜 갑자기 시선을 피하지?"

나른하게 웃으며 물어오는 목소리는 놀림조를 띠고 있었다. 나는 빨개진 얼굴로 아무 말도 못 하고 고개만 슬며시 돌렸다. 아, 아무 짓도 안 했는데 죄지은 기분이라 살짝 억울해졌다.

"뭘 보고 있었기에."

"우연히 본 겁니다, 우연히."

"그러니까 뭘?"

"……."

그걸 꼭 내 입으로 말해야 아시겠습니까, 폐하.

"그러니까…… 폐하의 상반신이요. 누차 말씀드리지만, 우연히 본 거랍니다. 고의가 아니라요."

"그래 알았어."

그가 낮게 소리 내어 웃다가 내게 반박해왔다.

"근데 그럼 얼굴 붉히면서 시선 피할 이유가 없잖아."

"아니죠, 폐하. 입장 바꿔서 생각해보세요. 폐하라면 우연히 제 상반신을 보게 되셨는데 고개 안 돌리실 건가요? 시선 안 피하실 거예요?"

……라고 둘러대던 나는 문득 내 말이 상당히 이상하게 들린다는 사실을 깨닫고선 입을 다물었다.

미쳤어, 진짜. 지금 무슨 말을 하고 있는 거야!

뒤늦게 수습하려고 했지만 이미 내 얼굴도 레이놀즈의 얼굴도 붉어진 상태였다. 오, 하느님. 제가 도대체 오늘 왜 이럴까요.

"……그냥 잊어주세요, 폐하. 제 실수입니다."

그냥 여기서 덮고 넘어가자고 나는 간절하게 말하고 있었다. 레이놀즈도 이 상황이 수습 불가라고 생각했는지 고개를 끄덕였다. 여전히 우리 둘 다 얼굴은 붉게 물든 채였다.

"아, 폐하. 그러고 보니 내일 일정은 어떻게 하실 건가요?"

나는 빠르게 아무 말이나 내뱉어 분위기를 환기시켰다. 다행히 레이놀즈는 별 어색함 없이 내 질문을 받아들였다.

"생각해 봐야지."

나온 대답이 다소 성의 없다는 게 문제라면 문제였지만. 분명 요양 온 사람은 그인데 내가 일정을 다 짜주고 있는 기분이다. 그의 시종들은 왜 이런 것까지 염두에 두고 행동하지 않았을까?

"어차피 요양 오셨으니 한 달 내내 저택 안에서 쉬시는 것도 나쁘지는 않을 거예요."

"……그럼 살만 찌고 근육은 죄 사라질 텐데. 그리고 그건 황궁에서도 할 수 있잖아."

"하지만 황궁에서는 무작정 쉬기에 신하들 눈치가 보이잖아요."

"그건 그렇지."

"그리고 근육은 쓰실 일이 많지도 않으실 것 같은데."

"왜 없을 거라고 생각해?"

"그야 주로 사무를 보시니까……."

대수롭지 않게 중얼거리던 나는, 곧 내 앞에 있던 사람이 누구인지를 다시 한번 상기하고선 입을 다물었다.

아, 자꾸 친근하게 내 말을 받아주니까 잊어버리는데, 이 남자는 말 위에서 대륙을 짓밟는 전쟁광이고, 마음에 들지 않는 신하들의 목을 가차 없이 베어 버리는 폭군이다. 그걸 잊으면 안 되는데, 왜 계속 까먹고 진짜 소꿉친구 대하듯 대하는 건지. 이건 변명의 여지 없는 나의 실책이었다.

나는 슬며시 레이놀즈의 눈치를 보다가 말을 맺었다.

"보통 황제는 전쟁에서 지휘만 하지 않나요?"

"보통은 그렇지만 난 안 그래."

그가 의미심장한 미소를 지으며 말을 이었다.

"그래야 군사들의 사기가 올라가거든."

"……."

이건 나와는 너무 다른 영역의 이야기다. 그래서 순간 정신이 어질해졌다. 그게 뜨거운 물에 몸을 너무 오래 담그고 있어서인지, 아니면 새삼스럽지만 낯선 이야기를 들어서인지는 모르겠지만. 이상하게 조금이나마 가까워졌던 거리가 다시 멀어진 느낌이 들었다.

"그리 좋은 생각은 아닌 것 같아요."

"어째서?"

레이놀즈는 내가 군사학을 논하려는 사람처럼 보였는지 흥미롭다는 표정을 지었지만, 유감스럽게도 난 그런 건 하나도 몰랐다. 난 군인도 뭣도 아니었으니까.

"그러다 자칫 폐하께서 돌아가시기라도 하면 그 손실이 막대하잖아요."

내 말에 살짝 올라갔던 레이놀즈의 오른쪽 입꼬리가 스르르 내려앉았다. 나는 그 미세한 변화를 눈치챘지만, 내 말의 무엇이 그의 마음을 가라앉게 만들었는지는 끝까지 모를 일이었다.

"무슨 손실?"

"폐하께서 만약, 어디까지나 만약에 전사하시기라도 한다면 군사들의 사기가 얼마나 떨어지겠어요."

"……."

"음…… 그리고 엘스워드는 훌륭한 명군을 한 분 잃은 셈이 되는 것이지요."

차마 '성군'이라고는 표현하지 못했다. 나도 양심이 있지…….

어쨌든 레이놀즈는 내 말을 듣고 흥미로워하는 표정 대신, 의미심장한 표정만 지었다. 그게 긍정적인 의미인지 부정적인 의미인진 모르겠지만.

"내 동생도 훌륭한 지도자감이지. 어쩌면 나보다 더."

"그 애가 분명 내치에는 더 뛰어날 거야."

"폐하, 그런 말씀은……."

나는 살짝 파리하게 질린 얼굴로 말끝을 흐렸다.

'저런 말은 반역 아닌가?'

하지만 새하얘진 나와는 다르게 그는 미소만 지을 뿐이었다. 마치 아까의 발언이 자신과는 조금도 관련 없다는 것처럼 굴어서, 나는 그에게서 이질감과 기이함을 동시에 느꼈다.

"그런 표정은 또 신선하네."

"처음 봐."

"그렇다고 웃을 순 없잖아요."

"반역죄로 목을 베기라도 할까 봐?"

"……."

"영애."

레이놀즈가 조용히 나를 불렀고, 나는 고개를 돌려 그를 빤히 바라보았다. 그는 아름답게 미소 짓고 있었다. 저 남자는 어쩌면 죽음 앞에서조차 아름다울지 모르겠다는 생각이 문득 스쳐 지나갔다.

"나를 두려워하지 마."

"적어도 영애는 그럴 필요 없어."

그게 무슨 소리인지 나는 이해하지 못했다. 그리고 그 누구도 이해하지 못했을 것이다. 지금 저 말을 하고 있는 당사자만 제외한다면.

"내가 영애에게 위해를 가할 일은 없으니까."

"……."

"영애가 아끼는 사람들까지 전부 다. 영애가 잃는다면 슬퍼할 사람들 모두."

"어째서요?"

나는 간신히 입을 열어 질문했다. 목소리는 살짝 떨리고 있었다.

"왜 제게만 폐하의 그런 은혜가 특별히 적용되는 건지."

"여쭤봐도 될까요?"

그는 대답 대신 나를 빤히 바라보았고, 나 역시 그렇게 했다. 그리하여 우리는 한참 동안 서로를 말없이 응시하기만 했다. 그 사이에서 어떠한 감정이 오갔는지는 모를 일이었지만, 적어도 그는 내게서 어떤 감정을 받았다고 느꼈다. 그의 눈빛이 미세하게 변하는 걸 봤으니까.

"대답은 지금 못 해줘."

"……."

"너무 일러."

100

뭐가 있긴 있다는 소리였다. 도대체 그게 뭘까. 나는 혼란스러워졌다.

"하지만 나중에 꼭 말해줄게."

유리네트가 레이놀즈 사이에 내가 모르는 접점이 있기라도 했던 걸까? 하지만 그렇게 생각하기에는 아무것도 모르는 내 반응을 이상하게 여기지 않는 레이놀즈의 반응이 설명되지 않았다.

"이것만 기억하면 돼."

내가 혼란함에 빠져 있는 사이, 그는 천천히 손을 물 위로 들어 올렸다. 가느다란 물줄기가 그의 손목을 타고 흘러내리며 청명한 소리를 냈다. 잠시 후, 뜨거운 손가락이 내 볼에 붙은 머리카락을 섬세하게도 떼 주었다.

"영애는 내게 아주 특별한 사람이라는 거."

어째서 내가 그에게 특별한지 물어보고 싶었는데, 대답이 대충 예상돼서 묻지를 못했다. 그는 아마 이렇게 답했을 것이다.

대답은 지금 못해줘. 아직은 너무 이르니까.

# 4

## *Interest*

　우리가 온천에서 나온 건 해가 슬슬 산 아래로 고꾸라지기 시작할 무렵, 그러니까 대략 3시에서 4시 사이였다.

　그리 길게 온천욕을 즐기지 못한 건 아쉬웠지만, 어쩔 수 없었다. 사실 길게 즐기려면 하루 정도 머무르는 게 딱 좋았는데, 지금 상황에서는 그게 어려웠으니까.

　동행한 하녀 에이미가 내가 목욕하는 것을 도와주었고, 나는 산장 안에 항시 구비되어 있는 깨끗한 드레스로 갈아입은 다음 사토르디 저택으로 귀환할 준비를 마쳤다.

　"아……."

　문을 열고 나오는데 때마침 옆쪽에서도 누가 문을 열고 바깥으로 나왔다. 그게 레이놀즈라는 건 굳이 고개를 돌아보지 않아도 알 수 있는 사실이었다. 나는 그를 향해 몸을 튼 다음 어색하게 미소 지으며 말을 걸었다.

"이만 가시지요, 폐하."

"그래."

그도, 나도, 아까의 일이 마치 아무렇지 않았다는 듯 행동했다. 하지만 레이놀즈는 정말 그럴지 몰라도 나는 아니었다. 관리인 부부와 포옹하며 인사를 나누고, 마차에 올라타 사토르디 저택에 가는 그 순간까지도 내 머릿속은 아까의 일로 혼란한 상태였다.

'특별하다고 그랬지.'

그것도 '아주' 특별한 사람이라고 했다.

'그게 도대체 무슨 뜻일까.'

고작 만난 지 하루 만에 내가 그에게 특별한 사람이 되었다는 건 상당한 어폐가 있는 말이었다. 고작 비 맞고 있는 사람에게 우산을 씌워줘서 그랬다는 거나, 온천까지 같이 동행해 줬다는 것도 이유가 되기에는 불충분했다.

'도대체 뭐 때문이지?'

머리가 혼란스러웠다. 일단 지금 내 머리로는 도무지 그 답을 찾아낼 수 없을 것 같았다.

"영애."

상념에 빠져 있는 나를 맞은편에 앉은 남자가 불렀다.

"무슨 생각해?"

그는 레이놀즈였다. 엘스워드의 폭군이자 대륙을 피로 물드는 전쟁광. 그리고 나를 '특별하다'고 칭하는.

"아무 생각도요."

나는 거짓말을 했다. 지금 내 고민을 그에게 털어놓아봤자 그는 대답해주지 않을 것이다. 나는 그 사실을 직감적으로 알고 있었다.

"흐음."

반응하는 소리가 내 거짓말을 알고 있다는 사실을 암시해주는 듯해서, 나는 양심의 가책을 느꼈다.

'하지만 뭐 어때.'

그렇다고 정답을 알려줄 것도 아니면서.

"일정 말인데."

내 예상대로 그는 화제 돌리기를 택했고, 나도 일단은 생각을 멈추었다.

"네, 폐하."

어차피 지금 열심히 머리 굴려봐야 나오는 답도 없을 테니까.

'조금 더 같이 지내다 보면 실마리를 얻을 수 있을지도 몰라.'

앞으로 함께 보낼 시간이 1달이나 남았다. 그건 뭔가를 더 알아내는 데 충분한 시간이리라.

"말씀하세요."

"아까 목욕하면서 생각해 봤거든. 내일은 쉬고, 격일에 한 번씩 외출하는 게 좋겠어."

"좋은 생각이에요."

나는 진심으로 웃어 보였다. 빈말이 아니라 그건 정말 좋은 생각이었다. 그는 여기 요양 온 거지 휴양 온 게 아니니까. 지나친 외출은 내가 봐도 염려스러웠다.

웃는 나를 빤히 바라보던 그가 재미있다는 얼굴로 입을 열었다.

"더 안 물어보네?"

"……뭘요?"

"뭔지 알면서."

선수끼리 왜 이러냐는 듯한 미소에, 나는 어색하게 입꼬리를 끌어 올렸다.

"난 더 캐물을 줄 알았어."

"안 알려주실 거잖아요."

"캐물어 보면 알려줄지도 모르는데."

"안 알려주실 거 같아요."

나는 흔들리지 말자고 스스로 되뇌며 말에 쐐기를 박았다.

"알려주실 생각이셨다면 아까 온천에서가 참 적기였는데."

"그걸 지금에 와서 다시 말씀해 주신다는 건 좀 김빠지는 일이잖아요. 그렇죠?"

"……잘 아네."

속임수를 쓰려다 걸린 사기꾼처럼 황제는 웃었다. 그 미소마저도 매력적으로 보이는 저, 정상 맞죠……?

"그래도 그런 의미심장한 말을 내뱉으면 내게 좀 더 관심 가져줄 줄 알았는데."

"······네?"

내가 지금 뭘 들은 거지? 나는 순간 잘못 들은 건가 싶어 경악한 눈으로 레이놀즈를 쳐다보았다.

"······관심이요?"

"그래. 관심."

부정하지 않는 태도가 당황스럽다. 그가 당연히 내 질문을 듣고 얼버무리거나, 회피하거나, 화제를 돌릴 줄 알았기 때문에.

"······."

순간 어떻게 이다음 말을 이어 나가야 할지 전혀 감이 잡히지 않아서, 나는 입만 작게 벌린 채 아무 말도 하지 못했다. 그리고 입술을 금붕어처럼 계속 끔뻑거리기만 하면서 당황한 눈동자를 계속 굴렸다. 하지만 역시나 나오는 말은 없었다. 그만큼 나는 당황한 상태였다.

"어지간히 당황했나 보네."

레이놀즈가 그런 내 상태를 정확히 짚었다. 나는 그제야 할 말이 생겼다는 듯 입술을 움직였다.

"······당연하죠."

"어째서?"

어째서라니.

다시 말문이 턱 막혔다. 누구에게 물어봐도 지금은 '당연히 말이 안 나오는' 상황 아닌가? 아니, 적어도 내게는 그렇다.

"폐하께서 제 관심이 왜 필요하신데요?"

아마 그것이 내가 처음 당황했을 때 가장 먼저 묻고 싶었던 질문이었을 것이다. 그러나 정말 그리해도 되는지 자신이 없어 입 밖으로 꺼내지 못한 것뿐.

"으음……."

내 질문에 그가 작게 소리를 흘렸다. 하지만 그건 내 질문을 깊게 고민하느라 내는 소리는 아니었다. 다만 어떤 대답을 해줄까 고르고 고르는 소리 같았다. 그마저도 나는 이상스레 여겨졌다.

"내가 영애에게 흥미가 가거든."

"……."

"흥미 가는 사람의 관심을 받는 것처럼 즐거운 일도 없잖아?"

동공 지진. 지금 내 눈동자 상태를 규정하자면 딱 그게 아닐까. 나는 너무 당황해서 입이 떡 벌어진 상태로 레이놀즈를 쳐다보았다.

그가 내게 흥미가 간다고 말했다.

'하지만 왜?'

동물원 원숭이라도 된 기분이었다가, 나 같이 평범한 사람한테 흥미가 갈 일이 뭐가 있을까 하는 생각에 의문스러워졌다.

"제게 말씀이신가요?"

"그래."

"어째서……."

"그건 비밀."

또, 김빠지는 대답. 나는 어안이 벙벙해진 얼굴로 레이놀즈를 쳐다보았다. 그는 기묘하게 입꼬리를 끌려 미소 지었는데, 사람을 확 끌어당기는 힘이 있는 미소였다.

"그것까지 알려주면 너무 재미없어."

"제게 숨기는 게 있으십니다. 그렇죠?"

"영애도 알고 있잖아. 내가 숨기는 게 있다는 걸."

그러니까, 그게 도대체 뭔데! 나도 모르게 입술을 잘근 물었다. 고작 하루, 아니 이틀인가. 이렇게 짧은 시간 만에 사람 속을 이렇게 헤집어 놓을 줄이야.

"언제 알려주실 건데요."

"아까 말했듯 지금은 아니야."

"그럼……!"

"도착했습니다, 아가씨."

그때 마차가 거짓말처럼 저택 앞에 멈춰 섰고, 나는 커진 눈 그대로 입을 다물었다. 이 뒤에 어떤 이야기가 나오든 여기서 할 이야기는 아니다. 레이놀즈는 나를 기묘한 눈으로 바라보다가 이내 마차 안에서 내렸지만, 나는 엉덩이가 의자에 붙어 버린 사람처럼 꼼짝도 못 했다.

"안 내리나?"

여전히 기묘한 얼굴로 그가 물어왔다. 나는 그를 빤히 쳐다보다가 천천히 자리에서 일어났다. 그리고 후들거리는 다리로 마차 계단에 발을 내딛는 순간, 균형을 잃고 비틀거렸다.

"아……"

당황하는 소리와 함께 앞으로 고꾸라지려는데, 누군가가 나를 단단히 붙잡았다. 이어질 부상에 눈을 질끈 감고 대기하고 있었는데, 아무리 기다려도 통증이 느껴지지 않았다.

나는 그제야 천천히 눈을 떠올렸다.

"조심해야지."

동시에, 짜 맞춘 것처럼 귓가에 낮은 목소리가 들려왔다.

"벌써 두 번째야."

"오늘 큰일 날 뻔한 거."

"……죄송합니다."

그에게 사과해야 할 일인지는 모르겠지만, 그래야만 할 것 같았다. 목소리는 부드러웠지만, 화가 나 있었기 때문이었다. 아까 온천에서 넘어질 뻔했을 때와 비슷한 목소리는 마차 안에서 들었던 것과는 확연히 다른 색을 띠고 있었다.

"……나한테 사과할 일은 아니고."

살짝 당황한 듯한 목소리. 나는 가만히 고개를 들어 올렸다.

"원래도 이렇게 부주의한가?"

……글쎄. 나도 잘 모르겠다.

나는 머뭇거리다가 고개를 저었는데, 그게 진실이었기 때문이라기보다는 '거기서 고개를 끄덕일 수가 없어서'라는 이유가 더 맞으리라.

"……이제 놓아주셔도 됩니다."

내 말을 들은 뒤에야 그는 나를 붙잡았던 손을 놓아주었고, 나는 조금 어색한 표정으로 그다음 행동을 하는 것을 머뭇거렸다.

"폐하."

때마침 우리가 있는 쪽으로 애슐리 경과 레이놀즈의 다른 시종들이 마중을 나와 주었다. 그 모습을 보고 나는 속으로 안도의 한숨을 내쉬었는데, 그와 단둘이 저택까지 걸어갈 생각을 하니 뒤늦게 걱정스러워졌기 때문이었다.

"오셨습니까."

"……그래."

아까 내게 들려주었던 그것과는 괴리감이 느껴질 정도로 무뚝뚝한 목소리였다. 나는 거기에서 어색함을 느꼈다.

"이만 들어가지."

그가 저택 입구를 향해 발걸음을 옮겼고, 나는 잠깐 멍해진 얼굴로 그런 레이놀즈의 뒷모습을 응시했다.

몇 발자국 정도 걸었을까. 그가 갑자기 뒤를 돌아 나를 바라보았다. 그러더니 이렇게 물어왔다.

"안 오나?"

"……네?"

"안 오냐고."

"저……요?"

"그럼 거기 영애 말고 누가 또 있나?"

"……."

나는 아무 말도 못 하다가 곧 말없이 발걸음을 옮겼다. 그제야 레이놀즈도 다시 걸음을 옮기기 시작했다. 나는 계속 그의 뒤를 따라 걸었고, 어느새 우리는 저택까지 도착했다.

"사토르디 영애."

나보다 앞서 걷는 그가 말없이 저택으로 들어가 버릴 줄 알았는데, 돌연 멈춰 서더니 뒤를 돌아 나를 불렀다.

나는 똑같이 멈춰선 채 그에게 답했다.

"네, 폐하."

"……."

잠시 나를 응시하다가, 그는 조용히 내뱉었다.

"내일 또 보지."

그게 전부였다. 근 말만 남기고 레이놀즈는 빠르게 본채 안으로 들어가 버렸다. 나는 그 자리에 서서 우두커니 그가 남긴 말을 되새기다가, 이내 이상한 점을 알아차리고선 이맛살을 찌푸렸다.

"……내일?"

분명 격일에 한 번씩 외출하기로 했잖아.

"왜 내일?"

설마 본채에서도 날 시녀처럼 부리겠다는 의미는…… 아니겠지? 나는 설마 하는 표정으로 고개를 갸웃거리다가, 이내 머리를 털어 버렸다. 설마. 아니겠지.

.

.

.

"언니!"

별채 안으로 들어서자 귀신 같은 타이밍으로 오드리가 나를 반겨 주었다. 나는 깜짝 놀란 얼굴로 그녀에게 물었다.

"내가 올 줄 알고 있었어?"

"아니. 우연이지."

오드리가 키득거리며 답했다.

"산책 가려고 나온 거거든."

"아아……. 그랬구나."

"언니도 같이 갈래?"

"사양할게. 방금 다녀와서 피곤해."

"아, 참. 폐하와는 잘 다녀왔어?"

"……."

나는 순간 아무 말도 하지 못했다가, 오드리가 그런 내 반응을 이상하게 여길 즈음에야 간신히 입을 열었다.

"그냥…… 그랬지, 뭐."

"폐하께서 언니한테 뭐라 하지는 않으셨고?"

뭐라고 하긴 했지. 왜 이렇게 부주의하냐고.

'물론 그건 내 과실이긴 했지만…….'

나는 입술을 오물거리다 입을 열었다.

"아니야. 별일 없었어."

"다행이다. 혹시라도 무슨 일이 있는 건 아닌가 걱정했거든."

"……생각처럼 무서우신 분은 아니셨어."

문득 온천 안에서 내게 해주었던 말이 떠올라서, 나는 그렇게 말해버렸다.

그는 자신을 두려워하지 말라고, 그럴 필요가 없다고 말했다. 나뿐만 아니라 내가 아끼는 사람들, 내가 잃는다면 슬퍼할 사람들 모두에게 위해를 가하지 않을 거라고까지.

"너무 겁먹을 필요는 없을 거 같아."

"으음, 그래?"

"아까는 내가 넘어질 뻔한 걸…… 두 번이나 잡아 주셨어."

내 말에 오드리가 깜짝 놀라며 물어왔다.

"언니 넘어질 뻔했어?"

"나 멀쩡하니까 걱정할 필요 없어, 오드."

"와……. 근데 언니 말 듣고 보니까 다정한 면도 있으신 것 같고."

오드리는 의외라는 목소리였다.

"소문하고는 다르네."

"소문은 과장되고, 부풀려지기 마련이니까."

"하긴. 그럴 수도 있겠다."

그녀는 금방 수긍했다.

"언니 말 들으니까 맘이 좀 편해지네, 나도."

"……그래?"

"웅. 언니가 하는 말은 대개 맞으니까."

"언니가 폐하를 두둔한다면 이유가 있겠지."

"……두둔? 내가?"

"방금까지 두둔했잖아. 폐하를."

무슨 문제가 있느냐는 듯, 오드리가 고개를 갸웃거렸다.

"아니야?"

"……."

'두둔'의 사전적 정의가 '편들어 감싸줌'이 맞다면, 그래, 분명 방금 행동은 그를 두둔하는 것이었다. 그 사실을 알아차리자 기분이 이상해졌다.

'두둔이라……'

오드리는 그런 내 기분도 모르고 산책을 다녀오겠다며 해맑은 얼굴로 별채 밖으로 나갔다. 홀로 남겨진 나는 심란해진 얼굴로 방까지 올라갔고, 에이미는 다른 하녀들과 함께 내 옷을 벗기고 목욕하는 것을 도와준 뒤 머리를 말려주었다. 긴 은발이 건조하게 마르기를 기다리면서까지 나는 아까와 비슷한 복잡한 표정을 유지하고 있었다.

"오늘 어떠셨어요?"

뒤에서 에이미가 물어왔고, 나는 그제야 정신을 좀 차린 얼굴로 되돌아왔다.

"응?"

"오늘 폐하와 처음 시간을 보내셨잖아요. 오드리 아가씨께 말씀하신 것처럼 정말 다정하신 분이셨나요?"

'무섭지 않다'가 언제 '다정하다'로 탈바꿈한 건지. 나는 할 말이 없어진 얼굴로 아무 말도 하지 못하다가, 문득 에이미의 표현도 틀린 말은 아니라는 사실을 깨달았다.

분명 오늘 하루 종일 내가 겪어 본 레이놀즈는 무서운 사람도 아니었고, 괴팍하지도 않았다. 외려 넘어질 뻔한 나를 두 번이나 잡아 줬고, 자신을 두려워할 필요 없다면서 안심시키려는 노력까지 했다.

'그런 걸 고려한다면 그는 다정한 사람인가?'

나는 잘 모르겠다는 듯 아리송한 표정을 지었다.

"무서운 분은 아니셨어."

나는 가장 사실에 근접한 대답을 내놓았다. 일단 아직까지 레이놀즈에 대해 내가 갖고 있는 느낌은 '무섭지는 않다'였다. 그리고 나는 당분간 레이놀즈에 대한 판단을 유보하기로 했다.

물론 그가 수도에서 폭군으로 악명이 높았다는 사실은 나도 알고, 이 저택의 모두가 아는 사실이었다. 하지만 아까 오드리에게 말한 대로 소문이라는 건 과장되기 마련이니까.

그러니 적어도 내 두 눈으로 직접 보기 전까지는 어떤 판단도 함부로 하지 않을 것이다. 그건 자칫 당사자에게 큰 상처가 될 수 있는 일이었으니까.

'설령 그가 정말로 소문 속의 폭군이라고 해도, 그건 뒤에 가서 확인하면 될 일이야.'

괜히 내가 보지도 않은 사실로 사람을 판단해서 선입견을 갖고 싶지 않았다. 물론 그런 것과는 별개로 레이놀즈는 황제였기 때문에, 그 앞에서 언행을 조심히 해야 하는 건 맞았지만.

'그 부분에 대해서는 오늘 실수한 게 많았지.'

나는 조금 더 조심스럽게 행동하자고 마음먹었다.

"나머지는 좀 더 겪어봐야 알 것 같아."

"뭐, 언행만 조심히 하신다면 큰 문제는 없겠죠."

"그렇겠지……."

……라고는 말했지만, 아까부터 계속 마음에 걸리는 게 있었다.

'도대체 뭐가 그렇게 특별하다는 건데.'

분명 나와, 아니 어쩌면 유리네트와 레이놀즈 사이에 무언가가 있다. 그걸 나도 모르고, 우리 저택 사람들도 모르고, 그만 안다는 게 문제였지만…….

'사정이 이런 걸 보면 시종들한테 캐 봐도 썩 답이 나올 것 같진 않단 말이지.'

아니면 혹시 이걸 노린 건가? 내가 계속 레이놀즈 생각을 하게끔 만들려고? 순간 떠오른 가설에 나는 아연실색한 표정을 지었다가, 곧 설마 하는 표정으로 고개를 저었다.

'아, 이건 너무 갔나.'

하지만 만약, 정말로 그런 속셈이었다면 지능적인 것 하나는 인정해 줘야겠다. 소름 끼칠 정도였으니까.

'그 이유가 뭔지 지금 말해줄 생각은 없어 보이는데……'

그렇다면 방법은 역시, 마차 안에서 생각한 대로 앞으로 함께 지내면서 자연스럽게 알아가는 것밖에는 없으리라. 나는 마음을 정한 사람처럼 결연하게 표정을 굳히고 고개를 끄덕였다.

그리고 레이놀즈 생각은 여기서 그만두기로 했다. 계속 그에 대한 생각을 지속해 나가는 건 어쩐지 그에게 휘말리는 것 같아서.

"아가씨, 저녁 식사가 다 준비되었다네요. 오드리 아가씨도 지금 식당으로 내려오고 계세요."

때마침 바깥에서 하녀 하나가 저녁 식사 준비가 다 되었음을 알려 주었고, 나는 밝게 미소 지으며 자리에서 일어났다.

·

·

·

그다음 날 아침, 나는 하루 일정을 아마나의 꽃집에 방문하는 것으로 시작할 예정이었다. 어제 레이놀즈가 '내일' 보잔 식으로 얘기하긴 했지만, 구체적인 일정이 잡혀있던 것은 아니었으니까.

그날은 마침 아침부터 햇빛이 아주 좋았고, 나는 분홍색 드레스를 입고 산뜻한 기분으로 마차에 타려고 했다.

"사토르디 영애."

나를 부르는 그 목소리만 아니었다면.

"어딜 가는 거지?"

저택을 벗어나려는데 들려오는 낯설지 않은 목소리에, 나는 자연스럽게 뒤를 돌았다.

"폐하."

나를 불러 세운 이는 레이놀즈였다. 나는 조금 당황한 목소리로 그에게 물었다.

"무슨 일 있으신가요?"

그는 대답 대신 성큼성큼 내게 걸어왔고, 나는 그 자리에서 발이 붙어버린 사람처럼 꼼짝하지 못했다. 어느새 내 지척까지 다가온 뒤에야 레이놀즈는 입을 열었다.

"일은 없는데."

"……"

"어디 가나?"

"꽃집에요."

"꽃집?"

"친한 사람이 꽃집을 하거든요."

"꽃 좋아하나?"

"네."

내 말을 들은 레이놀즈는 잠시 생각하는 표정을 짓다 다시 물었다.

"가면 얼마나 있다 오지?"

"두세 시간 정도……? 아마 그럴 거예요."

내 대답을 들은 레이놀즈의 이맛살이 찌푸려졌다. 대답이 마음에 안 든다는 소리다.

"그렇게나 길게? 꽃만 사러 가는 것 아니었나?"

"꽃을 사러 가는 것도 있지만…… 대화도 나눌 겸해서랍니다. 저와 친한 친구거든요."

"설마 그게 주목적인가?"

"네, 폐하. 그녀와 대화를 나누는 것처럼 재미있는 일도 없거든요."

"대화는 나와도 나눌 수 있는걸."

"……네?"

순간 잘못 들었나 싶어서 다시 물었다. 이 남자는 귀를 의심케 만드는 재주가 있다.

"대화……요?"

"그래."

"제가 폐하랑요?"

"그래."

사실 확인이 된 후에도 나는 여전히 못 믿겠다는 얼굴로 그를 쳐다보았다. 하지만 레이놀즈는 지금 이 대화에 아무런 문제가 없다는 듯 태연한 모습이었다.

"……상상이 안 가는데요."

"뭐가?"

"제가 폐하와 대화를…… 그, 저희는 공감대가 달라서 안 될 거예요, 아마."

그래. 안 될 거야, 아마. 내가 고개를 절레절레 저었다. 다른 사람도 아니고 이 남자랑 수다를 떨라고? 차라리 애슐리 경하고 이야기하는 게 더 재미있을지도 모르겠다.

"그 꽃집 주인하고는 무슨 이야기를 하는데, 보통?"

"그냥…… 소문 같은 것들요."

말하고 난 뒤에 살짝 부끄러움이 몰려왔는데, 내 말을 들은 그가 갑자기 코웃음을 쳤다. 왜 웃나 싶어서 어안이 벙벙해진 얼굴로 바라보고 있는데, 레이놀즈가 돌연 내게로 불쑥 얼굴을 들이밀었다. 깜짝 놀란 나는 소리도 내지 못하고 그 자리에서 굳었다.

"그런 거라면."

그리고 이어지는, 낮고 중후한 목소리.

"내가 더 잘 알고 있지 않을까?"

……그렇긴 할 것이다. 이 남자는 수도 출신이고, 권력의 정점에 있는 황제니까. 아마나가 아는 거랑은 비교도 안 되는 고급 정보를 그 누구보다도 잘 알고 있겠지.

'아니, 그보다.'

진짜 나랑 수다 떨고 싶어서 이러는 거야, 지금……? 나는 혼란스럽기 짝이 없는 얼굴로 그에게 물었다.

"그래서 정말로 저랑…… 그, 대화를 나누고 싶으신 거예요?"

"심심해."

"시종들하고…… 이야기하시면 되잖아요."

"그네들은 재미가 없어."

내가 그의 시종이었더라면 분명 상처받았을 법한 발언이었다.

"저도 썩 재미있는 사람은 아니랍니다, 폐하."

"어제 겪어보니 재미있던걸."

어제……? 나는 의아한 표정으로 어제 이 남자와 나누었던 대화를 떠올려 보았다. 하지만 특별한 건 없었던 것 같은데…….

"어제 그냥…… 평범한 대화였잖아요."

"그랬지."

"근데 재미있으셨다고요?"

"그래, 내가 나눴던 그 어떤 대화들보다도."

"즐거웠어."

그렇게 높게 평가해 주니 고맙긴 합니다만…….

'그래도 저는 약속이 있어서 가봐야 하거든요.'

나는 최대한 빨리 이 상황을 정리하고 마차에 타기 위해 입을 열었다.

"그래도 오늘은 안 됩니다, 폐하. 약속을 이미 해놓았는걸요."

심지어 원래 만나기로 했던 이틀 전, 그러니까 레이놀즈를 처음 만난 날에 내가 사전 무통보로 약속을 취소했던 것을 아직도 기억하고 있었다. 그래서 오늘만큼은 그 일이 반복되는 걸 절대적으로 피하고 싶었다.

"약속은 깨면 안 되는 거잖아요."

"황명인데도 말인가?"

"화, 황명……."

내가 황당해진 얼굴로 입을 떡 벌렸다. 아니, 대체 왜 황명을 이런 데다 남발하시는 거죠……?

"진짜 황명인가요?"

황명을 거역하는 것은 반역이다. 그 말이 주는 무게가 결코 가볍지 않아서, 나는 당황한 얼굴로 레이놀즈에게 재차 물었다. 하지만 내 질문에도 그는 나를 빤히 바라보기만 할 뿐 가타부타 말이 없었고, 나는 속이 타들어 갔다. 아, 이러다 약속 시간에 늦겠는데.

내가 어쩔 줄 몰라 하는 사이, 레이놀즈가 좋은 방도를 찾아낸 사람처럼 입을 열었다.

"그럼 이렇게 할까?"

"어, 어떻게요?"

"꽃집에 다녀온 뒤에, 나랑 시간을 보내는 거야."

"다정하게 담소를 나누면서."

"에에?"

나는 경악한 얼굴로 그에게 물었다.

"진심이세요, 폐하?"

"황명이라고 하면 믿을까?"

"……그냥 믿겠습니다."

나는 빠르게 수그러들었다. 그보다 진짜 진심이라는 거야, 그럼?

나는 현실감 없다는 얼굴로 고개를 갸웃거렸다. 나랑 나누는 대화가 그렇게 재밌었다고? 그 평범하기 짝이 없는 대화가?

영 이해가 안 간다는 얼굴로 혼란스러워하고 있는데, 문득 서늘한 무언가가 내 턱 아래에 닿았다. 그게 무엇인지 알아차리기도 전에, 나는 그것에 의해 고개가 들어 올려졌다.

자연스럽게 그와 눈이 마주쳤다. 나보다 키가 한 뼘, 아니, 두 뼘 정도는 더 클 레이놀즈와.

"약속."

"……."

"하는 거지?"

여기서 싫다고 했다간 진짜 황명 운운할 것 같아서, 나는 조심스럽게 고개를 끄덕여 주었다. 그리고 사실 뭐 어려운 일도 아니었으니까. 다만 황당할 뿐이지.

"그보다 손가락이 차가우시네요, 폐하."

그 와중에 나는 이런 소리나 하고 있었다.

하지만 정말로 그랬던 것이, 내 턱에 닿은 레이놀즈의 가늘고 긴 손가락이 정말 차가웠기 때문이었다.

얼음에서 갓 녹아떨어진 물이 연상되는 온도랄까. 내 말에 레이놀즈는 묘한 표정으로 나를 바라보다가 입을 열었다.

"유린은 뜨거워."

"……"

"그것도 아주 많이."

묘한 느낌을 주는 대사에, 나는 뒤늦게야 그가 나를 이름으로 불렀다는 사실을 알아차렸다. 당황한 얼굴로 레이놀즈를 쳐다보았지만, 그는 아무런 문제도 없다는 듯 빙긋 웃으며 내 턱에서 손가락을 부드럽게 치워냈다.

하지만 나는 그 후에도 레이놀즈를 계속 쳐다보고 있었다. 마치 무언가에 홀린 사람처럼.

"자, 이제 얼른 가보는 게 좋겠어."

"늦게 가면 늦게 올 테니까. 그렇지?"

나는 얼떨결에 고개를 끄덕였고, 다녀오겠다는 말을 남긴 채 다시 뒤를 돌아 마차까지 걸어갔다. 마차까지 걸어가는 내내 나는 멍한 표정이었고, 그건 마차에 타고 난 뒤에도 변함없었다.

"뭐야, 도대체……."

갑자기 사람 이름을, 아니 애칭을 부르지 않나. 그게 하필이면 본래의 내 이름이라 더 야릇한 기분을 주었다. 기묘한 우연의 일치.

나는 심각한 표정으로 턱을 양손에 받치고 중얼거렸다.

"왜 그러는 건지 모르겠네, 진짜."

⚘ ⚘ ⚘

"아가씨!"

마차가 꽃집 앞에 도착했고, 나는 내리자마자 아마나의 환대를 받았다. 나는 웃으며 그녀에게 인사했다.

"안녕, 아마나."

"오랜만에 봬요."

"그러게."

이틀 전 약속을 말없이 취소한 일을 떠올리자 머쓱한 웃음이 나왔다. 그런 나를 가만히 미소 지은 채 바라보던 아마나가 내 손목을 잡고 꽃집 안으로 들어갔다. 안으로 발을 내딛자마자 달콤한 꽃향기가 진동했다. 나도 모르게 미소를 짓고 중얼거렸다.

"향이 좋네."

"오늘 꽃들이 좀 많이 들어왔거든요. 이따 몇 송이 드릴 테니 가져가세요."

"사 가야지 무슨 소리야."

나는 그럴 수는 없다는 듯 고개 저었다.

"약속 파투 낸 것도 미안한데."

"아. 뭐 그 부분은…… 사정이 있으실 거라고 생각했어요."

아마나는 대수롭지 않게 대꾸한 뒤 물을 끓이기 시작했다. 잠시 후 투명한 유리 주전자 안에서 물이 보글보글 끓어올랐고, 아마나는 김이 피어오르는 주전자를 들어 올려 찻잔 안에 부었다.

몇 초 지나지 않아 싱그러운 녹차 냄새가 코 밑으로 진동하기 시작했다. 아마나는 예쁜 쟁반 위에 찻잔과 과자 접시를 올린 다음 내가 앉아 있는 테이블로 조심조심 다가왔다.

"드세요, 아가씨."

"고마워, 아마나."

안에서 김이 피어오르는 찻잔을 집어 든 뒤, 조심스럽게 그 위에 입바람을 불어 넣었다. 몇 번 불어 표면이 살짝 식은 찻물을 홀짝인 다음에야 나는 입을 열 수 있었다.

"이틀 전에 못 온 건 사정이 있었어."

"그럴 거라고 생각했어요."

"황제 폐하께서 오셨거든."

"어머."

내 말을 들은 아마나가 깜짝 놀란 표정을 지었다.

"벌써 오신 건가요?"

"꽃집으로 가는데 우연히…… 아주 우연히 만났어. 그런데 난 분명 저녁에 오시는 걸로 전해 들었거든. 예상보다 일찍 오신 거지, 뭐."

나는 그날의 일을 떠올리며 머리를 긁적였다.

"그래서 하는 수 없이 저택으로 되돌아갔고."

"제가 생각했던 것보다 훨씬 더 중대한 사정이 있으셨군요."

"그랬지, 뭐."

"그래서 폐하께서는 어떠신가요? 정말 소문에서처럼 무시무시한 폭군이신가요?"

어제저녁 오드리에게도 들었던 질문. 나는 그때보다 훨씬 차분해진 목소리로 대답했다.

"생각했던 것처럼 무시무시하신 분은 아니셨어."

그건 내 솔직한 감상이었다.

"어제는 넘어져서 큰일 날 뻔한 나를 두 번이나 구해주셨거든."

"어머, 정말요? 그보다 넘어질 뻔하셨다니 그건 왜……."

"첫 번째는 온천에서, 두 번째는 마차에서 내릴 때."

나는 머쓱하게 덧붙였다.

"발을 헛디뎠거든."

"온천이요?"

그건 또 무슨 소리냐는 얼굴로 묻는 아마나에게, 나는 이틀 전부터 오늘까지 있었던 일을 전부 말해주었다. 사토르디 가문 사람들만 이용할 수 있는 온천에 함께 간 일까지 전부.

"정말 짧은 시간 동안 많은 일이 있으셨네요."

"그렇지?"

그리고 신기하다는 듯 내 이야기를 듣는 아마나의 얼굴을 보면서, 나는 머뭇거리다가 그 이야기도 말해주었다. 레이놀즈가 나를 특별하다고 말한 것부터, 오늘 아침에는 담소를 나누자며 나를 붙잡았던 일까지.

"아니…… 정말이에요?"

내 말을 다 듣고, 아마나가 믿을 수 없다는 표정으로 물어왔다. 내가 고개를 끄덕였음에도 영 못 믿어 하는 눈치였다.

'당연한 일이긴 해.'

왜냐하면 나도 지금 상황이 믿기지 않았으니까. 당사자도 납득이 안 가는데 타인이 얼마나 납득을 할 수 있겠어.

"못 믿겠지만 진짜야."

"폐하께서 왜 아가씨께 흥미를 가지시는 걸까요?"

"그걸 모르겠네."

나는 찻물을 한 모금 마신 다음 다시 입을 열었다.

"사실 그 말 듣고 광대라도 된 기분이었어."

"광대…… 왜요?"

"내게 흥미를 가지신다니까. 나한테 그럴 만한 거리가 있니? 나 정말 궁금하거든."

"글쎄요. 사실 제가 봤을 때 아가씨는 그냥 평범한 귀족 영애이신데……."

"나도 그렇게 생각해. 그래서 더 의문이고."

"한 달 동안 같이 지내시다 보면 답이 나오지 않을까요?"

정확히는 28일하고도 한나절이 더 남은 셈이었다. 이번 달은 마지막 날이 31일이고, 레이놀즈는 다음 달 1일에 떠나기로 되어 있었으니까.

"그럴지도. 한 달이 짧은 시간은 아니잖아."

"어쨌든 조금 기묘하기는 하네요."

그건 나도 동감이었다. 그리고 솔직히 '많이' 기묘한 상황이었고.

"이렇게 되면 제가 부담스러워서 아가씨를 빨리 보내드려야 할 것 같은데요."

"응? 왜?"

"폐하께서 지금 아가씨를 기다리고 계신단 거잖아요, 지금."

이야기가 그렇게 되나……? 나는 미간을 좁히며 진지하게 생각하는 표정을 지었다. 그런 내 모습을 보고 아마나가 장난스럽게 덧붙였다.

"전 폐하의 눈에 잘못 들고 싶지 않아요."

"이런. 괜찮아, 아마나. 괜히 눈치 볼 필요 없어."

"하지만 눈치가 보이는걸요."

"폐하 때문에 우리 두 사람의 시간을 방해받고 싶지 않아."

"오오."

내 말을 들은 아마나가 조금 감동 받은 표정을 지었다.

"전 아가씨께 폐하보다 더 소중한 존재로군요. 이거 영광인걸요?"

"무슨 영광까지야. 낯간지럽게."

"누가 저와의 만남을 폐하와 만나는 것보다 우선시하겠어요. 영광이죠."

그런가……? 나는 잘 모르겠다는 듯 뒷머리를 긁적거렸다.

"어쨌든 신기한 경험하시네요. 하루하루 새로운 기분이실 것 같아요."

아직 이틀밖에 안 돼서 잘은 모르겠지만…… 일단 요 이틀이 새롭고 신기한 건 맞았다. 나는 부정하지 않으며 슬며시 화제를 다른 데로 틀었다.

"그보다 오늘은 뭐 싱싱한 꽃 없어? 몇 송이 사가고 싶은데."

"으음……. 오늘은 은방울꽃이 꽤 예뻐요."

'틀림없이 행복해진다.'

꽃말이 예쁜 꽃이었다. 나는 빙긋 미소 지으며 아마나에게 말했다.

"화병에 꽂아 넣게 몇 송이 담아 줘."

.

.

그리고 두 시간 정도 수다를 더 떤 뒤에야 나는 사토르디 자작저로 되돌아왔다.

"도착했습니다, 아가씨."

마부의 목소리와 함께 동행한 하녀 에이미가 문을 열어주었다. 그리고 대수롭지 않게 계단에 발을 내디디려는데, 문득 어제 있었던 일이 생각났다. 넘어질 뻔했던 나를 레이놀즈가 잡아 주었던 기억. 그래서 나는 평소보다 아래를 더 똑바로 보고 마차에서 내렸다. 이번에는 넘어지지 않았다.

"꽃이 너무 예쁘네요, 아가씨."

"아마나의 추천은 늘 실패가 없으니까. 이 꽃……."

"일찍 왔네?"

그때 내 말은 누군가에 의해 가로막혔고, 나는 당황한 얼굴로 뒤를 돌았다. 거짓말처럼 레이놀즈가 거기 서 있었다. 잔뜩 당황해 버린 표정도 잠시, 나는 빠르게 고개를 숙이고 예를 취해 인사했다.

"화, 황제 폐하를 뵙습니다."

"그렇게 유령이라도 본 얼굴을 할 것까지야."

"……."

놀랄 수밖에 없지.

'누구라도 놀랐을걸.'

나는 내 행동에 이상함을 느끼지 못하고 천천히 허리를 펴 올렸다. 그런 다음 시선을 살짝 아래로 내리깐 채 레이놀즈에게 물었다.

"여기까지는 어쩐 일이신지……."

"왠지 지금쯤 도착했을 것 같아서."

레이놀즈가 느릿하게 미소 지으며 말을 이었다.

"그래서 와봤지."

"……."

"내 촉이 맞았네."

뒤이어 낮게 웃는 소리가 들려왔다. 나는 그 상황에 약간의 어색함을 느끼며 손에 들고 있던 꽃다발만 만지작거렸다. 자연스럽게 레이놀즈의 시선도 그곳으로 향했나 보다.

"웬 꽃? 방금 온 데서 사 온 건가?"

"네. 아마나의 꽃집에서요."

"예쁘네."

"그렇죠?"

"응."

그가 미소 지으며 돌연 내 쪽으로 허리를 굽혔다. 그러더니 앞으로 흘러내린 내 은색 머리카락을 느릿하게 귀 뒤로 넘겨주었다.

"예뻐."

"……."

"아주 많이."

그게 꽃을 지칭한 것인지, 아니면 나를 지칭한 것인지 헷갈리게 만드는 행동이었다. 앞뒤 맥락으로 보면 분명 꽃을 보고 예쁘다고 하는 것 같은데, 어째서 그의 시선이나 행동은 나를 향하고 있는지. 나는 헷갈림을 참지 못하고, 그에게 물었다.

"꽃이요?"

당연히 '그래'라는 대답이 나올 줄 알았는데, 레이놀즈는 뜻 없이 미소 지으며 그저 나를 가만히 바라보기만 했다. 그 반응에 나는 더욱 혼란스러워졌다. 이거 뭐야……?

"꽃도 예쁘고."

"……"

"꽃을 든 사람도 예쁘고."

"……네에?"

"왜, 부정하고 싶어?"

사실, 유리네트와 유린의 외양은 아주 많이 비슷했다. 어느 정도였느냐면, 처음 이 몸으로 눈을 떴을 때 '왜 내가 병원복이 아닌 이런 치렁치렁한 드레스를 입고 있나'하고 놀랐을 정도였다. 그래서 '예쁘다'고 대답하기가 좀 많이 민망했다. 그게 진짜든 아니든.

나는 은근히 대답을 피했다.

"저한테 그런 말씀을 하시는 까닭은……."

"예쁜 사람한테 예쁘다고 하는데 무슨 문제라도 있나?"

"……"

반문하는 태도가 퍽 당당하여, 나는 거기서 더 묻지 못했다.

'칭찬을 들었으면 보통은 기쁜데 말이지.'

마냥 기쁘지가 않은 건, 그 상대가 역시 레이놀즈라 그런가?

"아까 나랑 했던 약속, 잊지 않았지?"

잊었을 리가. 나는 고개를 끄덕였다. 그런 내 모습을 보고 레이놀즈는 뭐가 그렇게 기쁜지 입꼬리를 위로 끌어 올려 씩 웃었다.

나는 아무 말도 하지 못하고 당황한 얼굴로 그를 쳐다보았고, 그는 여전히 기묘한 눈빛으로 나를 바라보며 물었다.

"왜 그래?"

"……아무것도 아닙니다."

나는 대충 대답했다. 방금 건 심장에 퍽 해로운 미소였다. 나도 모르게 움찔할 정도로.

〄 〄 〄

"폐하께서 아까부터 아가씨를 계속 기다리셨어요."

그 말을 전해 들은 건 옷을 갈아입기 위해 별채에 마련된 내 방으로 올라왔을 때였다. 나는 당황한 얼굴로 물었다.

"그게 무슨 소리야?"

"아까 본채에 잠시 다녀왔는데, 시종들이 수군대는 소리를 들었어요. 폐하께서 아가씨가 오는 시간에 맞춰서 자길 꼭 깨워 달라고 했다고요."

"깨워?"

"불면증이 있으셔서서 낮에도 자주 피로해 하신대요. 그래서 낮잠을 자주 주무신다고……. 근데 아가씨가 오시는 시간을 놓치지 않으려고 시종들에게 미리 명을 내려 두신 거죠."

도대체 왜?

그 말을 듣자마자 내 머릿속에 떠오르는 생각은 그것 하나뿐이었다.

'무슨 이유로 그렇게까지 하는 거지?'

본인의 잠까지 깨워가면서 나와 시간을 보내야 할 이유가 뭘까?

'그렇게까지 특별한 사연이 있다면, 당사자인 내가 기억 못 할 리 없잖아.'

하지만 유감스럽게도 나는 기억하지 못하고, 그건 유리네트의 주변인들도 마찬가지인 듯했다.

'환장하겠군.'

나는 깨끗한 흰 드레스로 갈아입은 다음 본채로 건너갔다. 고작 하루 만에 다시 보는 본채는 이상하게 낯선 구석이 있었다.

'그동안 너무 별채에서만 지내서 그런가.'

어쩌면 그 안에 낯선 존재가 지내고 있기 때문일지도 모른다.

"폐하, 사토르디 영애께서 오셨습니다."

내가 그를 만나기 위해 온 곳은 1층의 응접실. 이곳에서 손님을 맞아본 것은 나로서도 처음이라 어색한 기분이 들었다.

문이 열리고 안으로 들어가자 우아한 자태로 앉아 차를 홀짝이는 레이놀즈의 모습이 들어왔다.

'불면증이 있다더니 차를 마셔도 되는 건가.'

쓸데없이 그런 생각이나 들었다.

"전능하신 우리의 왕, 엘스워드의 태양을 뵙습니다."

이곳에서 눈을 뜨고 배웠었던, 이제는 기억 저편에 흐릿하게 남아 있는 궁중의 예법. 나는 조용히 인사를 건네고 안으로 들어갔다.

그의 시선이 내 쪽으로 향하였다.

"조금 늦었네."

"기다리셨나요?"

아까 하녀에게 들었던 이야기가 계속 귓가를 맴돌았다.

'아가씨를 기다리셨답니다.'

'아가씨가 저택에 도착하면 잠을 꼭 깨우라고 명령하셨답니다.'

기묘한 의미가 응축된 두 마디가, 나를 괴롭혔다.

"그래."

어김없이 나오는 긍정의 답에 나도 모르게 입술을 지그시 깨물었다. 내가 그의 맞은편에 앉자, 잠시 후 하녀가 다가와 그가 마시고 있는 것과 같은 종류의 차를 내주었다. 보랏빛이 도는, 라벤더 차.

"라벤더는 불면증에 좋다고 하지요."

문득 떠오른 라벤더 차의 효능이 입 밖으로 나왔다.

"불면증이 있으시다 들었습니다."

"그런 이야기는 어디서 들었지?"

그렇게 물어오는 목소리는 노기를 띠고 있다기보다는 흥미를 담고 있었다.

"어쩌다 들었습니다."

나는 머뭇거리다 덧붙였다.

"불면증이 있으시어 낮에도 피로를 많이 느끼신다고."

"……"

"사토르디 온천은 불면증 치료에도 효과적이지요. 앞으로 자주 다니신다면 효험을 보실 수 있을 겁니다."

"거기엔 늘 영애가 동행할 예정인가?"

"그러라고 명령하셨지요."

그러니 따를 뿐. 사실 그대로를 담백하게 말해 주었는데, 앞에 앉은 이의 표정은 어쩐지 좋지 않다. 마치 그 무미건조한 대답을 마음에 들어 하지 않아 하는 사람처럼.

하지만 여기서 더 어떻게 포장하여 말해줄 것인가.

"내일 다시 가시는 건 어떠세요?"

"영애의 친한 친구 자격으로?"

"그곳에서는 그렇겠지요."

"진짜로 '친한 친구'가 될 수는 없고?"

뜻밖의 질문에 나는 당황했다.

'말도 안 되는 소리'라는 생각이 가장 먼저 들었다. 황제와 친구? 일개 자작 영애가? 진짜 말도 안 되는 소리.

"감히……."

"그 말은 내 입에서 나와야 더 맞는 말인데."

"……제가 감히 폐하와 그런 관계를 맺을 수 없다는 뜻이었습니다."

혹시라도 오해할까 봐 나는 빠르게 덧붙였다. 그런 나를 빤히 바라보던 그가 입을 열었다.

"농담이야, 영애. 나도 영애와 '친구' 같은 걸 할 생각은 조금도 없어."

"다른 관계라면 모를까."

"예컨대 군신 관계 말씀이시지요?"

"아니."

레이놀즈는 고개를 저었고 나는 의아해졌다.

우리 두 사람 사이에 그 이외의 무슨 관계가 또 가능하다는 걸까.

"그거 말고 다른 거."

"다른 거라면……."

"좀 더 특별한 관계 말이야."

"……네?"

나는 그의 말을 이해하지 못했고, 그래서 고개만 갸웃거렸다.

친구는 아니고, 군신도 아니고.

'그렇다면 우리 사이에 가능한 관계가 도대체 뭐가 있지?'

난감함에 눈살을 폭 구기는데, 시야로 씁쓸해 하는 듯한 레이놀즈의 모습이 들어왔다.

"정말 모르는 건지, 모르는 척하는 건지."

정말 모르는 거겠지, 하고 그는 덧붙였다. 그 말이 맞긴 했는데 내용을 몰라서 찜찜해졌다.

'내가 뭘 모른다는 걸까, 도대체?'

나는 결국 궁금증을 이기지 못하고 캐물었다.

"말씀해 주시면 안 되나요?"

"응. 안 돼."

"어째서요?"

"영애의 반응을 보니 지금 듣는 게 의미가 없을 거 같거든."

"나중에는 의미가 있고요?"

"적어도 지금보다는."

"수수께끼 같은 말씀만 하시네요."

"궁금하면 계속 생각해봐. 내가 무슨 말을 하려 했던 건지."

"이미 수수께끼 하나를 주셔서, 그걸 생각하는 것만도 벅차요."

"수수께끼?"

그가 고개를 갸웃거리다 이내 감을 잡았다는 표정을 지었다.

"……아아, 뭔지 알겠다. 어제 말한 '특별한 관계' 말하는 거구나."

그래. 그거.

"그럼 두 배로 하면 되지."

레이놀즈가 빙긋 웃으며 말했다.

"내 생각."

그게 어째서 그를 생각하는 것으로 뭉뚱그려 표현되는 것인지는 모르겠지만, 나는 굳이 반박하지 않고 입을 다물었다. 그런 나를 가만히 바라보던 레이놀즈가 다시 입을 열었다.

"꽃집은 잘 다녀왔나?"

"네."

"즐거웠고?"

"네."

"근데 왜 대답이 다 단답형이지?"

"……그야."

거기서 더 이야기할 게 없으니까? 내 대답에 레이놀즈는 고개를 저었다.

"말해주고 싶지 않은 거겠지."

"……."

"상처 받게."

뒤에 덧붙여진 말이 나를 크게 당황시켰다. 나는 놀란 눈으로 레이놀즈를 쳐다보았다. 아까보다 가라앉은, 심연을 연상시키는 눈동자가 나를 응시했다. 나는 그 순간 너무 당황한 나머지, 말도 제대로 내뱉지 못하고 입술만 달싹거렸다. 그리고 그가 먼저 다른 말을 꺼내기 전에 입을 열었다.

"아니에요. 그런 의도는……."

"……."

그는 내 대답에도 말없이 나를 가만히 바라보기만 했고, 그 시선이 나를 더욱 당황시켰다. 그래서 아무 말이나 되는 대로 내뱉었다.

"말해주고 싶지 않다거나 그런, 게 아니라…… 조심스러운 거예요."

"재미없어 하실지도 모르니까요, 제 이야기는. 별것 아니고, 시시콜콜하고……."

"영애가 들려주는 이야기 중에."

마침내 입이 열렸다.

"재미없는 건 하나도 없어."

"내게는 충분히 '별것'이야."

아까의 표정을 잊기에 충분한, 아름다운 미소. 나도 모르게 마른침이 넘어갔다.

"시시콜콜하지도 않고. 그러니 말해봐."

내게 속삭이는 그 목소리는, 마치 적장에게 기밀을 털어놓으라 유혹하는 것처럼 들렸다. 악마의 속삭임, 그런 목소리가 있다면 이런 느낌일까. 순간 정신이 아득해졌다.

"영애의 전부."

"……."

"다 듣고 싶어."

그 말과 함께 레이놀즈는 나른하게 미소 지었고, 그 아름다운 미소를 보자 나도 모르게 몸이 움찔거려졌다. 그가 평범하게 툭툭 내뱉는 말들은 이상하게, 어딘가 모르게 한 군데씩 야릇하게 느껴지는 구석이 있었다.

그건 내가 타락했기 때문일까, 아니면 이 남자가 본래 그런 인간이기 때문일까. 한 제국의 황제를, 그것도 전쟁광으로 악명 높은 폭군을 형용키에는 퍽 불경스러운 표현이었으나, 내가 순간적으로 그에게서 받은 느낌은 지독히도 그런 것이었다.

"전 그러니까……."

나는 조심스럽게 입을 열었고, 그에게 오늘 아마나의 꽃집에서 나누었던 이야기를 전부 말해주었다. 하지만 이건 지독히 신변잡기적인 이야기에 불과해서, 말을 하면서도 이따금씩 레이놀즈처럼 바쁘고 거대한 사람에게 고작 이런 이야기나 시부렁거려도 되는 건지 심한 의심에 빠져들 정도였다.

어쨌든 나는 그가 원하는 대로 오늘 있었던 '내 전부'를 말해 주었다. 그리고 그게 사실이라는 걸 알아차렸는지 이야기가 끝날 때즈음의 그는 꽤나 만족스러운 미소를 짓고 있었다. 사냥을 마친 맹수가 웃는다면 그런 표정일까.

'날 기다렸다고 했지.'

그리고 동시에 아까 별채에서 하녀가 해주었던 이야기가 다시 한번 생각났다. 나는 내 속을 읽으려는 사람처럼 아까부터 나를 빤히 바라보는 레이놀즈를 불렀다.

"폐하."

그가 말하라는 듯 고개를 끄덕였지만, 나는 허락이 떨어진 후에도 잠시 머뭇거린 끝에 물었다.

"절 기다리셨나요?"

"왜 그런 질문을 하지?"

"하녀에게 들었습니다."

그 이야기를 전하면서, 내 목소리는 묘하게 떨려왔다.

"시종들에게 명령하셨다고."

"……."

"제가 올 때 깨워달라고 하셨다고요."

"그랬어."

레이놀즈는 부정하지 않았고, 나는 예상했던 상황임에도 혼란스러운 표정을 그대로 내보였다. 그는 그 모습을 보고 알 수 없는 얼굴로 쿡 웃었다.

"그랬지."

반복적인 대답과 함께 레이놀즈가 내게 물어왔다.

"왜?"

"왜 그러셨는지 여쭤봐도 될까요?"

"이유가 듣고 싶어?"

레이놀즈는 재미있다는 듯, 입가에 실낱같은 미소를 띤 채 한쪽 턱을 받쳐 옆으로 기울였다. 그의 여유로움은 확실히 최고 권력자가 가지고 있는 그것이었다. 그 태생적인 우월함을 느끼며 나는 고개를 끄덕였다. 그러자 그의 미소가 더욱 짙어졌다.

"얼른 보고 싶어서."

"대답이 됐나?"

"제가 그렇게 재미있는 사람인지 모르겠어요."

나는 혼란스러운 목소리로 입을 열었다.

"전하를 만족시켜 드릴 만큼 훌륭한 입담을 가졌다곤 생각해본 적 없거든요."

내 대답을 듣고 레이놀즈는 속을 알 수 없는 표정을 지었다. 미묘하게 비틀어진 입매와 재미있다는 듯 올라간 눈썹. 나는 도대체 그가 무슨 생각을 하고 날 보고 있는 건지 짐작조차 되지 않았다.

"알고는 있었지만."

레이놀즈가 헛숨을 내쉬며 입을 열었다.

"진짜 심하네."

"네? 뭐가……."

"어쩔 수 없지, 뭐. 내가 애쓰는 수밖에."

아니, 그러니까 도대체 뭐를?

레이놀즈가 홀로 중얼거리는 이야기는 내가 도무지 알아들을 수 없는 내용의 것이었다. 내가 혼란스러워하는 얼굴로 그를 바라보고 있는데, 레이놀즈가 천천히 입을 열어 나를 불렀다.

"영애."

"네, 폐하."

"내일 일정을 정했어."

내가 고개를 끄덕였다.

"말씀하세요."

"시내를 구경해보고 싶은데."

"시내 구경이요?"

나는 조금 당황한 목소리로 물었다.

"하지만 수도에 비하면 이곳은 보잘 것이 없어요. 뭘 기대하시는지는 모르겠지만…… 실망하실지도 몰라요."

"그럴 일은 없으니 안심하고."

레이놀즈가 빙긋 미소 지으며 말을 이었다.

"사토르디까지 왔는데 시내 구경 한 번쯤은 해봐야지."

"……."

"어때? 싫은가?"

"아뇨. 그럴 리가요."

나는 고개를 저었다. 어려운 일도 아니고.

"폐하께서만 괜찮으시다면 내일 하루 사토르디 시내를 구경시켜드리겠습니다."

"아주 좋아."

그가 만족스러운 미소를 입가에 걸며 중얼거렸다.

"많이 기대되는군."

"하지만 분명 수도의 번화가가 사토르디보다 더 볼거리가 많을 텐데요."

"수도에서는 내 얼굴을 아는 사람이 너무 많으니까."

레이놀즈가 어깨를 으쓱이며 덧붙였다.

"제대로 돌아다니기가 어렵지. 모습을 숨기는 게 아니라면 말이야."

"아……."

하긴 수도에는 황제의 얼굴을 아는 사람들이 여기랑 비교도 안 되게 많겠지.

새삼 그의 고충이 느껴지는 듯해서 나는 고개를 끄덕였다.

'잠시 숨통을 트러 외출할 때마다 변장을 해야 한다니.'

생각만 해도 끔찍한 일이었다.

"힘드시겠어요."

대수롭지 않게 툭 튀어나온 한마디. 그 한마디를 내뱉고 나는 나도 모르게 멈칫했다.

'아, 방금 그 말은…… 너무 예의 없었나.'

조심스럽게 그의 안색을 살피는데, 영 좋지 않아 보였다.

'역시 실수한 건가.'

나도 모르게 쪼그라든 기분으로 레이놀즈의 눈치를 살피고 있는데 그가 갑자기 입을 열었다.

"의지할 한 사람 정도라도 있다면 힘들지 않을 텐데."

"네?"

"의지할 수 있고, 내게 힘이 되어 주는 한 사람."

그 말을 하면서 레이놀즈는 나를 똑바로 바라보았다.

순간 가슴이 덜컹거리는 기분이 들었다. 이유 없이.

"그 한 사람만 황궁에 있어도 좀 숨이 트일 텐데."

"그런 사람이…… 있으세요?"

"있어."

그가 순순히 긍정했고, 나는 그에게 말했다.

"그럼 그분을 궁으로 들이시면 되잖아요."

"아직 그 사람이 내게 그런 존재라는 사실을 몰라."

"말씀하시면 되죠. 알아차릴 수 있게요."

내 말에 레이놀즈가 재미있다는 듯 키득키득 웃었다.

"그러게. 나도 나름 힌트를 준다고 주는데…… 그 사람이 눈치를 못 채."

"어지간히 눈치 없는 사람인가 보네요."

그 말을 듣고 레이놀즈는 아까보다 더 크게 웃었다. 이게 그렇게 재미있는 말이야……?

"맞아. 어지간히 눈치 없는 사람이야."

"예전부터 알고는 있었는데 이 정도로 눈치 없을 줄은 몰랐지. 원래부터 둔하긴 해도…… 이걸 못 알아차릴 줄이야."

"좀 더 밀고 나가시지요. 직진!"

"그럼 알아봐 주려나?"

"아무리 둔하다고 해도 폐하께서 계속 본심을 표현하시면 알아차릴 수밖에 없을걸요? 시간이 조금 걸린다고 해도 말입니다."

"흐음……"

그가 기묘하게 입꼬리를 끌어 올려 생각하는 표정을 지었고, 나는 흥미가 생긴 얼굴로 그의 입에서 다른 말이 나오기를 기다렸다. 잠시 후에 레이놀즈가 알겠다는 듯 고개를 끄덕였다.

"지금도 나름 적극적으로 표현했다고 생각했는데."

"……."

"부족하다면 좀 더 노력해야겠지."

"상대는 다르게 받아들일 수도 있으니까요."

"맞아. 그 사람에 대해 잘 안다고 생각했는데…… 그럴 수도 있겠어."

레이놀즈가 만족스럽게 미소 짓자, 나는 어쩐지 뿌듯한 기분이었다. 고민 해결을 도와준 느낌이랄까.

"역시 영애와 이야기하는 건 재미있어."

나는 가만히 레이놀즈를 쳐다보았다. 아까부터 입가에 걸려 있던 미소가 계속 그 자리를 유지하고 있었다.

"폐하께서는 의외로 소소한 데서 행복을 느끼시는군요."

"딱히 소소하다고 생각한 적은 없는데."

"고작 대화인걸요."

"영애에게는 '고작' 대화일 수 있겠지만."

그가 고개를 저으며 말을 이었다.

"나한테는 아니야. 그걸 알아야 할 텐데."

"음…… 뭐 궁에서는 폐하와 이런 이야기를 나눌 상대조차 흔치 않긴 하겠네요. 하지만 폐하의 시종들이 있잖아요?"

"말 안 했던가? 그네들은 이런 이야기를 나누기에 너무 지루해."

순식간에 애슐리 경을 포함한 다른 시종들을 '지루한 사람'으로 만들어 버리다니. 나는 어이없다는 눈으로 레이놀즈를 쳐다보았다. 그들을 많이 겪어보진 못 했지만, 그 정도는 아닌 것 같았는데.

"시종분들이 들으시면 서운해하겠어요."

"괜찮아. 상관없어."

이 황제님 인성 좀 보게.

"폐하."

그때, 바깥에서 애슐리 경의 목소리가 들려왔다. 저 사람도 양반은 못 되겠어.

"무슨 일이지?"

"저녁 식사 준비가 끝났습니다."

그 말에 나는 응접실의 시계를 돌아보았다. 벌써 저녁 시간이었다. 시간이 참 빨라.

"그럼 저는 이만 물러가 보겠습니다, 폐하. 즐거운 저녁 시간 보내시길."

"같이 들지."

그때 다시 툭 내뱉어진 한마디. 나는 의아한 눈으로 레이놀즈를 쳐다보았다.

"네?"

"같이 하자고. 저녁 식사."

"……아뇨! 괜찮습니다."

생각만 해도 부담스러워! 나는 빠르게 고개를 저은 뒤 애꿎은 오드리 핑계를 댔다.

"그럼 제 동생이 혼자 저녁을 먹어야 해서요. 애가 아직 어려서……."

"영애가 같이 먹지 않는다면 나 또한 혼자 식사해야 하는데."

"난 혼자 먹어도 괜찮고?"

"저희 부모님과 함께 드신다면……."

"……."

"……폐하?"

"아니야."

그가 한숨 섞인 목소리로 대답했다.

"아니야, 영애. 이만 가보도록 해."

"네, 폐하. 평안한 저녁 보내세요."

나는 그 말을 끝으로 응접실 밖으로 나갔다.

❧ ❧ ❧

"쉽지가 않네."

혼자 남겨진 응접실 안에서, 레이놀즈가 씁쓸하게 중얼거렸다.

'본래도 둔하고 눈치 없는 줄은 알았지만.'

그래도 그렇지 이렇게까지 열심히 대시하는데 하나도 눈치채지 못할 줄은 몰랐단 말이지.

'역시 더 적극적으로 나가야 하나.'

그녀의 말마따나 더 대놓고 표현하지 않는 한은, 이 사토르디를 떠나기 전까지도 제 마음을 눈치채지 못할 것 같다는 생각이 들었다.

'어쩌면 떠난 후에도 모를지도 모르지.'

그건 정말 끔찍한 일이다. 레이놀즈는 저도 모르게 이맛살을 구겼다.

"폐하."

그때 바깥에서 다시 한번 저를 재촉하는 소리가 들려왔고, 레이놀즈는 불만스러운 표정으로 자리에서 일어섰다. 다음번에는 무슨 일이 있어도 그녀를 저와 같은 식탁 위에 앉히리라 다짐하면서.

# 5

## *Outing*

✼

'갑자기 밥은 왜 같이 먹자고 하는 거야.'

별채로 돌아온 나는 쿵쿵 발을 구르며 계단을 올라갔다. 심장은 아까부터 계속해서 미친 듯이 뛰고 있었는데, 나는 그걸 애써 무시하며 방문을 쾅 소리 나게 닫았다. 그 거대한 소리로 내 마음속에서 나는 소리를 막아 버리겠다는 듯.

"아이고, 깜짝이야! 아가씨, 없던 애도 떨어지겠어요."

내 방에서 조용히 걸레질을 하던 에이미가 깜짝 놀란 표정으로 나를 타박했음에도, 나는 그저 깊게 한숨만 쉴 뿐이었다.

그런 나를 본 에이미가 걱정스럽게 물어왔다.

"무슨 일 있으세요? 갑자기 웬 한숨?"

"아무것도 아니야……."

정말 아무것도 아니었다. 하녀에게 말하기 민망할 만큼.

'그렇게 잘생긴 얼굴로 웃으면서 같이 밥 먹자고 하는데…… 순간 심장이 뛰었다고 어떻게 말해.'

부끄럽게! 사실 이건 '설렘'이라든가 '두근거림' 뭐 그런 것도 아니었다. 그냥 잠깐 '혹'한 것일 뿐이다. 아주 잠깐 동안. 왜, 연예인을 보고 잠시 설레는 그런 경우 있잖은가. 하지만 그 연예인과 미래까지 꿈꾸는 사람은 드물지. 그냥 '아, 잘생겼네. 멋있다!' 하고 마는 것이다. 지금 나도 딱 그런 느낌이었다.

'그러니 더 신경 쓸 필요도 없겠지.'

레이놀즈는 딱 연예인 같은 사람이었으니까. 권력 있고, 멋지고, 매력적인 존재.

"아가씨, 정말 괜찮으세요?"

에이미가 옆에서 미간을 좁히며 물어왔다.

"얼굴 표정이 너무 급격하게 변하시는데요."

그 말에 뜨끔한 내가 순간적으로 입을 다물었다가, 빠르게 답했다.

"괜찮아. 괜찮아, 에이미. 난 괜찮아."

에이미에게 말하는 건지 나 스스로에게 말하는 건지 모를 말들을 반복한 뒤에야, 나는 다른 화제로 넘어갈 수 있었다.

"그보다 저, 저녁은?"

"아, 준비 다 됐어요. 지금 내려가시죠."

다행히 대화는 거기에서 종료되었고, 나는 에이미와 함께 식당으로 내려갔다. 거기에는 이미 오드리가 앉아 있었는데, 늘 그렇듯 식당으로 들어서는 나를 발견하더니 발랄하게 인사를 건넸다.

"언니!"

"안녕, 에이미."

"오늘 하루 종일 안 보였어."

"아아."

나름 바빴거든. 나는 어색하게 미소 지으며 오드리의 맞은편에 앉았다. 저녁 식사는 후추 양념을 한 구운 닭고기와 기름으로 볶아 낸 면 요리, 크림을 넣어 만든 쇠고기 스튜였다. 꽤 괜찮은 메뉴.

오드리는 먼저 후추 양념을 한 구운 통닭에 손을 대며 입을 열 었다.

"언니, 내일 바빠?"

"아, 내일……."

나는 빠르게 아까 응접실에서의 대화를 기억해 내고선 입을 열 었다.

"황제 폐하와 시내 구경을 하기로 했어."

"시내 구경?"

"응."

"웬 시내 구경?"

"사토르디의 시내를 한번 보고 싶으시대서. 수도에서는 그런 게 어려우시대."

"아, 얼굴을 아는 사람이 많아서?"

"아무래도 그렇겠지?"

"황제도 참 아무나 하는 일이 아니네."

"당연하지."

"흐음……. 언니 괜찮겠어?"

"뭐가?"

"폐하 말이야. 언닌 폐하가 무섭지 않은 분이라고 말했지만, 난 여전히 걱정스러워. 그러다 갑자기 태도가 바뀌어서 언니에게 해코지라도 하면 어떻게 해?"

"……설마."

아직까지는 그런 생각이 들지 않았다.

'나중에라도 생각이 바뀔지는 모를 일이었지만.'

적어도 아직은 그럴 만한 기미가 보이지 않았으니까. 미리부터 걱정할 일은 아닌 듯싶었다.

"그래도, 언니, 항상 조심해. 솔직히 난 언니가 폐하와 가급적 접점이 없었으면 좋겠어. 아니 땐 굴뚝에 연기 나겠어? 다 겪은 사람이 있으니까 그런 소문도 나는 거지."

일리 있는 말이기는 했다. 나는 고개를 끄덕였다.

"최대한 조심하고…… 있어. 말도 가려서 하고, 행동도……."

……라고 말하기에는 사실 경악스러운 순간도 몇 있었지만. 어쨌든 지난 일이잖아? 또 무사히 넘어갔고. 나는 애써 합리화를

했다.

"어쨌든 너무 걱정할 필요 없어, 오드. 걱정해 주는 건 고맙지만."

"어머니 아버지도 분명 걱정하고 계실 거야. 조마조마하실걸."

오드리가 이러는 걸 보면 부모님은 아마 더 그러실 것이다. 나는 일부러 미소 지으며 고개를 끄덕였다. 오드리를 안심시켜주기 위함이었다.

"걱정할 만한 일 없도록 할게, 오드."

❧ ❧ ❧

그리고 다음 날이 되어 침대에서 일어났을 때, 나는 평소보다 개운한 몸 상태에 꽤 만족해했다. 하녀들이 잠에서 깨어난 내가 세수하는 것을 도와주었고, 뒤에서 머리를 손질해주었다. 그제야 어느 정도 몰골을 벗은 나는 몽롱한 목소리로 에이미에게 말했다.

"오늘은 다른 날보다 컨디션이 좋은걸. 기분 좋아."

"좋은 일이에요. 오늘 폐하를 모시고 시내 구경을 가신다고 하셨죠? 무엇을 입으시겠어요?"

"너무 거추장스럽거나 장식 많이 달린 드레스는 말고, 활동성이 있는 걸로 골라줘."

"으음……."

내 말에 드레스 룸 안에서 고민하는 소리를 내던 에이미가 곧 드레스 하나를 가지고 내 침실로 들어왔다.

그녀가 고른 것은 흰색의, 아무 장식도 없는 밋밋한 드레스였다.

에이미가 조심스럽게 물어왔다.

"역시 이건 너무 단순하려나요? 다른 것으로 골라올까요?"

"아냐. 폐하와 다니는데 내가 영애라는 사실을 군이 노출할 필요가 없으니까. 평민들처럼 입고 다니는 게 좋지."

나는 침대에서 일어난 다음 에이미의 도움을 받아 드레스를 갈아입었다. 그리고 내 모습을 확인하기 위해 전신 거울 앞에 섰다.

"으음⋯⋯."

확실히 장식이 하나도 없는 기본 드레스라 밋밋하기는 밋밋했다. 여기에 머리만 앞으로 넘겨서 풀어헤치면 처녀 귀신 소리를 들을지도 모르겠다. 내 머리카락은 흑발도 아니고 은발이니 훨씬 더 무섭게 보일지도⋯⋯.

'눈에 띄지 않기를 바랐지만 이 정도로 밋밋한 드레스를 바란 건 아니었는데.'

나는 살짝 마음에 들지 않는다는 표정을 지었다. 그때, 내 옆에서 같이 고민하는 표정을 짓던 에이미가 좋은 생각이 난 듯한 소리를 냈다.

"아!"

그리고 그녀는 곧장 드레스 룸으로 가더니, 얼마 지나지 않아 무언가를 들고 다시 내게로 돌아왔다. 에이미의 손에 들린 하얀 것을 보고 내가 물었다.

"그게 뭐야?"

"리본끈이요."

흰색 리본끈이었다. 에이미가 내게 말했다.

"잠시 팔 좀 들어 보시겠어요?"

나는 그녀가 말하는 대로 해주었고, 에이미는 곧이어 내 허리에 그 흰 리본끈을 두른 다음 배꼽 부근에 예쁘게 리본을 매주었다. 이러니 아까보다는 확실히 괜찮은 느낌이 났다. 나는 만족스러운 얼굴로 에이미에게 말했다.

"예쁜데?"

"그렇죠? 훨씬 낫네요."

에이미 역시 제 생각의 결과물에 만족한 듯, 함박웃음을 지어 보였다.

"그럼 이제 본채로 가시는 건가요?"

"그래야지."

나는 방문을 열고 바깥으로 나갔다. 동시에, 누군가가 맞은편에서 같이 방문을 열고 나오는 모습이 보였다.

"언니!"

오드리였다. 이 기가 막힌 타이밍에 나도 모르게 웃음이 나왔다.

"오드."

"지금 나가는 거야? 이르게 나가네."

지금 시간이 아마 9시 즈음 되었을 것이다. 나는 어깨를 으쓱이며 대꾸했다.

"돌아오는 시간도 고려해야 하니까. 늦지 않게 돌아와야지."

"좋은 생각이야. 누차 말하는 거지만, 조심하고. 응?"

"그럼, 오드. 너무 걱정하지 마. 다녀올게."

"몸조심하고!"

걱정하는 모양새가 꼭 엄마 같아서, 나도 모르게 미소가 지어졌다.

나는 별채를 나와 본채로 이동했고, 익숙하게 2층의 레이놀즈가 머무는 방으로 걸어갔다. 그런 나를 발견한 레이놀즈의 시종들이 환하게 미소 지으며 인사를 건넸다.

"안녕하세요, 레이디 유리네트. 자주 뵙네요."

"그러게요, 애슐리 경."

댁의 주군께서 절 너무 시녀처럼 부려 먹으셔서 그렇죠, 뭐.

나는 차마 입 밖으로 꺼낼 수 없는 말을 속으로만 중얼거리며, 겉으로는 애써 미소 지어 보였다.

"폐하께서는 준비하고 계신가요?"

지난번 예상치 못하게 마주했던 그의 반라를 기억하며 나는 조심스럽게 물었다. 내 질문에 애슐리 경이 대답하려는데, 누군가가 갑자기 방문을 벌컥 열고 바깥으로 나왔다. 내 고개는 자연스럽게 그쪽으로 돌아갔다.

"아…… 폐하."

레이놀즈였다. 다행스럽게도 지난번처럼 반라는 아니었다. 그 사실에 안심하며 나는 그에게 가볍게 말을 건넸다.

"일찍 준비 마치셨네요."

"누가 들으면 내가 엄청난 게으름뱅이인 줄 알겠어."

나는 빙긋 웃으며 그의 모습을 찬찬히 살펴보았다. 흰색 셔츠와 흑색 바지. 자칫 모나미 펜을 연상시킬 수 있는 패션이었지만 놀랍게도 그 단순함이 그에게는 미치도록 잘 어울렸다.

'역시 패션의 완성은 얼굴, 체격, 몸매라는 건가.'

속으로 감탄하면서 나는 별생각 없이 말을 내뱉었다.

"대단하신데요. 단순한 차림으로도 이런 멋짐을 구현해 내시다니."

"멋져?"

그 말에 레이놀즈가 기묘하게 미소 지으며 내게 물어왔다.

"내가?"

"네. 멋지세요. 저만의 생각인가요?"

내가 주변을 둘러보며 시종들에게 동의를 구하자, 시종들은 너나 할 것 없이 동시에 동조하는 추임새를 흘렸다. 당연한 일이었지만…….

"아뇨, 그럴 리가요."

"저도 유리네트 님의 말에 동의합니다."

"오늘 정말 멋지세요, 폐하."

그 말을 듣고 레이놀즈가 속으로 뿌듯해할 것 같다는 생각이 들어서, 나는 무의식적으로 '귀엽다'는 생각을 했다. 나는 속으로 쿡쿡 웃다가 그에게 물었다.

"준비 다 하셨으면 이만 출발할까요?"

❧ ❧ ❧

"그래도 한 번쯤은 있으시죠?"

시내까지 가는 마차 안에서, 나는 몸을 앞으로 살짝 기울인 채 레이놀즈에게 물었다.

"뭐가?"

"시내 구경이요."

"당연히 있지. 한 번쯤은."

레이놀즈는 대답을 마친 후 잠시 생각하는 표정을 짓다 뒤에 덧붙였다.

"자주는 아니었지만."

"지금 이건 얼마만의 시내 나들이신가요?"

"아주 오래됐어."

그의 입가에 의미심장한 미소가 떠워졌다.

"마지막에 간 기억이 흐릿할 만큼."

"아…… 그렇게 말씀하시니 조금 사명감이 생기네요."

"무슨 사명감?"

"폐하께 오늘 좋은 기억을 만들어 드려야겠다는 사명감이요."

"좋지."

레이놀즈가 미소 띤 얼굴로 물어왔다.

"기대해도 되나?"

"아뇨. 기대는 하지 마세요. 혹시라도 실망하시면 안 되니까요."

"흐음……."

내 대답에 무언가 생각하는 표정을 짓던 그가 고개를 저었다.

"글쎄."

"네?"

"그럴 일은 없을 것 같은데."

레이놀즈는 낮은 웃음소리를 내더니 이내 덧붙였다.

"이미 그 마음에 감동해서. 실망은 안 하지, 내가."

"그렇게 말씀해주시면 감사하고요."

하지만 말만 그렇게 하고 속으로는 실망할 수도 있는 노릇이라, 긴장감은 절로 들 수밖에 없었다. 그래서 마차를 타고 시내로 가는 내내, 나는 그와 어떻게 시간을 보낼지 꼼꼼하게 계획했다.

·

·

·

"도착했습니다."

마차가 멈추어 섰지만, 주변이 워낙 시끄러워 마부의 목소리는 잘 들리지 않았다. 나는 살짝 긴장한 얼굴로 레이놀즈를 불렀다.

"폐하."

"응?"

"그런데 괜찮을까요?"

"뭐가?"

"오늘은 호위 없이 오셨잖아요."

사실 오늘이야말로 호위가 가장 필요한 순간인데……! 하지만 내 걱정에도 레이놀즈는 천하태평이었다.

"괜찮아."

"……한 제국의 군주께서 너무 무방비하신 것 아닌가요?"

"무방비하지 않으니 걱정할 일 없어."

그가 은근히 웃더니 내게 물어왔다.

"설마 걱정돼서 그런가?"

"폐하요?"

"그래. 나."

"당연하죠. 불미스러운 일이라도 생기면 어찌합니까."

"뭘 걱정하는지는 알겠는데, 그럴 필요 없어."

레이놀즈는 여전히 웃는 얼굴로 말을 이었다.

"내 한 몸, 영애 한 몸."

"……."

"지킬 정도는 된다고 생각해."

하긴…… 전장에서 겪은 경험이 있으니 너무 무시하지 않아도 되려나. 내가 심각한 표정으로 미간을 찡그리고 있는데, 갑자기 눈썹 사이로 차가운 손가락이 닿았다. 이질적인 감각에 빠르게 얼굴을 풀고 놀란 표정을 짓자, 레이놀즈가 내 눈썹 사이로 손가락을 짚으며 빙긋 미소 짓고 있는 모습이 눈에 들어왔다.

"그래도 걱정되나?"

"……죄송합니다."

"아냐. 기분 좋은걸."

그 말이 허언이 아닌 듯, 레이놀즈의 표정은 정말로 기분 좋아 보였다.

"영애가 날 이렇게 생각해줄 줄은 몰랐거든."

"폐하의 신하로서 당연한 일입니다."

무엇보다 레이놀즈가 사토르디 지방에서 지내는 동안 불미스러운 일이 생기면 사토르디 가문에까지 피해를 입을지도 모른다. 그렇게 생각하니 어쩐지 어깨가 더 무거워지는 기분이었다.

"하지만 정말 걱정할 필요 없어."

"정말 그렇겠……죠?"

"내가 영애에게 그토록 약한 인간으로 보여졌다니, 괜한 오기가 생기는걸."

"무슨 오기요?"

"내 실력을 보여 주고 싶다는 오기?"

"······그냥 믿겠습니다."

혹시 괜한 행동을 벌일까 봐 나는 빠르게 입을 열었다.

"폐하를 약하게 여기는 불경은 저지르지 않습니다. 다만 매사 조심해서 나쁠 필요는 없으니까······."

"알았어, 알았어. 영애 마음을 내가 왜 모를까."

그가 놀리는 듯한 어조로 내게 말했고, 나는 순간 그의 장난에 휘말려든 것 같다는 생각이 들어 기분이 묘해졌다. 하지만 그런 이야기를 꺼내기도 전에 레이놀즈의 말이 먼저 들려왔다.

"이만 나갈까? 이러다 해 다 지겠는데."

과장이긴 했지만 여기서 더 시간을 지체할 수는 없었다. 늦게까지 시간이 허락된 게 아니었으니까. 나는 고개를 끄덕인 다음 마차의 문을 열고 바깥으로 내렸다. 이번에는 넘어짐 없이 무사히 땅에 발을 딛고선, 레이놀즈에게 우아하게 손을 내밀었다. 나름의 에스코트라면 에스코트랄까. 그런 내 행동을 보고 그가 웃음소리를 흘렸다.

"지금 이건 뭐지?"

"지난번 실례에 대한 보답입니다."

마차에서 내리면서 넘어질 뻔했을 때 그가 잡아주었던 일을 상기하며 대답하자, 레이놀즈 역시 같은 경험을 떠올렸는지 나를 재미있다는 눈으로 바라보았다. 그러더니 내가 내민 손을 조심스럽게 잡았다. 지난번과 다름없이, 냉기가 느껴지는 차가운 손이었다.

나는 순간 움찔했지만, 내색하지 않고 계속 그의 손을 붙잡고 있었다. 잠시 후, 우아한 몸짓으로 마차에서 내린 레이놀즈가 웃음기 섞인 목소리로 입을 열었다.

"사실 영애의 도움 없이도 무사히 잘 내릴 수 있었는데, 나는."

"그럼 이번 한 번만 그러겠습니다."

"아, 아니. 굳이 그럴 필요는 없고."

그가 빠르게 말을 바꾸었다.

"이것도 나쁘지 않네."

"방금 분명 혼자서도 잘 내릴 수 있다고 하셨잖아요."

"하지만 사람이라면 언제 실수할지 모를 일이니까."

뭐야……. 이랬다저랬다 변덕스럽긴.

"그보다 이 마차는 계속 여기 있는 건가?"

"네, 폐하. 만약 길을 잃게 되신다면 이곳으로 오면 됩니다."

"길을 잃어? 날 너무 어린애 취급하는 것 아닌가?"

"어린애가 아니더라도 길은 충분히 잃을 수 있습니다. 폐하께서는 이곳이 초행이시잖아요. 만약의 상황이 발생할 수도 있으니까……."

"그 '만약'의 상황이 없도록 하면 되지."

"어떻게……."

하지만 질문을 채 끝맺기도 전에, 차가운 손가락이 내 손을 휘어 감는 느낌이 전해졌다. 예상치 못하게 느껴진 타인의 접촉에 나도 모르게 깜짝 놀란 표정으로 옆을 바라보았다. 레이놀즈가 우아하게 미소 지으며 나를 바라보고 있었다.

"손을 꼭 잡고 다니면 길 잃을 일은 없겠지."

"아닌가?"

"그⋯⋯렇네요."

얼떨떨한 목소리로 대답했다가, 나는 뒤늦게 이상한 점을 발견했다.

"잠깐. 폐하, 그 말씀은⋯⋯."

"맞아."

레이놀즈가 부드럽게 답하며 나와 눈을 맞추었다. 씩 웃는 미소가 지나치게 매력적이다. 나는 순간 심장이 삐그덕거리는 듯한 느낌에 무의식적으로 맞잡은 레이놀즈의 손에 힘을 주었다.

그 변화를 알아차린 것일까. 레이놀즈의 미소가 더욱 짙어졌다. 신이 빚어 보인 듯한 미소에 나도 모르게 마른 침이 넘어갔다.

"계속 잡고 다닐 거야."

"⋯⋯."

"오늘 내내."

그거⋯⋯ 쉬운 일이 아닐 텐데요.

그 한마디가 목 끝까지 차올랐지만, 최대한 돌려 돌려 말했다.

"힘드실 겁니다. 손에 땀도 차실 거고."

"난 손에 땀이 없는 편이라. 괜찮아."

"계속 의식하셔야 하셔서 불편하실 거예요. 어느 순간 제 손을 놓으실 겁니다."

"누가? 영애가?"

"폐하께서도 무의식적으로 그러실 수 있겠죠."

"난 안 그래."

레이놀즈는 확신에 찬 목소리로 말했다.

"절대 안 그래."

"영애가 먼저 놓지 않는 한, 내가 영애의 손을 놓는 일은 없어."

"하지만……."

"그리고 영애가 먼저 놓는다고 해도."

웃느라 반달 모양으로 접혀진 눈살이 더 진하게 접혀 들어갔다. 그와 동시에, 내 심장도 아까보다 더 큰 소리를 내며 뛰기 시작했다.

"내가 잡고 안 놔 줄 거야."

"그럼 되겠지?"

"……폐하께서 불편하지만 않으시다면요."

"난 괜찮다니까. 거듭 말하지만."

그렇게 말하는 목소리에서는 여유로움이 느껴졌다.

"손잡는 게 불편하면 팔짱도 괜찮아."

어쩌면 손잡기보다 더 진한 스킨십. 그건 더 부담스러워져서 나는 고개를 저었다.

"아뇨, 폐하. 괜찮습니다."

"흐음……."

어쩐지 아쉬워하는 목소리라, 나는 순간 귀를 의심했다. 그것도 잠시, 그의 말이 다시 이어졌다.

"언제라도 생각이 바뀌면, 말하고."

"네."

대답은 그렇게 했지만 아마 그럴 일은 없을 것이라고, 나는 무의식적으로도 생각하고 있었다.

"그럼 이제 어떻게 해야 하지?"

"아, 이쪽으로 가시면 됩니다."

나는 사람이 많은 골목 쪽으로 발걸음을 옮겼고, 이어진 손끝을 따라 레이놀즈의 두 발 역시 나를 좇기 시작했다.

잠시 후, 내 앞으로 복잡한 시장 거리가 펼쳐졌다. 널찍한 대로변 양쪽으로 물건을 팔려는 사람들과 사려는 사람들이 북적대고 있었다. 개중에는 그냥 우리처럼 가볍게 놀러 나온 이들도 꽤 있는 듯했다. 워낙 사람들이 많아서, 보는 것만으로도 조금 정신이 없어졌다.

"여기서부터 전부 시장 거리예요. 쭉 따라 걸으면 될 겁니다."

"사람이 상당히 많네."

"시장이니까요."

나는 당연하다는 목소리로 덧붙였다.

"사람이 많아서 길 잃기도 쉬워요."

"그래서 손, 잡았잖아."

그가 씩 웃으며 맞잡은 손을 작게 흔들었고, 나는 살짝 얼이 빠진 표정으로 그 모습을 바라보았다.

"이럼 서로 잃어버릴 일도 없는 거, 아닌가?"

"특별한 일이 없다면요."

"특별한 일?"

"사람이 갑자기 많아지면 잡고 있던 손을 놓칠 수도 있을 거예요."

"안 그래."

그가 고개를 저으며 중얼거렸다.

"내가 꼭 잡고 있을 거니까."

"절대 풀리지 않도록."

서약이라도 하는 듯한 경건한 목소리가 낯설다. 나는 살짝 멍한 눈으로 나와 눈을 맞춰오는 레이놀즈를 빤히 바라보았다. 어느 순간 그가 씩 입꼬리를 끌어 올려 미소 지었고, 그것을 신호로 나도 정신을 되찾았다. 그리고 우리 사이에 아주 잠깐 찾아왔던 어색함을 쫓아내기 위해 부러 아까보다 명랑한 목소리를 냈다.

"그, 그럼 이제 진짜 가 봐요."

그 말과 함께 나는 발을 앞쪽으로 내디뎠고, 레이놀즈는 한걸음 뒤에서 내 손을 잡고 뒤를 쫓았다. 그리고 그건 나로 하여금 꽤 기묘한 기분이 들게 했는데, 지금 이 상황은 나보다 20cm는 더 큰 것 같은 키와, 나와는 비교조차 할 수 없게 건장한 체구를 가진 남자가 나를 졸졸 쫓아오고 있는 것이기 때문이었다.

어쩐지 대형견 한 마리를 데리고 함께 돌아다니는 기분이었다. 물론 이 생각을 입 밖으로 냈다가는 당장 황제 모욕죄로 사형감이겠지만.

시내라면 다 거기서 거기일 터였다. 수도의 시내든 사토르디의 시내든 사람 많이 모여 있고 거기서 물건이나 주전부리를 파는 건 똑같을 테니까. 그러니 이런 경험이 처음이 아닐 텐데도, 레이놀즈는 신기하다는 눈으로 계속 주변을 두리번거리며 구경에 열중했다.

그러는 사이 우리 두 사람의 발걸음은 어느새 자연스럽게 같은 선으로 맞춰져서, 이제는 더 이상 내가 앞에서 그를 끌고 다니는 게 아니라 옆으로 같이 다니는 모양새가 되었다. 다행스럽게도 길이 넓었던 탓에 행인의 길을 막는 불상사는 일어나지 않았다.

"유린."

그때 옆에서 누군가가 유리네트의 애칭을, 정확히는 내 본명을 불렀다. 나는 살짝 당황한 얼굴로 걸음까지 멈춰선 채 옆을 쳐다보았다. 레이놀즈가 엷게 미소 지으며 나를 바라보고 있었다.

"……."

아니, 이 정도의 신장 차이라면 '내려다' 보는 건가. 나는 여전히 당황한 내색을 벗어 던지지 못하고 입을 열었다.

"이름은 왜……."

그리고 말이 채 끝나기도 전에, 레이놀즈가 돌연 내 귓가로 깊숙하게 몸을 숙여왔다. 정면으로 본 모습은 아니었지만, 시야가 닿아 충분히 인지할 수 있는 상황. 예상치 못한 그의 행동에 몸이 뻣뻣하게 굳었다.

"여기서 영애라고 부를 수는 없잖아."

"마찬가지로 폐하라고 부를 수도 없지."

귓속으로 파고드는 목소리가 한없이 안을 간질거렸다. 더불어 느껴지는 뜨거운 숨결에 나도 모르게 움찔거리며 근육을 긴장시켰다. 그런 신체 변화를 아는지 모르는지, 레이놀즈는 아랑곳하지 않고 계속해서 내 귀에 입술을 가까이 댄 채 말을 불어 넣었다.

"유린이라고 부를게."

입술이 금방이라도 귀에 닿을 듯 아슬아슬하게 움직였다. 혹시라도 그가 실수로 내 귀에 입 맞추는 건 아닌지 걱정이 들 만큼 가까운 거리. 그 밀착됨으로 인해 귀를 자극하는 목소리는 더욱 적나라하게 들려왔다.

"레이, 라고 불러."

바보가 아닌 이상 그것이 레이놀즈의 애칭임을 눈치채지 못할

리 없었다. 나는 더듬거리며 입을 열었다.

"그런 불경은……."

"그럼 여기서 날 폐하라고 부를 셈이야?"

"……."

"그랬다간 아까부터 걱정했던 '불미스러운 일', 발생할 확률이 훨씬 높아질 텐데."

타당한 문제 제기에 나는 아무 말도 하지 못했다. 그리고 머뭇거리며 레이놀즈와 눈을 마주쳤다. 그는 아이에게 어떤 행동을 이끌어내려는 선생님처럼 빙긋 웃으며 무언의 재촉을 했다. 그러는 동안에도 우리 주변으로 사람들은 계속해서 지나쳐가고 있었고, 나는 그 상황에서 마치 시간이 멈춘 듯한 느낌을 받았다. 그 느낌조차도 그의 말에 따르라, 내게 권유했다.

"……레이."

결국 나는 그의 제안을 받아들였다. 타당한 내용에 반박거리조차 찾지 못했으니 당연한 일이었다. 그리고 곧바로 나는 불안한 목소리로 덧붙였다.

"죄는 묻지 않겠다고 약속해 주세요."

"무슨 죄?"

"……불경죄?"

"그럴 리가."

레이놀즈가 재미있다는 듯 웃음을 터뜨렸다.

"내가 영애를 처벌할 수 있을 리가. 분명 말했잖아."

"……"

"영애는 내게 특별하다고."

그래서 어떤 상황에서도 죄를 물을 생각, 없다고. 속삭이는 듯한 목소리가 귓속 깊은 곳까지 들어와 푹푹 꽂혔다. 마치 각인이라도 시키려는 것 같은 행태에 기분이 묘해졌다.

"그럼 안심인데……"

"설마 그걸 걱정했어? 내가 영애에게 함부로 이름을 불렀다고 죄를 물을까 봐?"

"……조금은요."

"쓸데없는 걱정이었네. 그럴 일 없는데."

"다른 사람에게도 그리 관대하신가요?"

"그럴 리가."

레이놀즈가 고개를 저으며 대답했다.

"영애에게만 관대한 것 같은데, 나는."

"……"

"그런 것 같아."

'그런 것 같아'라니.

자기가 말하면서 잘 모르겠다는 저 태도는 도대체 뭔지. 나는 이해되지 않는다는 얼굴로 레이놀즈를 쳐다보았다. 하지만 그런 내 시선에도 레이놀즈는 태연하게 미소 지으며 장난스럽게 물어올 뿐이었다.

"왜 그렇게 보는 거지?"

"……아무것도 아닙니다."

빠르게 그와 나 사이의 신분 차이를 상기시키며, 나는 입을 다물었다. 어쨌든 중요한 건 오늘의 소임을 다하는 것이다. 그런 생각을 하면서 멈추었던 걸음을 다시 걷기 시작했다. 여전히 레이놀즈는 주변의 모든 것들이 흥미롭다는 눈을 했고, 그것은 마치 처음 사람 구경을 나온 어린아이를 연상시켜서 나를 혼란케 했다.

'저 순수한 모습을 보고 누가 폭군이라고, 사신이라고 생각할 수 있을까.'

문득 그를 둘러싼 소문이 정말로 과장되었을지도 모르겠다는 생각이 들었다.

'아니면 레이놀즈가 일부러 그런 소문을 퍼뜨렸을지도 몰라.'

군주가 유약하다는 소문은 통치에 하나 도움이 되지 않는다. 극단적이기는 해도 차라리 잔혹한 폭군이라는 평판이 황권을 강화하는 법.

하지만 내 생각을 확인할 엄두 따위는 나지 않아서, 가만히 입을 다물고 있기로 했다. 물어봤을 때 그가 '그런 걸 왜 물어보지?' 하고 되물어오면 어떻게 대답해야 할지 감이 잡히지 않아서.

'어…….'

그때, 레이놀즈의 시선이 어딘가로 오래 닿는 것을 나는 발견했다. 보지 못했더라도 그의 걸음걸이가 느려졌기 때문에 충분히 알 수 있었을 것이다. 나는 자연스럽게 그와 시선을 같이 하게 되었다. 그가 집중하고 있는 곳은 다름 아닌 액세서리를 파는 곳이었다.

'남자 액세서리도 아니고 여자 액세서리네?'

나는 의아한 표정으로 걸음을 멈추었고, 레이놀즈 역시 기다렸다는 듯 발걸음을 멈췄다. 내가 그에게 물었다.

"왜 그러세요?"

"유린."

아까 한 번 불리긴 했지만, 그의 입에서 내 이름을 듣는 건 여전히 현실감이 없다. 나는 어색한 표정을 지으며 레이놀즈를 쳐다보았다.

레이놀즈는 가판대 위에 있던 목걸이 하나를 집어 들더니 내 목에 가져다 대며 진지한 표정을 지었다. 나는 그제야 그가 멈춰선 이유와 지금 이러는 이유를 깨닫고 황급히 입을 열었다.

"설마 사주시려는 건 아니죠?"

"맞는데."

답하는 목소리가 무미건조하기 그지없었다. 나는 정중히 사양했다.

"전 괜찮습니다."

"잘 어울리는 것 같아서."

여전히 시선을 내 목과 목걸이를 향해 두고 있던 그가, 곧이어 알겠다는 얼굴로 내게 물어왔다.

"아, 혹시 더 비싼 게 좋나?"

"아뇨. 그런 문제가 아니라……!"

의도가 완전히 왜곡된 것 같아서 나는 빠르게 입을 열었다. 하지만 내가 해명하기도 전에 그는 나를 보며 빙긋 미소 지었고, 나는 그제야 그가 나를 놀리기 위해 그런 말을 꺼냈음을 깨달았다.

그래서 한소리를 하려 했지만, 레이놀즈가 좀 더 빨랐다.

"얼마지?"

"동화 세 닢입니다, 손님."

레이놀즈는 태연하게 품 안에서 작은 주머니를 꺼냈다. 그때 나는 그를 말려야 한다는 생각에 앞서, '설마 금화나 은화를 꺼내는 건 아니겠지'라는 현실적인 걱정을 하고 있었다. 그것처럼 튀는 행동은 없을 테니까. 다행스럽게도 레이놀즈는 주머니 안에서 동화 세 닢을 정확히 꺼내 주인에게 건넸고, 나는 그 모습을 보고 퍽 놀란 표정을 지었다.

"금화나 은화가…… 아니네요?"

"왜, 기대했어?"

아뇨! 그럴 리가.

"기대가 아니라 걱정을 했죠. 여기서 그런 걸 꺼내면 누가 봐도 수상하니까."

"날 너무 바보로 보는 것 같아. 아무렴 내가 그럴 리가."

"바보가 아니라, 충분히 모르실 법하니까요. 은화 이하로는 사용해보신 적 없지 않으세요?"

"배우면 되지. 뭘 그런 걸 가지고."

그렇기는 한데……. 내가 약간 얼떨떨한 표정을 짓는 사이, 레이놀즈는 어쩐지 뿌듯함이 엿보이는 얼굴로 말을 더했다.

"애슐리 경이 어제 알려줬지. 동화도 준비해 주고."

아, 어쩐지. 나는 그제야 이해했다는 표정으로 고개를 끄덕였다. 그 모습을 본 레이놀즈가 살짝 미간을 좁히며 중얼거렸다.

"날 진짜 바보로 본 것 같네."

"절대 아니에요. 기특하다면 모를까."

"기특?"

"아, 아니!"

이런, 대형 말실수다. 나는 빠르게 말을 돌렸다.

"멋지시다고요! 그 준비성, 가히 본받을 만합니다."

"어째 말 돌리는 것 같은데."

"실언한 것뿐이에요. 모쪼록 용서해 주시기를."

"흐음……."

조마조마한 마음으로 레이놀즈의 다음 말을 기다리고 있는데, 별안간 그가 웃기 시작했다. 전혀 예상치 못한 전개에 멍한 눈으로 레이놀즈를 바라보는데, 그가 태연하게 내 이름을 불렀다.

"유린."

"네!"

"……아니다."

그가 피식 웃으며 덧붙였다.

"멋지다고 해줬으니 됐어."

뭐야, 이렇게 끝……?

나는 멍하니 있다가 곧 빠르게 정신을 차리고 말을 내뱉었다.

"다음부턴 좀 더 조심할게요."

"그런 것보다, 소원 한 번 들어주기는 어때?"

"이틀 전에 온천에서처럼요?"

"그래."

그가 느릿하게 입꼬리를 위로 끌어 올려 웃었다.

"이틀 전에 온천에서처럼. 어때?"

"그걸로 기분이 좋아지신다면야."

내가 고개를 끄덕이자, 레이놀즈는 정말로 기분이 좋아진 사람처럼 활짝 웃었다. 나는 그 미소를 보고 나도 모르게 움찔할 수밖에 없었는데, 환하게 웃는 레이놀즈의 모습이 심각하게 심장에 좋지 않았기 때문이었다. 나는 미친 듯이 뛰기 시작하는 심장을 애써 무시하며 어색하게 입꼬리를 위로 움직였다.

'아, 진짜.'

이 사람은 왜 이렇게 잘생겨서 사람 마음을 뒤흔드는 건지. 언젠가 들었던 노래의 한 구절이 떠올랐다.

왜 내 맘을 흔드는 건데…….  왜 내 맘을 흔드는 건데…….

"유린?"

멍한 얼굴로 있는 사이 레이놀즈가 다시 나를 불러왔고, 내 정신은 그 덕분에 다시 빠르게 현실로 돌아왔다.

나는 그에게 이만 가자고 말하기 위해 느릿하게 입술을 뗐다. 하지만 말을 시작하기도 전에, 차가운 무언가가 내 목을 건드려왔다.

"아……!"

당황한 나머지 짧게 소리를 내며 위를 올려다보았다. 냉기의 주인공은 레이놀즈였고, 정확히 말하자면 그의 손가락이었다. 그는 소리를 낸 나를 지그시 바라보며 물어왔다.

"아, 미안. 차가웠어?"

"조금…….'

"목걸이 걸어 주려고."

그 말에 뭐라 대꾸하기도 전에, 그 차가운 손가락이 조심스럽게 내 긴 머리카락을 앞쪽으로 넘겼다. 거부하기 애매한 상황이라 나는 그대로 있었고, 그러는 사이 레이놀즈는 섬세하게 손가락을 움직여 목걸이를 목에 걸어 주었다.

잠시 후 달칵하는 소리와 함께 레이놀즈의 손가락이 내 목에서 떨어지는 것이 느껴졌다. 나는 아무 말도 하지 못하고 내게서 떨어진 레이놀즈를 향해 느릿하게 고개를 올렸다. 그가 나를 알 수 없는 얼굴로 응시하고 있었다.

그리고 나는 함부로 입을 열 수조차 없었는데, 날 바라보는 레이놀즈의 눈빛이 너무나도 깊고, 야릇하고, 기묘했기 때문이었다. 그 눈빛에 압도당했다는 말은 조금 이상할까. 꼭 결박당한 느낌이었다. 나만을 바라보는 그 진득한 시선이 사슬이 되어 나를 움직이지 못하게 하는 것 같은.

"⋯⋯됐다."

속삭이는 듯한 낮은 목소리가 우리 사이에서 진동했다.

"예쁘네."

"⋯⋯."

"보고 싶어?"

"저 거울 있어요."

나는 품 안에서 손거울을 꺼낸 다음 목 부근을 비춰보았다. 흰 목 위에서 반짝이는 적색의 장식. 고작 동화 세 닢짜리니 그리 비싼 건 아닐 것이다. 아마 붉은 돌멩이로 만들었을 무언가. 하지만 언뜻 보기에는 비싼 보석 못지않게 아름다워서, 나는 꽤 마음에 들었다. 유리네트의 붉은 눈동자와 매치되는 느낌이랄까.

"마음에 드나 보네."

가만히 거울 속의 목걸이에만 시선을 주고 있는데, 옆에서 레이놀즈의 목소리가 들려왔다.

나는 그제야 정신을 차리고 옆을 돌아보았다. 아차, 감사 인사!

"아, 네. 감사합니다."

"다행이네. 마음에 안 들면 어쩌나 걱정했는데."

"예뻐요."

나는 싱긋 웃으며 그에게 물었다.

"그런데 갑자기 목걸이는 왜 사 주시는 거예요?"

"잘 어울릴 것 같아서."

간단명료한 대답 뒤에 짧은 한마디가 더 붙었다.

"유린에게."

"……감사합니다."

"오늘 잘 부탁한다는 명목도 있고. 이유야 갖다 붙이기 마련이지."

마지막 말은 꽤 의미심장하게 들렸다. 내가 그를 쳐다보았지만, 그 이후에 덧붙이는 말은 없었다. 그저 빙긋 웃어 보일 뿐이었다.

그러더니 처음부터 그랬던 것처럼 내 손을 붙잡고 다시 걷기 시작했다. 아까와는 다르게 그가 먼저 발걸음을 내디딘 것이다. 나 역시 말없이 그의 손을 붙잡고 다시 걸었다.

레이놀즈의 눈빛은 걷는 내내 아까와 다름없는 빛을 띠었다. 흥미로운 시선으로 주변을 두리번 두리번거리는 것이다. 그는 아무 말도 하지 않았지만, 표정과 눈빛에서 그것이 전부 드러났다.

그런 그의 모습을 나도 모르게 미소 지으며 바라고 있는데, 어느 순간 코 밑으로 맛있는 냄새가 스쳐 지나갔다.

'뭐지?'

나는 두리번거리며 냄새의 진원지를 찾았다.

그리고 잠시 후 어렵지 않게 발견했다. 지척에서 노점상이 닭강정 비슷하게 생긴 것을 팔고 있었다. 여기에도 닭강정이 있는지는 모르겠지만, 냄새나 외양이 퍽 유사했다.

'아, 마침 배고팠는데.'

점심을 먹기까지는 시간이 조금 남았지만, 그전에 간식을 먹는 것도 나쁘지 않겠지. 나는 살짝 들뜬 목소리로 레이놀즈를 불렀다.

"레이."

그러자 레이놀즈가 기묘한 표정으로 나를 돌아보는데, 그건 내가 방금까지 가지고 있던 닭강정에 대한 흥분을 완전히 잊게 만들어 줄 정도의 기묘함이었다.

기분이 나빠졌거나 해서 그런 건 절대 아니었다. 한 번도 본 적 없던 표정을 그가 짓고 있었기 때문이었다.

그건 놀람, 당황, 기쁨 등 수많은 감정이 복합적으로 나타난 표정이었다. 내가 그에게 한 짓이라곤 고작 이름 부르는 게 전부였기 때문에 나는 그 모습을 보고 당연히 놀랄 수밖에 없었다.

"……제가 잘못 불렀나요?"

우리, 분명 이렇게 하기로 합의한 것 아니었어? 내가 조심스럽게 묻자, 레이놀즈가 눈꺼풀을 두어 번 깜빡이더니 느릿하게 입을 열었다.

"아니."

처음 대답은 다소 어눌한 목소리로 시작했다.

"잘못하지 않았어."

"그런데 왜……."

"왜?"

"표정이 조금 이상하셔서요."

"내가?"

"네."

"어땠는데?"

"묘한 표정……. 놀란 것 같기도 하고, 당황한 것 같기도 하고, 기쁜 것 같기도 하고……."

"셋 다 맞아."

그의 긍정이 이 상황을 더욱 혼란스럽게 만들었다. 그걸 알긴 할는지.

"놀랐기도 했고, 당황도 했고."

"기쁘기도 하고."

"이유, 여쭤봐도 되나요?"

"날 그렇게 불러줄 줄 몰랐거든."

"하지만 아까 분명 그렇게 부르자고……."

"알아, 알아. 합의했지. 탓하려는 건 절대 아니야."

억울함이 섞인 내 항변에 레이놀즈가 키득키득 웃었고, 나는 자연스럽게 미간을 좁혔다. 어쩐지 억울한 누명을 쓰고 교사 앞에 선

학생이 된 기분이다. 하지만 그런 내 모습을 보고 레이놀즈의 미소는 이상하게 더 짙어졌다.

"근데 그러고 계속 내 이름 안 불러줬잖아."

그랬다. 의도적이라기보다는, 딱히 부를 일이 없었으니까.

"그러다 갑자기 불러줘서 놀란 거지. 당황도 했고."

"아."

상세한 설명에 나는 알겠다는 얼굴로 고개를 끄덕였다. 그런데 아직 하나가 부족했다.

"그럼 기쁜 건요?"

고작 이름 한 번 불러준 거에, 왜 기뻐한 거지? 실은 그게 가장 궁금했다.

"그건 왜 그러신 건가요?"

"그냥 기뻤는데."

이유가 없다는 듯한 대답에 나는 순간 맥이 빠졌다. 대답이 너무 불친절한걸.

"그러니까 왜…… 기쁘셨는데요?"

"구체적인 이유를 묻는 거야?"

"……아녜요. 제가 너무 주제넘게 질문한 것 같네요."

고작 표정 하나에 너무 집요하다는 생각이 들어서, 나는 거기서 그만두기로 했다. 하지만 시작은 내 마음대로였을지라도 끝은 내 마음대로가 아니다. 레이놀즈가 내 속을 읽기라도 했는지 입을 열었기 때문이었다.

"왜 기뻤냐면……."

그러는 그의 입가에는 어느새 다시 미소가 둥실, 떠오르고 있었다.

"잠깐 귀 좀 가까이."

무슨 대단한 이유를 말하려고 이러는 건지. 의구심이 들었지만 굳이 더 따져 묻는 대신 얌전히 그를 향해 귀를 기울여 주었다. 그는 그런 내 행동에 씩 웃더니 이내 나를 향해 몸을 숙여왔다. 아까와 비슷한 상황이 데자뷔처럼 느껴졌다.

"말했잖아."

뭘……? 참 뜬금없는 대답이라고 생각하고 옆으로 고개를 돌리려는데, 곧바로 속삭임이 이어졌다.

"특별하다고."

"……."

"나한테."

그 시끄러운 거리 속에서, 내게 전해져 오는 두 마디는 너무나도 또렷하게 들려왔다. 그것은 '누가'에 대해서는 더 묻지 않아도 될 대답이었다. 이제는 내가 당황한 얼굴이 되어 고개를 레이놀즈가 있는 쪽으로 돌렸다. 그는 여전히 미소 짓는 얼굴이었는데, 그 와중에도 내 머릿속에서는 '참 잘생겼다' 이 생각이 가장 먼저 들었으니 참 기도 안 찰 노릇이었다.

하지만 그런 내 행동이 전혀 이상하다고 느껴지지 않을 정도로 지금 그의 미소는 상당히 아름다웠다. 왜 내 맘을 흔드는 건데. 아까 떠올렸던 노래 가사가 다시 생각났다.

"……감사합니다."

정신을 차리고 가장 먼저 내뱉은 말이었다. 그 상황에서 무슨 대꾸를 해야 할지 도무지 모르겠어서, 어떻게 대화를 이어야 가장 자연스러울지 나름 고민하다 나온 결과였다.

내 판단이 적합했는지 부적합했는지는 모르겠지만, 레이놀즈의 입가에 걸려 있던 미소가 더욱 짙어졌으니 잘못한 것 같지는 않았다. 우리 사이에 잠깐의 정적이 감돌았다.

"아, 허기지시면 우리 저것 좀 먹을까요?"

어색함이 찾아오기 직전에, 나는 빠르게 아까 하려던 말을 꺼냈다. 나이스 타이밍!

"저게 뭐지?"

레이놀즈가 나를 따라 함께 시선을 돌렸고, 드디어 그의 시선 끝에도 닭강정 비슷한 음식을 파는 노점상이 닿았다. 그는 미간을 좁히며 그것을 빤히 바라보더니 내게 물어왔다.

"저걸 먹자고?"

"네."

"설마 점심으로?"

"아뇨, 간식으로요."

"다 들어가겠어?"

"많이 살 생각은 없고 맛만 보게요."

"좋아."

그의 허락이 떨어지자 나는 망설임 없이 발걸음을 옮겼다. 그리고 딱 동화 1닢씩의 양을 주문했다. 잠시 후, 주인은 많지도 적지도 않은 적당한 양을 종이 상자 안에 담아 우리에게 건네주었다. 나무로 만들어진 짧고 투박한 꼬챙이가 붉은 양념 소스가 발린 튀김 위에 꽂혀져 있었는데, 영락없이 닭강정을 연상시키는 모습이었다.

"으음."

한 입 베어 물자, 맛도 닭강정과 퍽 비슷한 맛이 났다. 내가 고개를 연신 끄덕이며 레이놀즈에게 말했다.

"어서 드셔보세요. 맛이 괜찮은데요."

내 말에 레이놀즈가 나와 종이 상자를 번갈아 쳐다보다가, 조심스럽게 한 입을 베어 물었다. 그리고 정확히 3초가 지나자, 그의 눈가에 이채가 서렸다. 그 모습을 보고 나도 모르게 까르르 웃음이 나왔다.

"입에 맞으신가 보네요. 다행이다."

"생각보다 괜찮은 것 같……."

그때, 레이놀즈가 말을 다 끝맺지 못한 채 나를 빤히 쳐다보았고, 나는 닭강정을 한 입 베어 물다 말고 멈칫했다. 뭐야, 갑자기 왜 이러지?

"왜 그러세요?"

하지만 레이놀즈는 내 질문에 대답하는 대신 돌연 내 쪽으로 몸을 숙여왔다. 오늘만 꽤 여러 번 있었던 일이었는데도, 이번 건 영문도 모른 채 겪는 일이다 보니 긴장감이 배가 되었다.

나는 어느새 귓가로 울려 퍼지는 내 심장 박동 소리를 그대로 들으면서, 점점 가까워지는 레이놀즈의 눈동자와 마주했다. 심연을 닮은 그 검은색 눈동자는 바라보는 사람으로 하여금 정신을 혼미하게 만드는 힘이 있었다.

"아……"

그 눈동자에만 정신을 오롯이 집중하고 있는데, 지난번과 같은 차가운 손가락이 내 턱 밑을 조심스럽게 훑고 지나갔다. 하지만 나는 그의 익숙해진 차가움보다는, 피부 위를 예고 없이 스치고 지나가는 낯선 이의 살결에 더 당황했던 것 같다.

내가 눈을 동그랗게 뜬 채로 레이놀즈를 쳐다보았지만, 그는 더없이 평온하고 태연한 얼굴로 나를 바라보며 입술을 움직였다.

"묻었길래."

"아……"

얼마나 주의 없이 먹었으면……. 내 얼굴이 빨갛게 달아오르고 있다는 걸 굳이 거울로 보지 않아도 알 것 같았다. 몇 개나 먹었다고 벌써 소스를 묻히냐.

"죄송합니다. 그런데 굳이 닦아주실 것까지는 없었는데. 손가락에 소스 묻……."

하지만 내 말을 채 끝맺어지지 못하고 그대로 뚝 끊겼다. 나는 당황한 얼굴로 레이놀즈가 취하는 행동을 그대로 쳐다보았다. 더 이상 아무 말도 하지 못하고, 입만 떡 벌린 채로.

'지금 나…… 뭘 보고 있는 거야?'

레이놀즈가 돌연 소스가 묻은 제 손가락을 쭉 입술로 빼는 것이었다. 거기서 나는 더 당황해 버려서, 말까지 더듬거렸다.

"더, 더러운데. 왜, 왜……."

"뭐가? 내가?"

"아뇨. 폐, 아니, 레이 말고 소스……."

"그게 더럽다고?"

"제 피부에 묻은 거……니까요. 굳이 드실 필요는……."

"그게 왜 더러워."

그가 피식 웃으며 반박했다.

"하나도 안 더러운데."

뭐야. 내가 결벽증인 거야? 나는 복잡해진 기분으로 떨떠름하게 고개를 끄덕였다.

'뭐…… 본인이 안 더럽다는데.'

거기서 더 왈가왈부하기도 좀 그랬다. 그래도 감사 인사는 해야 할 것 같아서 나는 다시 입을 열었다.

"고맙습니다."

내 말에 레이놀즈는 미소 띤 얼굴로 나만 가만히 바라볼 뿐이었다. 아무 말도 하지 않은 채.

'왜 자꾸 저렇게 쳐다보는 거야?'

그 시선에 이상하게 부끄러워져서, 나는 말 없이 닭강정만 먹기 시작했다. 어쩐지 어색한 이 순간, 입에 넣을 음식이라도 있어서 얼마나 다행인지!

❦ ❦ ❦

닭강정을 다 먹은 뒤에는 거리를 조금 더 걸었고, 그로부터 한 시간 정도가 더 지난 뒤에 우리는 정식으로 점심 식사를 하러 주변의 식당을 찾았다. 위생적이고 맛있어 보이면서도 사람은 그리 많지 않은 식당. 이 조건을 부합하는 곳을 찾는 게 쉬울 리가 없었다. 하지만 사람이 그나마 적은 곳으로 가고 싶어서, 나는 어떻게든 식당을 찾을 때까지 돌아다녔다.

다행히 조금 더 돌아다닌 끝에 원하는 식당 하나를 발견할 수 있었다. 위생적이고 맛있어 보이면서도 사람은 그리 많지 않은 식당은, 당연하게도 꽤 외진 곳에 있었다. 그래도 사람이 거리에서보다 훨씬 적어진 상황에 만족하면서, 나는 레이놀즈와 함께 식당 안으로 들어갔다.

우리는 가장 구석진 곳으로 가 앉았고, 제일 잘 팔리는 세트 메뉴를 주문했다. 주문까지 마치고 나자 갑자기 피로가 밀려와서, 나는 조금 힘들어 보이는 표정으로 입을 열었다.

"이제 여기서 점심 먹고 좀 더 돌아다니시다가, 저택으로 귀가하면 될 것 같아요."

"벌써 그런 것까지 생각해 뒀나?"

"계획을 미리 짜놓는 것처럼 바람직한 일도 없지요."

"시간이 너무 짧아."

레이놀즈가 못마땅하다는 목소리로 툴툴거렸다.

"저녁도 못 먹고 귀가하다니."

"설마 밤까지 계시고 싶으셨어요?"

"당연하지."

"야시장이 열리긴 하는데 지금 하고 특별히 다른 건 없어요. 그냥 주변에 불빛이 반짝반짝한 정도?"

"여긴 불꽃놀이 같은 건 안 하나?"

"하긴 하는데 지금 말고요."

나는 잠깐 생각하는 표정을 짓다 입을 열었다.

"매달 마지막 밤에 불꽃놀이 행사가 있어요. 그때 다시 오실래요?"

"매달 마지막 밤?"

내 말을 들은 레이놀즈의 표정이 기묘하게 변했다.

"떠나기 전 마지막 밤이네."

"어……."

그 말을 듣고 나는 이유 없이 순간 당황했지만, 잠시 후 태연한 척 응수했다.

"그러네요. 그때 다시 올까요, 그럼?"

"그래."

그렇게 대답하는 레이놀즈의 입가에 실낱같이 미소가 걸려 있었다.

"좋아."

"그럼 오늘은 일찍 돌아가시는 걸로."

"내가 늦게 귀가하는 게 그렇게 걱정돼?"

"괜한 사고 생기면 곤란하니까요. 밤에 마차 타고 이동하는 건 위험하기도 하고……."

"지금 나 걱정해 주는 거네, 그럼?"

훅 들어온 한마디에 나도 모르게 입이 다물렸다.

나는 눈을 끔뻑끔뻑 뜨며 앞에서 미소 지은 채 나를 바라보고 있는 레이놀즈를 바라보았다.

대답을 재촉하는 듯한 시선에 입술을 달싹이다가 천천히 열었다.

"당연하죠."

"어째서?"

"폐하께서 지난번 저를 걱정하셨던 것과 같은 이유로요."

"……같은 이유?"

내 대답을 듣고, 레이놀즈의 표정이 재미있다는 듯 변했다. 그는 결국 웃음까지 낮게 터뜨리며 중얼거렸다.

"벌써부터 그럴 리가 없는데…….'

"네?"

"아무것도 아니야."

여전히 미소 띤 얼굴이었다.

"어쨌든 기분은 좋네."

"왜요?"

"내 걱정을 해준다니까."

그 중얼거림이 있은 직후, 종업원이 주문했던 음식들을 가져다주었다. 그 바람에 우리의 대화는 자연스럽게 끊기고 말았다.

❧ ❧ ❧

'아, 배불러…….'

아까 닭강정이 양이 꽤 많았던지, 점심 식사까지 하고 나자 완전히 배가 차올랐다. 나는 약간의 거북함까지 느끼며 레이놀즈에게 물었다.

"배 안 부르세요?"

"나쁘지 않아."

"나쁘지 않다고요?"

내가 믿기지 않는다는 목소리로 레이놀즈에게 물었다.

"그건 아직도 더 드실 수 있다는 뜻이신가요?"

"그렇지? 왜? 아직 부족해?"

"아뇨. 그럴 리가……. 전 넘쳐요. 아주 배불러요."

그렇게 대꾸한 뒤에, 나는 순수한 감탄조로 말했다.

"식욕이 대단하시네요."

"선천적인 것도 있는 것 같고. 전장에 오래 있어서 그런가."

"아하……."

느릿하게 고개를 끄덕이며 시선을 돌리는데, 문득 시야로 아이스크림을 파는 가게가 들어왔다. 나도 모르게 마른침을 꼴깍 삼키자, 그 모습을 발견했는지 옆에서 레이놀즈가 낮게 웃는 소리가 들려왔다. 내가 어색하게 웃으며 레이놀즈에게 물었다.

"아이스크림 하나 드시겠어요?"

"아주 배부르다며."

아까 내가 했던 말이라 빼도 박도 못 한다. 나는 살짝 붉어진 얼굴로 그에게 대꾸했다.

"아이스크림 들어갈 배는 있어요."

원래 식사 배와 후식 배는 나누어져 있는 거 아니겠어?

"안 드실 건가요?"

"너무 단 건 취향이 아닌데."

"안 드실 건가요?"

"……먹을 거야."

"좋아요."

사실 드시지 않는다고 말했더라도 저 혼자 먹었을 거예요. 그 말만 남기고 나는 그의 손을 붙잡아 아이스크림을 파는 노점상까지 끌고 갔다. 그리고 씩씩한 목소리로 아이스크림을 주문했다.

"딸기 아이스크림 하나 주세요. 큰 걸로요."

그런 후에, 나는 뒤를 돌아 레이놀즈에게 물었다.

"레이는 뭐 먹을래요?"

"……같은 걸로."

"두 개 주세요."

주문을 마친 뒤에, 나는 생색내는 목소리로 그에게 말했다.

"이건 제가 살게요."

그런 내가 웃겼던지 레이놀즈가 저도 모르게 '쿡' 하고 웃음소리를 냈다.

"영광이네."

"여기 있습니다."

그때 아이스크림 가게 주인이 커다란 콘에 담긴 아이스크림 두 개를 내게 건네주었고, 나는 값을 치른 다음 그것들을 받아 들었다. 그리고 왼손에 들려 있던 아이스크림콘을 레이놀즈에게 건넸다.

"드세요."

"고마워."

레이놀즈는 짤막한 인사를 남긴 뒤에 내 손에서 아이스크림콘을 받아 들었다. 종이 상자가 아니라 콘에 담긴 거라 녹기 전에 얼른 먹어야 뒤처리가 수월했다. 나는 아이스크림 한 입을 크게 베어 문 다음 사르르 녹는 표정을 지었다. 아, 정말 맛있어!

그때, 그런 내 표정을 바라보던 레이놀즈가 흥미롭다는 듯 입을 열었다.

"그렇게 맛있나, 그게?"

"제가 단 걸 좀 좋아해요."

"그럼 황궁으로 오는 건 어때?"

뜬금없는 대화의 흐름에 나는 아이스크림에 고정시켰던 시선을 레이놀즈에게로 옮겼다. 레이놀즈가 그 특유의 웃는 얼굴로 나를 바라보고 있었다. 내가 왜 그런 소리를 하느냐는 듯한 목소리로 그에게 물었다.

"황궁으로요?"

"그래."

레이놀즈가 고개를 끄덕였다.

"황궁에는 달콤한 디저트가 아주 많거든."

"그렇겠죠……?"

나는 당연하다는 목소리로 고개를 갸웃거렸다.

'황제가 사는 궁에 아무럼 디저트만 가득할까.'

평생 본 적 없는 산해진미가 거기 다 있겠지.

"근데 디저트를 먹는다는 핑계로 황궁에 갈 수는 없죠."

"안 그런가요?"

"왜 안 되는데?"

"그야……."

내가 말문이 턱 막힌 얼굴로 레이놀즈를 쳐다보았다. 그는 정말로 '왜 안 되는지'가 궁금한 얼굴을 하고 있어서, 그 모습을 보는 내 기분은 심히 당황스러워졌다.

'아니, 상식적으로 누가 디저트를 먹으러 황궁에 가요.'

그곳에서 사는 황족이 아니라면 말도 안 되는 소리였다. 그런데 이 황제님은 그게 왜 말도 안 되는 건지 조금도 이해 못 하는 듯한 반응을 보이고 있었으니. 난감하기 짝이 없는 일이었지만, 나는 친절하게 대답해주었다.

"그런 이유로 드나들 만큼 황궁이 가벼운 곳은 아니니까요."

"무슨 말인지 잘 모르겠는데."

"제가 그런 행동이 가능할 만큼 지체 높은 신분도 아니고요."

마지막 대답에 레이놀즈의 표정이 기묘하게 변했지만, 나는 이상할 것 하나 없다는 얼굴로 아이스크림 한 입을 더 베어 물었다.

"그럼 지금보다 훨씬 지체 높은 신분이 되면 올 수 있는 건가?"

"……."

"황궁."

"그럴 일이 없겠지요?"

"……글쎄."

그가 기묘한 미소를 지었고, 나는 거기에서 이상함을 느꼈다. 저 말의 의미와 저 표정의 뜻은 무엇인지. 왜 저런 질문을 내게 하고, 저런 눈으로 나를 보는 건지. 여러모로 알기 어려운 남자.

"그건 두고 봐야 알겠지."

"……뭐."

내가 슬며시 다른 쪽으로 눈을 돌리며 말했다.

"사실 제 부모님이 진짜 부모님이 아니었다거나."

"……."

"알고 보니 제가 어릴 적 실종된 황녀였다거나."

"그만."

그때 레이놀즈가 내 말을 끊었고, 나는 그를 빤히 쳐다보았다.

미간이 살짝 좁혀져 있었다.

"말도 안 되는 소리를."

"그러니까요. 말도 안 되는 소리죠."

내가 피식 웃으며 말을 이었다.

"황가에는 실종된 황녀도 없는데요."

"농담한 것뿐입니다. 그만큼 말이 되지 않는다고요. 그런데 왜 그렇게 표정이……."

"하아……."

별안간 그가 한숨을 쉬었고, 나는 눈이 더 동그래졌다. 뭐야, 혼자?

"참 별의별 방법으로 날 불편하게 만드는군."

"제가요?"

그는 대답하지 않았지만, 맥락상 그것은 나임이 명백해 보였다. 그러니까 내 행동의 어디가 그를 불편하게 만들었다는 건데? 나는 어리둥절해진 얼굴로 레이놀즈에게 다시 물었다.

"제 행동의 무엇이 불편하셨는지 말씀해 주시면 시정하겠습니다. 함부로 황실을 언급해서 그러시는 것이라면…… 제가 잘못했습니다. 실은 폐하처럼 높으신 분과 대면하는 게 처음이라……."

변명을 늘어놓다가, 이건 아니라는 생각이 들어서 빠르게 말을 맺었다.

"죄송합니다. 좀 더 주의하도록 하겠습니다."

내 말을 듣고 그는 나를 가만히 바라보았다. 무언가를 깊이 관찰하는 듯한 시선으로. 그렇게 얼마나 시선을 받았던가. 레이놀즈가 돌연 입을 열었다.

"……아니야. 내가 말을 잘못했어."

"네?"

"잊어버리라고."

아니, 진짜 이거 뭐 하자는 거죠……?

끝까지 어리둥절한 얼굴을 버리지 못하고 레이놀즈를 빤히 쳐다보고 있는데, 레이놀즈가 돌연 입을 열었다.

"녹겠는데."

"네?"

"아이스크림."

그 말이 끝나기가 무섭게 테두리가 조금 녹은 아이스크림이 콘의 겉면을 타고 내 손등 위로 떨어졌다. 갑작스럽게 느껴진 차가움에 나도 모르게 흠칫 놀라며 얼른 아이스크림 한 입을 베어 물었다.

살짝 질척한 식감이 막 녹기 시작했다는 사실을 알려주었다.

"아, 되게 금방 녹네요."

그 말을 하면서 나는 손등에 묻은 아이스크림까지 핥아 없애려 했다. 하지만 바로 그 순간, 아까 느꼈던 것과 비슷한 냉기가 갑작스럽게 느껴졌다. 손목을 감싼 그 냉기는 그러나, 아이스크림의 그 것과는 또 다른 감각이었다. 나는 어벙해진 얼굴로 내 손목을 감싼 레이놀즈의 얼굴을 쳐다보았다.

"왜······."

하지만 질문을 끝맺기도 전에 따뜻하고 촉촉한 감각이 내 입술을 굳게 만들었다. 나는 당황한 얼굴로 아이스크림이 묻은 내 손등을 핥는 레이놀즈의 모습을 바라보았다. 그는 마치 그것이 아주 자연스럽고 당연한 일이라는 것처럼 손등에 묻은 아이스크림을 혀로 없앴다. 타인의 그것이 닿는 이질적인 감각에 나는 아무 말도 하지 못하고 그를 빤히 바라보기만 했다.

"어……."

그리고 그가 내 손등에서 입술을 떼 내었을 때, 그리고 나와 눈이 마주쳤을 때, 나는 어떤 말을 해야 좋을지 도무지 몰랐던 것이다. 지금 이 상황에서 어떤 말을 해야 하는지 도무지 감이 잡히지 않았다. 아니, 애당초 내가 말을 꺼내야 하는 타이밍이기는 한 건지.

"아이스크림."

"……."

"떨어졌길래."

태연하게 방금 행동의 이유를 설명하는 그에게 나는 화를 낼 수도, 뭐라 할 수도 없었다. 방금 그의 행동은 지나치게 자연스럽고 당연한 것처럼 분위기 속에 스며들었기 때문이다.

하지만 그 말을 듣고 '아아, 그러셨군요'라고 말하는 것 또한 우습다는 생각이 들어서, 나는 퍽 곤란해졌다. 뭘 어떻게 해야 하는 건지. 나는 혼란스러운 표정으로 말없이 그를 바라보기만 했다.

"또 녹겠는데."

그 말이 들려오고 난 뒤에야 경직되었던 몸이 풀리기 시작했다. 나는 다시 아이스크림이 내 손등 위로 떨어지는 것을 막아야겠다는 생각을 했고, 녹기 시작한 부분부터 빠르게 입안에 머금었다.

차가움 뒤에 느껴지는 체온의 따뜻함. 아까 느꼈던 것과 비슷한 감각에, 나는 아이스크림을 다 먹는 내내 이상한 기분에 휩싸였다.

# 6

## *Reminder*

그리고 우리는 다시 걷기 시작했다.

거리의 사람들이 내뿜는 활기와 시끄러움 속에서 전해지는 생기, 웃음소리가 내포한 생명력이 우리를 멈추지 않게 해주었다.

레이놀즈는 처음보다는 흥미를 잃은 얼굴이었지만 여전히 반짝거리는 눈으로 주변을 둘러보면서 이것저것을 구경했고, 나는 아까 전에 있었던 일로 약간 멍한 표정이었지만 내색하지 않은 채 그의 장단에 맞춰 주었다. 아마도 오늘의 거리 나들이는 무사히 마쳐질 예정이었다.

'어……?'

문득 내 시야로 들어온 낯선 남자만 아니었다면 말이지.

"저 남자는……."

"유린?"

갑자기 표정이 심각해진 내가 이상했는지, 레이놀즈가 나를 불러왔다. 나는 당황한 얼굴로 시야에 들어온 남자를 한 번, 레이놀즈를 한 번 쳐다보았다. 자연스럽게 살짝 굳어진 내 얼굴을 더 자세히 확인한 레이놀즈의 표정이 덩달아 어두워졌다. 그가 미간을 좁히며 내게 물었다.

"무슨 일이지?"

"그러니까……."

여기 있으면 별로 안 좋은 인간이 있어요. 말콤 호로웨이라는 자식인데, 절 짝사랑하는 골치 아픈 놈이에요. 여기서 마주치면 아마 꽤 골치 아파질걸요?

'……라고 어떻게 말해.'

차마 그렇게 말할 수가 없어서 머뭇거리는 사이, 나는 말콤과 눈이 마주치고 말았다. 그리 가깝지 않은 거리에서도 나를 발견한 그의 눈이 반짝거리는 것이 보였다. 나는 속으로 욕지거리를 중얼거렸다.

'아, 젠장.'

그는 아마 곧 내 쪽으로 올 것이다. 그리고 '여기서 만나다니 이런 우연이! 아니, 운명인가요? 우리는 아마 정말 인연인가 봅니다, 영애' 따위의 개소리를 늘어놓겠지.

'어쩌면 같이 시간을 보내자며 추근거릴지도 몰라.'

여기서까지 말이다. 물론 옆에 있는 레이놀즈를 핑계로 그를 쫓

아닐 수도 있겠지만, 그건 그냥 미봉책일 뿐이지. 그에게 레이놀즈의 정체를 밝히는 일 따위 할 수 없었으니 상황은 더 곤란해질 것이고, 성질 더러운 말콤은 어쩌면 부호의 아들이라는 제 지위를 이용해 감히 레이놀즈를 무시할지도 모른다. 세상에, 그런 같잖은 짓을!

'아, 생각만 해도 끔찍해!'

말콤을 걱정하는 건 절대 아니고, 그것이 사토르디 지방에 어떤 악영향을 미칠 수 있으니 이러는 것이다.

'똥이 무서워서 피하나? 더러워서 피하지!'

나는 그냥 최대한 빨리 이곳에서 벗어나자고 생각하면서, 레이놀즈의 손을 좀 더 힘주어 잡았다.

"레이."

이름을 부르자, 아까보다는 덜 놀란 눈이 나를 응시했다.

"저 좀 도와주세요."

"뭘……."

그리고 그가 묻기도 전에, 나는 그의 손을 꼭 붙잡고 숨을 곳을 찾기 시작했다. 하지만 워낙 사람이 많은 곳이라 영 쉽지 않았다. 내가 난감해하며 어쩔 줄 몰라 하고 있는데, 갑자기 강한 힘이 나를 끌어당겼다.

"아……!"

레이놀즈였다. 그 긴박한 순간, 그가 특유의 깊은 눈빛으로 나를 바라보며 물어왔다.

"숨을 곳을 찾는 거지?"

나는 말 없이 고개를 끄덕였고, 레이놀즈는 주위를 몇 번 두리번 거리다 좁은 골목 하나를 용케 찾아내고선 그쪽으로 걸음을 옮겼 다. 내 손이 그에게 꽉 붙잡혀 있던 탓에 굳이 주의를 기울이지 않 아도 그가 가는 쪽으로 발이 따라갔다. 우리는 자연스럽게 그 좁은 골목 앞까지 도착했고, 사람 한 명만 겨우 오갈 수 있는 폭의 골목 안으로 들어갔다. 그는 망설임이 없었고, 나 또한 그랬다.

"레이디 유리네트!"

그리고 우리 둘이 그 골목 안쪽으로 몸을 숨겼을 때, 지척에서 말 콤이 나를 부르는 목소리가 들려왔다. 레이놀즈는 그 목소리를 듣 고선 상황을 완전히 이해한 듯 보였다. 그가 나를 보호하기라도 하 려는 것처럼 나를 팔 안에 가두었고, 나는 살짝 당황한 눈으로 그 를 올려다보았다.

'아……'

너무 가까웠다.

'이 정도로 가까웠던 적은 처음인데.'

빠르게 달린 흥분 때문인지 심장이 거세게 뛰기 시작했다.

두근, 두근, 두근, 두근.

혹시라도 이 소리가 새어 나갈까 봐, 그 상황에 어울리지 않게 걱 정이란 게 들기 시작했다.

"저 남잔가?"

그때 들려오는 질문에 나는 빠르게 정신을 차리고 물었다.

"네?"

"유린이 피하고 싶은 남자."

"아, 네."

나는 얼른 대답했다.

"방금 저 부른 남자요."

"왜 유린을 찾는 건데?"

"저를 좋아하거든요."

"……저 남자가?"

"네."

"뭐 하는 누군데?"

"우리 지역에서 제일 부자인 남자의 아들이에요."

"이름은."

"말콤 호로웨이……."

근데 지금 이런 대화가…… 적절한가? 굳이 지금 이 급박한 상황에?

나는 의아해졌지만, 뭐…… 레이놀즈 입장에서는 궁금할 수도 있을 것이다. 내가 갑자기 숨자고 하는 상황이었으니까.

"갔어요?"

"아직."

"아, 언제 가는 거야……."

"마주치면 안 되는 이유라도 있는 건가?"

"자꾸 저한테 추근거려서요."

그 말을 하면서 나는 미간을 잔뜩 좁혔다.

"전 저 남자 되게 싫거든요."

"부호의 아들이라며."

"돈만 많다고 다가 아니잖아요. 전 저 남자 꺼림칙한 구석이 있어서 싫어요. 평판도 안 좋고……."

"흐음……."

내 말을 들은 레이놀즈가 의미심장한 소리를 흘렸고, 나는 여전히 그의 팔에 가두어진 상태였다. 나는 조마조마한 마음 반, 떨리는 마음 반으로 레이놀즈를 쳐다보며 중얼거렸다.

"여기 되게 좁네요."

"덕분에 숨기에는 좋잖아."

"그렇긴 한데……. 전 상관없지만 불편하실까 봐서요."

"내가?"

"네."

"안 불편해."

하나도. 레이놀즈가 짤막하게 덧붙인 뒤에, 그쯤에서 다시 말콤의 목소리가 들려왔다.

"뭐야, 어디로 간 거지?"

소리의 크기 같은 걸로 미루어 볼 때, 아주 가까이에 있는 게 분명했다. 나는 혹시라도 들킬까 봐 조마조마한 마음으로 입술을 꾹 깨물었다. 그러는 사이 다시 한번 말콤의 목소리가 들려왔다.

"분명 여기에서 봤는데!"

"이만 가시죠, 도련님. 아무래도 다른 곳으로 가신 것 같아요."

"분명 나랑 눈이 마주쳤다고!"

말콤이 씩씩대는 소리가 들렸고, 나는 초조함에 눈까지 꼭 감았다.

그리고 얼마나 시간이 흘렀을까. 더 이상 말콤의 목소리가 들려오지 않았다.

'드디어 갔나 보다.'

나는 그제야 안심한 표정으로 천천히 눈을 떠올렸다. 그리고 눈을 뜨자마자, 전혀 예상하지 못했던 상황과 맞닥뜨렸다.

"……."

"……."

가까운 곳, 나와 아주 가까운 곳에 레이놀즈의 얼굴이, 눈동자가, 입술이 있었다. 나는 그 상태에서 아무 행동도 하지 못하고 레이놀즈와 그대로 눈만 맞추고 있었다. 그 역시 아무 말도 하지 않은 채, 아무 행동도 취하지 않은 채 그 자리 그대로 나와 눈 맞춤만 계속했다.

쿵, 쿵, 쿵, 쿵.

분명 골목 안으로 뛰어 들어온 지는 오래되었고, 이제는 말콤도

갔는데 계속해서 심장이 거세게 뛰었다. 마치 심장 밖으로 뚫고 나올 것처럼, 강렬하게.

'이 남자도 듣고 있을까.'

지금 이 소리. 지금 우리 두 사람의 거리가 아주 가깝다는 것을 감안할 때, 그 역시 지금 내 심장 소리를 듣고 있을 확률이 높았다. 나는 입술을 파르르 떨며, 여전히 내게서 떨어질 생각이 없어 보이는 레이놀즈에게 속삭이듯 말했다.

"갔나 봐요."

하지만 그 말을 들은 뒤에도 레이놀즈의 위치에는 변함이 없었다. 그는 여전히 나를 팔 안에 가둔 채 몸을 숙여 나와 눈을 맞춰올 뿐이었다. 압도적인 신장과 체구의 차이가 감정은 더욱 기묘하게, 몸은 더욱 옴짝달싹 못 하게 만들었다. 내가 작은 소리로 그를 불렀다.

"폐하……."

"여기서는 이름으로 불러준다며."

그렇지만 여기서는 아무도 못 들을 것 같으니까.

그래서 그런 건데…….

내가 할 말이 있다는 표정으로 레이놀즈를 쳐다보고 있는데, 갑자기 레이놀즈가 천천히 움직이기 시작했다. 그게 내게서 떨어지는 움직임이었다는 말은 결코 아니다. 외려 그는 내 쪽으로 더욱 붙어오고 있었으니까.

'오, 하느님.'

나도 모르게 눈을 질끈 감았다. 그리고 잠시 후에, 귓속으로 속삭이는 목소리가 들려왔다.

"이만."

"나갈까?"

"……네."

진이 다 빠진 듯한 목소리가 내 입에서 흘러나왔다. 그만큼 나는 긴장했던 것이었다. 혹시라도 그가…….

'아니다.'

나는 빠르게 고개를 저으며 머릿속에서 잡생각을 털어 냈다. 그건 정말로 쓸데없는, 잡생각이었다. 나는 무엇에 안도했는지 모를 한숨을 내쉬며 골목 벽에 머리를 기댔다. 그리고 힘없는 목소리로 레이놀즈에게 말했다.

"고마워요."

"뭐가?"

"잘 숨겨 주셔서."

"별걸 가지고 다."

레이놀즈는 잠시 생각하는 표정을 짓다 말을 보탰다.

"조금만 더 있다 나가지. 혹시라도 아직 주변에 있을지 모르니까."

"네."

나는 고개를 끄덕였다.

※ ※ ※

그리고 얼마 정도 더 거리에서 시간을 보내다, 우리는 다시 마차
로 돌아왔다. 저택으로 가는 마차 안에서, 나는 레이놀즈에게 물
었다.

"오늘 어떠셨어요?"

"즐거웠어."

그가 짤막하게 대꾸했다.

"아주 많이."

"다행이네요."

나는 싱긋 웃으며 물었다.

"뭐가 제일 즐거우셨어요?"

"으음……"

레이놀즈가 고민하는 표정을 지었고, 나는 가만히 그의 대답을
기다렸다. 대답이 나오기까지는 그리 오래 걸리지 않았다.

"너랑 있었던 거."

"……"

"유린과 있었던 시간들, 전부."

"……여기선 그렇게 안 부르셔도 돼요."

"왜?"

"우리 둘뿐이니까요."

"이름으로 불리기 싫어?"

"그렇다기보다는……."

나도 모르게 입술을 꾹 깨문 다음 말을 이었다.

"그냥, 그게 맞는 것 같아서요."

"……."

내 대답에 레이놀즈는 잠시 침묵했고, 나 역시 자연스럽게 입을 다물었다. 그러다 어느 순간 그가 다시 입을 열었다.

"유린."

그리고 다시 내 이름을 불렀다. 그러지 말라고, 말했는데도.

"있잖아."

"내가 오늘 즐거웠던 건 순전히 네가 옆에 있어서야."

그가 느릿하게 입꼬리를 끌어 올려 미소 지었다.

"그래서 모든 순간이 즐거웠고."

"……."

"모든 순간이 행복했어."

그 말을 하면서, 레이놀즈는 나와 눈을 맞춰왔다. 그의 검은색 눈동자는 오롯하게 나의 그것만을 응시하고 있었다. 그 올곧은 시선이 내게로 와 꽂혔을 때, 나는 이유를 알 수 없는 떨림을 느꼈다. 그 떨림이 그대로 목소리에 전달되었다.

"……다행이네요."

그때 나는 그 말밖에는 할 수 없었다.

"그러셨다니 영광이에요."

그리고 그는 더 말하지 않았다.

그저 예의 그 미소를 지어 보인 채 나를 가만히 응시할 뿐이다.

❧ ❧ ❧

"도착했어."

귓가에 들리는 낮은 속삭임에 나도 모르게 눈이 떠졌다. 눈을 깜빡이며 앞을 바라보자 익숙한 얼굴이 앞에 있다. 잠에서 방금 깨어난 사람들이 으레 그렇듯, 나도 그 순간에는 정신을 차리지 못했다.

"어……."

그리고 한 4초 정도가 지났나. 그제야 내 앞에 있는 사람의 얼굴이 황제, 레이놀즈의 것이라는 사실을 깨달았다. 다시 2초 후에, 내 눈이 놀람으로 크게 떠졌다.

"폐하……."

"아주 잘 자던데."

"피곤했나 봐요."

머쓱해져서 나는 어색하게 입꼬리만 끌어 올렸다. 그리고 그제야 그가 내게 아주 가까이 몸을 숙이고 있는 상태라는 사실을 깨달았다. 그 뒤에 밀려오는 쑥스러움은 전적으로 나의 몫이다. 그는 조금도 그 상황에 대해 이상하게 여기는 것 같지가 않았으니까.

나는 조심스럽게 입술을 움직여 그에게 부탁했다.

"저 일어나게 좀…… 비켜 주시겠어요?"

"아."

그는 그제야 내게서 천천히 떨어졌다. 마치 내가 말하기 전까지는 그 사실을 전혀 몰랐다는 것처럼. 하지만 나는 그가 내게서 거리를 둔 뒤에도 한동안 그 상태 그대로 있었다.

그가 그 상태에 대해 뭐라고 묻기 직전에야 나는 몸을 일으켰을 것이다. 그런 나를 레이놀즈가 빤히 쳐다보았다.

"……왜요?"

"아무것도 아니야."

……라고는 말했지만, 그가 입가에 띤 미소는 분명 '아무것'이었다. 나는 그를 응시한 상태에서 눈을 두어 번 정도 깜빡거리다가 서둘러 마차의 문을 열고 내렸다.

"이만 내리시지요, 폐하."

"그래."

그가 빙긋 웃으며 뒤이어 마차에서 내렸다.

어느새 완연한 저녁이라, 바깥은 캄캄하게 어두웠다. 마차 주변으로 진작부터 기다리고 있었을 황제의 시종들이 눈에 띄었다.

고작 사흘, 그사이에 익숙해진 시종들의 얼굴을 훑어보며 나는 일일이 고개를 숙이며 눈짓으로 인사했다. 그런 다음에야 내 시선은 다시 레이놀즈에게로 향했다.

"그럼 이만 들어가 보겠습니다, 폐하."

"……저녁은?"

"들어가서 먹어야죠."

"본채에서?"

"별채에서요."

"본채에서 먹지."

"네?"

"같이."

"어……."

나는 순간 아무 말도 하지 못하고 그를 멍하니 바라보기만 했다. 하지만 곧 정신을 차리고 거절의 말을 내뱉었다.

"괜찮습니다, 폐하. 저번에도 말씀드렸지만 제 여동생이 별채에 있어서요."

"그럼 여동생도 같이 부르지."

"괜찮습니다. 아마…… 불편해할 거예요."

나는 그가 사토르디로 오기 전 오드리가 했던 말을 기억하고선 난색을 표했다.

"폐하를 대면하는 걸 어려워 하는 아이라……. 이해해 주시지요."

거듭되는 거절에 그도 어쩔 수 없었으리라. 나 역시 제국의 황제를 이런 식으로 난처하게 만드는 건 원치 않았지만, 그렇다고 해서 그의 청을 수락하기도 좀 망설여지는 부분이 있었다. 다행스럽게도 레이놀즈는 이해한다는 듯 고개를 끄덕여 주었다.

"그렇다면야. 어쩔 수 없지."

"네, 폐하. 이해해 주셔서 감사……."

"앞으로는 영애의 여동생과도 좀 친해질 수 있도록 노력해야 겠어."

왜…… 이야기가 그런 식으로 흘러가는 거죠?

"오늘 저녁을 먹으면서 그 방법에 대해 좀 고민해 봐야겠군."

"폐, 폐하, 그러니까 제 동생은 그냥……."

"그럼 이만 들어가 보지."

어째 이야기가 이상하게 마무리되는 것 같은데……. 나는 어쩔 줄 몰라하는 표정으로 있다가 결국 입을 꾹 다물어 버렸다.

에이, 모르겠다. 그냥 가볍게 하는 말이었겠지.

"네, 폐하. 오늘 피곤하셨을 텐데 이만 들어가 쉬시지요."

"그렇게 피곤하지는 않아."

그가 나를 지그시 바라보며 덧붙였다.

"즐거웠어."

"……."

"재미있었고."

"다행이네요."

"마차에서도 말했지만."

"영애 덕분에."

"영광입니다, 폐하."

나는 당황하지 않고 대답했다.

"감사하고요."

"제 덕분에 조금이라도 즐거우셨다면 더없이 기쁩니다, 저는. 보람차고요."

"앞으로도 계속 느끼게 될 거야."

"그 보람."

"그렇겠죠."

적어도 그가 여기서 머무르는 한 달 동안은.

'정확히는 이제 27일하고도 몇 시간 남은 거지만.'

어쨌든.

"그럼 저는 정말로 들어가 보겠습니다, 폐하."

"편안한 밤 보내세요."

"……영애도."

그가 엷게 미소 지으며 내게 작별 인사를 했고, 나는 정말 마지막으로 빙긋 미소 지으며 고개를 숙였다. 그리고 천천히 별채를 향해 걷기 시작했다.

"……."

고개를 들어 올려 하늘을 바라보니 별이 없었다. 원래 하늘에 별이 없었던가, 아니면 별이 뜨기에 아직은 너무 밝은 건가.

୨ ୨ ୨

"다녀왔습니다."

습관처럼 말을 내뱉고 별채로 들어서자, 계단 위에 서 있던 오드리가 그런 날 보고 웃었다.

"본채도 아닌데 웬 인사?"

"습관이 돼서."

나는 설핏 웃으며 덧붙였다.

"그리고 너 있잖아."

"언니 오는 줄 알았어. 방금 하녀들이 말해줬거든."

"그래서 언니 마중 나온 거야?"

"응. 고맙지?"

"매우. 아주."

피식 웃은 내가 물었다.

"저녁은 아직?"

"아직. 언니는?"

"당연히 나도 아직."

"의외네? 먹고 올 줄 알았는데."

"저녁 시간 전에 출발했거든."

"그랬구나."

오드리가 고개를 끄덕이며 말을 보탰다.

"다행이다. 나 혼자 먹나 했네."

"우리 동생 혼자 저녁 먹게 할 순 없지."

나는 짙게 미소 지으며 말했다.

"준비하라고 해. 같이 저녁 먹자."

.

.

.

"못 보던 목걸이네?"

오드리의 질문에 석류 셔벗을 먹던 내가 고개를 들어 올렸다. 오드리의 식사 속도는 나보다 늦은 편이라, 그녀는 아직 구운 가리비를 먹고 있는 중이었다.

"아, 목걸이."

나는 목에 걸린 붉은 목걸이를 무심코 만지작거렸다. 아까 레이놀즈가 사주고 직접 걸어준 것이었다.

"예뻐?"

"응. 언니한테 잘 어울려."

"근데 아까 나갈 때까지만 해도 없었잖아."

"아까 폐하께서 사주신 거야. 시내에서."

"아, 진짜?"

"응."

"영광스럽다. 폐하께서 직접 사주신 목걸이라……."

오드리의 입가에 미소가 빙긋 떠올랐다.

"즐거웠겠다, 오늘."

"아……."

나는 머뭇거리다 고개를 끄덕였다.

"괜찮았어."

"그게 다야?"

"놀러 간 게 아니잖아."

내가 콧등을 매만지며 덧붙였다.

"폐하께 구경시켜드리러 간 거지."

"어쨌든."

"……뭐."

나는 다시 한번 콧등을 매만졌다. 이상하게 말하는 데 계속 뜸을 들이게 된다.

"괜찮았어."

"정말?"

"당연하지. 일하러 간 것도 아니고 놀러 간 건데."

엄밀히 따지자면 일이라고 봐도 무방했지만. 어쨌든.

"뭐 재미있는 이벤트는 없었고?"

"이벤트……."

그 말에 곰곰이 생각하던 내가 이맛살을 찌푸렸다. 마지막에 누구 때문에 기분을 잡친 게 생각난 탓이다. 아, 제길.

그런 내 표정을 보고 오드리가 물어왔다.

"왜 그래? 안 좋은 일 있었어?"

"어…… 있었지."

"진짜? 뭔데?"

"말콤 호로웨이."

"거기서 봤어?"

"어…… 그렇지."

사실 정식으로 마주치진 않았지만.

"진짜 악연이야, 이 정도면."

오드리가 눈살을 찌푸리며 몸을 부르르 떨었다. 혐오의 표시였다.

"거긴 왜 나타났대?"

"그걸 내가 어떻게 알겠니."

"그래서 인사했어?"

"미쳤어? 피했지."

"피해?"

"응. 폐하 모시고 급박하게."

나는 씩 웃으며 덧붙였다.

"용케 안 들켰어."

"그래. 대단하다."

오드리가 헛숨을 내뱉으며 피식 웃었다.

"폐하께는 뭐라고 설명 드렸어?"

"나 쫓아다니는 남자 하나 있다고."

"근데?"

"내가 싫어한다고."

"그래서?"

"숨는 데 협조해 주시더라고."

"생각보다 신사적이셔."

오드리가 구운 가리비를 다시 입안에 넣으며 중얼거렸다.

"진짜 소문은 소문일 뿐인 건가."

"……"

"언니는 어떻게 생각해? 오늘까지 사흘 겪어봤잖아."

"……뭘?"

"뭐긴. 폐하 말이야."

어떻게 생각하냐고?

적어도 아직까지 소문은 소문인 것처럼 보였다. 그는 단 한 번도 내게 무서운 모습을 보인 적이 없었으니까.

외려 말콤 호로웨이가 내게는 더 폭군처럼 느껴진달까. 상대 마음 고려 안 하고 자기 맘만 내세우고. 독단적이고 독선적이고 제멋대로인. 아, 이렇게 나열해보니 진짜 최악이다.

"난 괜찮은 분인 것 같은데."

"그래?"

"응. 아직까지는 특별히 무섭거나 그런지 모르겠어."

외려 다정하다면 모를까. 그 어마어마했던 소문들이 다 거짓말이라는 것처럼 말이다.

"뭐, 언니가 그렇다면 그런 거겠지."

"음, 그리고…… 폐하께서 너랑 같이 저녁 식사하고 싶어 하셔."

"……나랑?"

"응."

"왜?"

"몰라? 나더러 계속 저녁 식사 같이하자고 하셨는데, 너 핑계 대고 거절했거든."

"내 핑계는 왜 대? 아니, 어쨌든."

약간 황당해 하는 목소리였다.

"계속 말해봐."

"그랬더니 너랑 같이 저녁 식사하고 싶으시대."

"……나랑?"

"그렇다니까."

"흐음……."

오드리가 이맛살을 찌푸리며 무언가 이상하다는 듯한 소리를 흘렸다. 내가 물었다.

"왜 그래?"

"……아무것도 아니야."

오드리가 빠르게 말을 돌렸다.

"그보다 저녁이라니. 너무 갑작스러운데?"

"싫어?"

나는 빈 셔벗 그릇을 식탁 위에 내려놓은 다음 말했다.

"네가 싫어할 것 같아서 일단 거절했어."

"……그거 되게 부담스러운 말인걸."

"그렇긴 하다."

"만약 또 물어보시면 그때는 괜찮다고 말씀드려."

"뭐가 괜찮아?"

"저녁 식사. 괜찮다고."

"……진심으로 하는 말이야?"

"그럼 가짜 같애?"

"너 폐하 불편하다며. 그래서 별채까지 옮긴 거 아니었어?"

"그럼 어떻게 해. 그렇게 콕 짚어서 물어보셨는데 계속 거절해?"

"네 의사가 가장 중요한 거지."

"계속 거절하는 게 더 불편해. 하여튼 또 물어보시면 그땐 괜찮다
고 답해. 알았지?"

"그럴게."

나는 고개를 끄덕였다.

　그다음 날은 규칙대로 쉬는 시간이었다.

　"아, 좋다……."

　나는 늦게까지 침대 위에서 이불을 뒤척거렸다. 포근한 이불의 촉감에 긴 시간을 잤음에도 다시 졸음이 쏟아졌다.

　'요즘 내가 너무 부지런히 살았지.'

　어쩌다 보니 그렇게 되었다. 심지어 내일도 다시 바쁠 예정이었다.

　'아, 근데 이거 아무리 생각해도 일정이 너무 빡센데……'

　이 정도면 요양이 아니라 여행 아니야? 나는 느릿하게 눈꺼풀을 감으며 속으로 중얼거렸다.

　'내일은 또 뭐 하자고 하려나……'

　하긴. 26일하고도 한나절이 더 남았지만, 이런 식으로 계산하면 막상 밖에서 다니는 시간은 그 절반인 13일. 13번의 일정. 이렇게 생각하면 또 적은 것 같기도 하고.

　'살면서 두 번 이상 올 수가 있을까.'

　사토르디.

　신생 온천 특구라곤 하지만, 요양 장소가 여기뿐인 것도 아니고.

　'그래, 처음이자 마지막 사토르디일 텐데 알차게 지내다 가야지.'

　나는 '<u>끄으으응</u>' 괴상한 소리를 내며 자리에서 일어났다. 고개만 돌려 시계를 보니 오전 10시. 길게도 잤다.

똑똑.

그때 바깥에서 노크 소리가 들려왔다. 나는 살짝 잠긴 목소리로 입을 열었다.

"누구세요."

"저예요, 아가씨."

에이미였다. 나는 그녀에게 들어오라고 말했고, 에이미는 세숫물을 가지고 방 안으로 들어왔다. 오, 환상적인 타이밍.

"나 일어난 지 어떻게 알았어?"

"그렇게 괴상한 소리를 내시는데 당연히 일어나셨겠거니 했어요."

"……."

아, 쪽팔려.

"세수 도와드릴게요."

"고마워."

"오늘은 뭐 하실 거예요?"

"오늘?"

"네. 아마나 님의 꽃집에 가시나요?"

"으음."

나는 뒷머리를 긁적이며 입을 열었다.

"아냐. 이틀 전에 갔는데. 너무 자주 가는 거 같애."

"아마나 님은 아가씨 자주 오시는 거 좋아할 텐데."

"그래서 이틀 후에 갈 거야."

"그럼 오늘은요?"

"내일 일정 짜기."

"폐하와요?"

"응."

나는 고민하는 표정으로 물었다.

"어떻게 할까, 내일?"

"그걸 저한테 물어보시면 어떡해요."

"온천 갔고, 시내 갔고."

손가락을 두 개 폈는데, 그 이상은 더 펴지지가 않았다. 나는 곤
란한 표정으로 중얼거렸다.

"이다음이 더 생각이 안 나. 뭐해? 13번을 더."

"그야 폐하와 상의해 보셔야죠."

"……폐하와?"

"당연하죠. 저와 다니실 거 아니잖아요."

"그건…… 그렇지."

"폐하와 상의해 보세요. 그럼 답이 나올지도 모르잖아요."

그럴지도. 나는 곰곰이 생각하다 입을 열었다.

"아침만 먹고 본채에 가야겠어."

꙳ ꙳ ꙳

아침은 달걀 라비올리와 완두콩 수프였고, 이걸 다 먹고 나니 시간이 벌써 11시였다. 무려 브런치를 먹어도 하등 이상할 게 없는 시간. 너무 게으른가 싶다가도 레이놀즈가 오기 전에는 이보다 더 게으르게 지냈단 걸 생각하면 절대 아니었다.

외려 부지런하다고 말해도 과언이 아닐 것이다.

"어머니."

나는 산뜻하게 미소 지으며 본채로 갔고, 거기서 가장 먼저 사토르디 자작부인과 마주했다. 맏딸을 본 사토르디 자작부인이 환한 미소를 지으며 딸을 반겼다.

"안녕, 우리 딸."

"아버지는요?"

"외출하셨어. 뭔가 오랜만에 보는 것 같네."

"이상하게 그런 느낌이죠? 역시 별채에서 지내서 그런가."

"별채 생활은 어떻게, 할 만하고?"

"나쁘지 않아요. 오드리랑도 좀 더 친해진 기분이고."

"새삼스럽긴. 나 보러 왔니?"

"음, 네. 그것도 있고."

혹시라도 사토르디 자작부인이 서운해 할까 봐 거짓말했는데, 그걸 용케 알아차린 모양이었다. 사토르디 자작부인이 작게 웃음소리를 내며 말했다.

"폐하를 뵈러 왔구나?"

아니라고는 말을 못해서, 나는 어색하게 웃으며 대꾸했다.

"내일 일정 때문에요."

"처음엔 싫어하는 것 같더니."

"어느새 적응이 됐네요. 폐하께선 어디 계세요?"

"그야 2층에 계시지. 방에 계신다. 올라가 보렴."

"네."

나는 조심스럽게 2층으로 올라갔다. 어제와 이틀 전, 사흘 전과 마찬가지로 시종들이 바깥에서 대기하고 있었다. 나는 레이놀즈의 방 앞에 서 있던 애슐리 경을 발견하고 반갑게 인사했다.

"안녕하세요, 애슐리 경."

"안녕하세요, 레이디 유리네트."

"폐하께서는 안에 계신가요?"

"네. 방에 계십니다. 그런데 무슨 일로……."

"아."

나는 손뼉을 작게 치며 말했다.

"다름이 아니라 내일 일정 때문에요. 상의하는 게 맞는 것 같아서."

하지만 지금 다시 생각해보면 레이놀즈보다는 애슐리 경과 상의하는 게 좀 더 맞는 것 같기도 하다. 괜히 쉬고 있는 데 방해가 되는 건 아닌지 걱정스러워져서.

"그러셨군요."

애슐리 경이 다정하게 웃으며 내게 말했다.

"폐하께서 좋아하실 겁니다. 이리 신경 써주시다니."

"아니면 애슐리 경."

나는 조심스럽게 그에게 물었다.

"시간 되세요?"

"네? 무슨……."

"폐하께서 휴식하시는데 괜히 방해될 것 같아서요."

"아……. 그러려나요."

"내일 일정 짜는 것 좀 도와주실래요?"

"저야 한가하죠. 원하신다면 기꺼이요."

"아, 좋아요. 그럼 저랑 응접실에서 같이 이야기 나누실래요?"

"2층을 벗어나는 건 곤란해서요. 괜찮으시다면 2층 방에서 이야기 나누실 수 있을까요?"

"물론이죠. 좋아요."

"아, 그전에 잠깐 폐하께 점심 식사 좀 가져다드려도 될까요?"

"물론이죠. 제가 도와드릴까요?"

"감사합니다만 거절하겠습니다. 영애에게 그런 수고를 하게 할 수는 없지요."

"수고일 것까지야. 별것 아닌데요."

그러다 갑자기 의문점이 생겼다. 저녁은 식당에서 먹는 걸로 알고 있는데, 점심 식사는 방에서 따로 하는 건가?

"그런데 식당에서 점심을 안 드시나 봐요?"

"네. 식당에서 점심까지 드시기에는 식욕이 많이 없으신 편이라."

그 말을 듣고 나는 멈칫하지 않을 수 없었다. 뭐가…… 없어?

"식욕이 없으시다뇨?"

"아, 모르셨나요? 폐하께서 입맛도 좀 까다로우시고, 식욕이 왕성하신 분은 아니라서요."

"그래서 점심을 간단하게 해결하시는 편이에요."

"……몰랐어요."

왜냐하면 어제 분명히…….

'배가 큰 것처럼 이야기했는데.'

그럼 나한테 거짓말 한 건가?

'하지만 왜 그런 거짓말을…….'

달칵. 그 순간 문이 열리고 누군가가 모습을 드러냈다.

"아……."

레이놀즈였다. 나는 살짝 당황한 얼굴로 그를 바라보다가, 옆에서 고개를 숙이며 예를 갖추는 애슐리 경을 본 뒤에야 정신을 차리고 레이놀즈에게 인사했다.

"폐하를 뵙습니다."

내 인사에, 그는 내게로 시선을 옮기며 물었다.

"여긴 무슨 일이지?"

"아……."

나는 바로 대답하지 못하다가, 잠시 후에 입술을 움직였다.

"폐하를 뵈러 왔습니다."

"……날?"

"네."

"……왜?"

"여쭤볼 게 있어서요. 아니, 상의라고 해야 하나……."

내 말에 레이놀즈가 나를 빤히 바라보다 입을 열었다.

"들어와."

"네? 어디로……."

"내 방."

짧게 대꾸하는 그의 시선은 내게서 떨어질 줄 몰랐다. 그가 내 다음 행동을 기다리고 있다는 게 너무 눈에 띄어서, 나는 엉거주춤 그의 방 안으로 들어갔다. 안으로 들어서자, 약한 개박하 향기가 났다.

"……."

저번에는 이런 냄새 안 났던 것 같은데…….

'여기선 이런 것도 향수로 뿌리나.'

익숙한 냄새에 그 자리에서 그대로 굳고 말았다. 거울은 보지 않았지만, 그때 내 표정이 어땠을지는 뻔했다.

분명 잔뜩 굳어서는 괴롭다는 티를 잔뜩 내고 있겠지. 그걸 레이놀즈에게 들키기 싫어서, 나는 눈을 힘주어 감았다 떴다.

"왜 그래?"

방 안으로 더 걸어가지 않는 나를 이상하게 여겼는지 뒤에서 레이놀즈가 물어왔다. 나는 그제야 천천히 뒤를 돌았다.

"아……"

나는 말을 잇지 못하다가, 이내 고개를 저었다.

"아무것도 아니에요."

"아무것도 아니긴."

모든 것을 간파하고 있는 사람처럼, 그가 지그시 나를 바라보았다.

"그런 사람치고는 표정이……"

"……제 표정이요?"

"표정이 이상해."

"어디가……"

툭.

"아……"

그때 뜨거운 한 방울이 볼 위로 툭 떨어졌다. 그 뜨거운 감각에 나는 얼이 빠진 얼굴로 천천히 고개를 아래로 내렸다.

툭. 다시 한번 물방울이 떨어졌다.

"……"

나는 그제야 내가 울고 있음을 깨닫고 표정이 굳어졌다. 아니, 일 그러졌다고 해야 정확한 표현이려나. 나는 입술을 꾹 깨물고, 촉촉 해진 눈을 아래로 깔았다. 지금 이 순간, 아무와도 눈을 마주치고 싶지 않았다.

"왜 그래."

상황이 심각해졌다고 느꼈는지, 레이놀즈가 낮은 목소리로 내게 물어왔다. 나는 얼른 눈가를 훔치며 그에게 변명했다.

"아무것도 아닙니다, 폐하. 눈에…… 먼지가 들어갔나 봐요."

듣는 사람도, 말하는 사람도 민망해지는 뻔한 거짓말. 아, 문이 닫혀 있어서 다행이었다. 이 모습을 바깥의 시종들이 봤더라면 부끄러워서 견디지 못했을 텐데.

"어디."

하지만 레이놀즈는 내 터무니없는 변명을 정말 믿기라도 하는 건지, 허리를 숙여 내 얼굴을 보려고 했다. 나는 반사적으로 얼굴을 감싸며, 그에게 내가 울고 있는 모습을 보이지 않게 하기 위해 애썼다. 우는 모습은 보여주기 싫었다. 그게 누구든.

"봐봐."

"빼줄게."

"어떻게 폐하께……. 괜찮습니다. 나온 것 같아요."

"근데 왜 자꾸 얼굴은 가리는데."

"……"

"왜 안 보여줘, 얼굴."

"그렇게 보시니까 부담스러워서요."

"안 볼 테니까 그만 울어."

"……"

"울지 마."

그렇게 말하고 허리를 펴올리는 모습이 손 틈 사이로 눈에 들어왔다. 그쯤 되자 감정도 어느 정도 정돈되고 눈물도 멈춘 것 같아서, 나는 천천히 얼굴을 가렸던 손을 내렸다.

하지만 분명 눈은 숨길 수 없이 빨개졌을 것이다. 아, 그건 먼지 탓이라고 하면 되려나.

'아니, 애당초 이 변명, 먹히지가 않은 것 같은데.'

나는 슬그머니 그에게 궁색한 한 마디를 내밀었다.

"……운 거 아니에요."

이건 좀 아니었나.

'누가 봐도 운 거였는데.'

속으로 한숨을 쉬고 있는데, 레이놀즈의 목소리가 들려왔다.

"왜 울었는지 물어봐도 되나?"

……안 울었다니까.

"말하기 싫으면 됐고. 내 방에 들어서자마자 울어서 나도 많이 당황스러웠거든. 영애도 이해할 것 같은데."

"폐하 때문에 그런 건 아닙니다."

끝까지 자존심 때문에 울었다고는 말 안 했다. 아니, 못했다.

"그냥 갑자기 뭐가 생각나서요."

"갑자기 눈물 뚝뚝 흘릴 만큼 슬픈 건가 보지?"

"……놀리지 마세요."

"놀린 거 아니야."

잠시 후에 그가 말을 맺었다. 전혀 상상도 못 했던 한마디로.

"……부러워서."

나는 순간 잘못 들은 줄 알고 고개를 들어 올렸다. 나를 빤히 바라보는 레이놀즈의 얼굴이 눈에 들어왔다.

"제가 잘못 들었나요?"

"제대로 들은 것 맞아."

그가 태연하게 말을 이었다.

"부럽다고."

"그 존재가 뭔지는 모르겠지만."

"왜…… 뭐가 부러우신데요?"

"영애를 울게 하는 그 존재."

"……뭔지 알면 그런 말씀, 못하실 텐데."

내가 피식 웃으며 중얼거리자, 레이놀즈가 궁금하다는 목소리로 물었다.

"뭔데, 그 존재가?"

"듣고 웃으시면 안 돼요."

"안 웃어."

"으음……."

나는 잠시 머뭇거리다 답을 내놓았다.

"고양이요."

"……뭐?"

"고양이요. 고양이."

괜히 말하고도 머쓱해져서, 나는 관자놀이를 두어 번 긁적였다.

"어릴 때…… 키우던 고양이가 있었는데, 제가 정말 사랑했거든요."

"……."

"근데 죽었어요. 1년쯤 돼서."

"……저런."

짧게 안타까움을 표시한 그가 내게 물어왔다.

"그리고 아직까지 못 잊는 거고?"

"좀…… 특별한 고양이었어요. 애틋하고."

나는 엷게 미소 지으며 말을 이었다.

"제 인생에 구원 같은 존재였어요. 그 앨 만나기 전까지는 이 세상에 나 혼자라고 생각했는데……. 그 고양이 한 마리가 어느 날 갑자기, 깜깜했던 내 인생에 한 마리 반딧불이처럼 날아들었달까. 감정 없던 날 울게 해주고, 웃게 해주고, 날 사람답게 만들어 주고."

"……."

"그래서 더 사랑했나 봐요. 마음이 가고. 아직까지도…… 생각하기만 하면 눈물이 나고."

"그럼 갑자기 그 고양이 생각이 난 건가?"

"고양이는 개박하를 좋아해요. 그래서 자주 줬거든요."

"그런데?"

"들어오자마자 개박하 냄새가 났어요. 그래서…… 생각이 났나봐요."

"……."

"생각이 나니까 또 슬퍼지고…… 그랬어요."

이야기를 마친 후에, 나는 괜히 부끄러워져서 어색하게 웃으며 손으로 얼굴을 가렸다. 너무 자세한 속 이야기를, 만난 지 고작 나흘 된, 1달 후에 떠날 사람에게 해버렸다.

'하긴 뭐.'

가끔은 가까운 사람보다 생판 모르는 남에게 더 속내를 털어놓고 싶을 때도 있는 법이다. 어차피 한 번 보고 말 사이니까. 그리고 이 남자는 한 달도 안 지나서 이 사토르디를 떠날 거고.

"많이 좋아했나 보네."

"그 고양이."

"네."

나는 망설임 없이 대답했다.

"되게 많이 좋아했어요. 사랑했어요."

"……."

"나한텐 가족 같은 애였거든요."

사실은 가족보다 더 가족 같은 애였다.

나한테는 진짜 가족이 없었으니까.

"그 고양이가 들으면."

"좋아할 거야. 아주 많이."

"그럴까요."

"그렇겠지."

그가 희미하게 미소 지었다.

"주인이 자길 이렇게까지 생각해준다는 걸 알고 기뻐하지 않을
고양이는 없어."

"고양이라도 되는 것처럼 말씀하시네요."

"비슷한 경험은 있어서."

레이놀즈가 피식 웃으며 중얼거렸다.

"그래서 지금은 좀 괜찮고?"

"……원래부터 괜찮았어요."

아까 일이 떠올라서 괜스레 얼굴이 붉어지는 기분이다. 나는 눈
을 가늘게 뜨며 그에게 말했다.

"이제 이 이야기는 그만 해요."

"원한다면."

"딱 한 가지만 여쭤보고요."

"뭔데?"

"여쭤봐도 돼요?"

"말해봐."

"왜 부러워하세요?"

나는 그를 빤히 바라보며 물었다.

"제 고양이요."

"……."

"별다른 의미가 있어서 여쭙는 게 아니라…… 아까 하셨던 말씀이 이상하게 걸려서요."

"멋지잖아."

그 역시 나를 빤히 바라보며 답했다.

"어떤 사람한테 그 정도의 존재감으로 남는다는 거."

"쉬운 일 아니잖아, 그거."

"쉬운 일 아니죠, 그거."

내가 고개를 끄덕이며 맞장구를 쳤다.

"저도 어떤 사람한테 언젠가는 그런 존재로 남고 싶어요."

"……."

"물론 요절하고 싶다는 말은 아니에요."

"이미 그런 존재일지도 몰라."

"네?"

"어떤 사람에게는."

"에이, 아직은 아니에요."

나는 그럴 리 없다는 듯 고개를 저었다.

"제 기억에 그 정도로 강렬하고 애틋했던 경험은 없어요."

"……."

"그 고양이를 제외하면요."

"……왜 영애의 기억을 맹신하지? 그러지 마."

그는 여전히 나를 빤히 바라보며 말을 이었다.

"영애가 기억하는 것보다 훨씬 많은 일들이 일어났던 걸지도 모르니까."

"글쎄요……. 어쨌든 제 기억에는 없어요, 그런 일들."

나는 피식 웃으며 고개를 저었고, 그의 시선은 끊김 없이 내게로 닿았다. 내 말을 들은 그가 잠시 생각하는 표정을 짓다 입을 열었다.

"……그래서 여긴 왜 왔다고?"

"상의 드릴 게 있어서요."

나는 아까 전과 완전히 다름없어진 목소리로 돌아와 입을 열었다.

"내일 일정이요."

"아아."

"생각해 두신 것 있으세요?"

똑똑. 그때 바깥에서 노크 소리가 들려왔다. 우리 두 사람의 시선이 전부 문가로 향했다.

"폐하, 애슐리입니다."

"무슨 일이지?"

아까보다 약간 메마른 듯한 목소리가 레이놀즈의 입 밖에서 흘러나왔다. 내게 말할 때와는 꽤 다른 느낌이라 나는 이질감을 느꼈다.

"식사를 가져왔습니다."

그 말에, 레이놀즈가 나를 바라보며 물었다.

"아침은 먹었나?"

"물론입니다, 폐하."

"점심은?"

"아직……."

"사토르디 영애의 것도 준비해 오도록 해."

"알겠습니다, 폐하."

"아, 폐하."

나는 빠르게 그를 제지했다.

"아침을 먹은 지 얼마 되지 않았습니다."

"그런데?"

"그러니 점심을 먹기에는 아직 좀 이르지요."

"어제 보니 식성이 좋은 것 같던데."

"그래도 너무 방금이라……."

내가 계속해서 난처한 표정을 내보이자, 그런 나를 가만히 바라보던 레이놀즈가 하는 수 없다는 듯 한숨 쉬었다.

"하는 수 없지."

"사토르디 영애의 것은 필요 없으니, 가져오지 않아도 돼."

"알겠습니다, 폐하."

여기 방음 진짜 안 된다. 나는 뜬금 맞게도 그런 생각을 했다.

"들어가도 되겠습니까."

"그래."

잠시 후 문이 열리고 애슐리 경이 안으로 들어왔다. 그는 테이블 위에 레이놀즈의 점심 요리가 담긴 접시를 내려놓은 다음 내게로 시선을 돌려 물었다.

"차라도 한 잔 가져다드릴까요?"

"괜찮습니다, 애슐리 경."

"그럼 주스?"

"아녜요, 경. 별로 목이 마르지 않아서요."

"알겠습니다. 필요한 게 있으시면 언제든 말씀하시길."

"그럴게요."

나는 상냥하게 웃으며 애슐리 경을 보냈고, 잠시 후 문이 닫혔다. 그리고 다시 둘이 남았을 때, 나는 태연하게 레이놀즈에게 말을 걸었다.

"와, 맛있어 보이네요. 이건 블루베리인가?"

"……."

"폐하?"

대답이 들려오지 않아서, 나는 의아한 표정으로 고개를 들어 올렸다. 무슨 생각을 하고 있는 건지 도통 알 수 없는 얼굴로 침묵하는 레이놀즈가 보였다. 그 모습에 더 의아해졌다.

"왜 그러세요?"

"어디 불편하세요?"

"애슐리 경과 친한가?"

……이건 또 무슨 뜬금없는 소리?

나는 조금 당황한 얼굴로 그에게 되물었다.

"네?"

"대답해봐. 애슐리 경과 친한가?"

"애슐리 경과는 만난 지 고작 닷새잰데요……."

정확히 말해 만 4일은 되었을 것이다. 나흘 전 오전에 레이놀즈 일행이 사토르디에 왔으니까. 아마 만으로는 4일. 정말 짧은 시간.

"그럼 안 친한 건가?"

"안 친하다 보기도 뭣하고, 친하다 보기도 뭣하고……."

"그 애매모호한 대답은 뭐지?"

"도대체 왜 그런 게 궁금하신 건데요……?"

그는 대답하지 않았고, 나는 여전히 오리무중인 얼굴이었다. 도대체 지금 이 상황, 뭔데……?

"아직은 막 친하다고 보긴 어렵지만, 앞으론 더 친해지겠죠."

"어째서?"

"그래도 남은 한 달 이곳에서 지내실 거고, 또……."

"또?"

"폐하의 시종이니까요. 대답이 충분히 됐을까요……?"

"다른 이유는 없다는 거지?"

"다른 이유…… 뭐요?"

나는 영문을 모르겠다는 얼굴로 두 눈을 말똥말똥 뜨고 레이놀즈를 쳐다보았다. 그런 나를 가만히 응시하던 레이놀즈가 짧게 한숨 비슷한 소리를 내며 고개를 저었다.

"아니야. 됐어."

"뭔데 그러세요."

"아무것도 아니야."

"……."

아무리 봐도 뉘앙스가 '아무것도 아닌' 건 아닌 것 같은데. 나는 이상하다는 듯 눈썹을 찡그리며 고개를 갸웃거렸다.

"진짜 아무것도 아닌 거…… 맞으시죠?"

"그래."

본인이 아니라는데 더 묻지도 못하겠고.

'하아…….'

속으로 나도 모르게 한숨이 나왔다.

"음식 다 식겠어요. 먼저 드시죠."

접시 안에 담긴 음식은 아스파라거스 샐러드와 그랑 마니에르 수플레. 테이블 앞에 앉은 레이놀즈가 내게 음식을 권했다.

"같이 먹지."

"아까도 말씀드렸지만 괜찮습니다. 폐하 몫의 음식을 빼앗아 먹을 만큼 불충한 신민도 아니고요."

"고작 음식 하나 가지고 불충에, 신민에……."

그가 피식 웃었고, 나도 피식 웃었다.

"과했나요?"

"과해."

"근데 적게 드시네요, 되게."

나는 테이블 위를 훑으며 중얼거렸다.

"전 이렇게만 먹고는 못 살아요. 보기만 해도 배고파."

"고작 점심인데. 가볍게 먹는 것도 괜찮지."

"저녁은 괜찮게 드세요?"

"화려하게."

"아침을 황제처럼, 저녁을 거지처럼 먹으라던데."

그 한 마디에 레이놀즈가 재미있다는 듯 웃었다.

"그런 이야긴 또 어디서 들었어?"

"……'어디서'요."

나는 콧등을 매만지며 중얼거렸다.

"어쨌든…… 그렇대요."

"적게 먹어야 오래 살긴 하겠지."

그런 말을 하는 사람치고는 목소리가 심드렁했다.

"과하게 먹으면 일찍 죽으니까."

"……저주하시는 거예요?"

"영애는 아직 젊어서 괜찮아."

"누가 들으면 되게 나이 드신 줄 알겠습니다. 저랑 고작…….

말을 하다가, 나는 문득 그의 나이를 정확히 모른다는 사실을 깨닫고선 멈칫했다.

'레이놀즈가…… 몇 살이더라?'

배운 적이 없었다.

"어떻게 되셨죠, 연세가?"

"……연세 소리 들을 만큼 나이 들진 않았어."

그가 눈살을 찌푸리며 물었다.

"내가 그렇게 나이 들어 보이나?"

"아뇨. 그냥…….

나는 머뭇거리다 말을 맺었다.

"저보다는 많으실 것 같았어요."

유리네트의 나이가 올해로 약관. 레이놀즈가 전장에서 구른 시간이 있으니 최소 스물은 넘었을 텐데, 그럼 당연히 나보다는 많겠지.

"그건 당연하고."

그가 씩 웃으며 내게 물었다.

"몇 살로 보여?"

……되게 곤란한 질문인데, 이거.

'이런 질문은 남녀 떠나서 민감하다고.'

나는 난감한 표정으로 레이놀즈를 쳐다보았다. 과연 어떻게 대답해야 '불충하지 않은 신민'으로서의 역할을 잘 해낼 수 있을까.

"서른은 아니신 것 같습니다."

"……또?"

"스물다섯보다는……."

"많아."

"스물일곱."

"많아."

"스물아홉?"

"……."

"스물여덟!"

그제야 답이 나와서, 나는 명쾌하게 답을 냈다. 그런 나를 보고 레이놀즈가 피식, 헛웃음을 내쉬었다.

"이렇게 못 맞출 수가."

"화나셨어요?"

"아니. 고작 이런 걸로?"

'화날 건덕지도 참 없다'는 반응이어서, 나는 마음이 편해졌다.

내가 씩 웃으며 말했다.

"남녀 상관없이 나이는 민감한 문제니까요."

"그래. 서른 안 넘게 봐줘서 고맙네."

"근데 왜 거짓말하셨어요?"

"무슨 거짓말?"

"어제."

나는 그의 눈을 똑바로 바라보며 말했다.

"식성 좋다고."

"……."

"식욕 많으시다고 하셨잖아요."

"그랬지."

그는 부정하지 않았다. 부정할 필요가 없다고 생각했는지는 몰라도.

"어디 나갈 땐 많아, 식욕."

"평소에는 없고."

"그렇군요."

거기에다 대고 더 말하기도 멋쩍어서, 나는 그냥 고개를 끄덕인 다음 빠르게 화제를 돌렸다.

"아까 하려던 이야기 계속할까요?"

"아까 하려던 이야기?"

"내일 일정 상의요."

"아아."

"생각해 두신 거 있으세요?"

"이것도 일이네."

"네?"

"아니야. 아무것도."

그가 빙긋 웃으며 말을 돌렸다.

"그전에, 궁금한 게 있는데."

"궁금한 거요?"

나는 고개를 끄덕였다.

"물어보세요."

"아까 말했던 고양이 말이야."

"아…… 네."

"죽은 이후로 또 키웠나?"

진심으로 궁금하다는 목소리였다.

"그럼 상처가 좀 나았을 텐데."

"아뇨. 안 키웠어요."

"왜?"

물어보면서 빤히 바라보는 눈길이, 이상하게 부담스럽지가 않다. 의아한 일이지. 원래라면 이런 질문, 불편해해야 정상인데.

"처음처럼 사랑해줄 자신이 없어서."

"……"

"두 번째로 키우게 될 아이를, 네로만큼 사랑해줄 자신이 없었어요."

그렇게 말한 다음에, 나는 조금 민망한 얼굴로 덧붙였다.

"아, 네로는 아까 말한 그 고양이 이름이에요. 온몸이 까맸는데…… 되게 귀여웠어요."

그래서 검은 고양이 네로. 지금 생각해보면 참 센스 없고 재미도 없는 작명이지만.

"그리고 이후에 어떤 애를 키우든, 걔한테 네로를 계속 투영할 것 같았어요, 제가."

"……"

"그건 그다음에 키우게 될 애한테도 못 할 짓이니까. 그럼 안 되는 거니까. 너무 잔인하니까."

그건 사람에게만 잔인한 일이 아니다. 인격이 있는 모든 생명체에게 잔혹한 일이다. 나는 그런 짓을 할 수 없었다. 설령 말 못 하는 동물이라도, 그럼 내가 날 버린 친부모와 다를 바가 뭔가 싶어서. 내가 경멸하고 혐오하는 사람들과 다를 게 뭘까 싶어서.

"어쨌든 그래서 저한테 두 번째는 없었어요. 첫 번째가 전부였고, 처음이었고, 마지막이었어요."

"……"

"진짜 온 마음을 다해서 사랑했거든요. 그래서 그만큼의 사랑을 다시 줄 자신이 없었어요, 전."

나는 씁쓸하게 웃으며 물었다.

"좀 바보 같나요?"

"……전혀."

그가 고개를 저었다. 그 모습이 이상하게 위로가 되는 것 같아서, 나는 슬며시 입꼬리를 끌어 올렸다.

"내가 아까 했던 말이 맞았네."

"무슨 말이요?"

"그 고양이, 네로."

"부럽다는 말."

"그렇네요."

나는 부정하지 않았다.

"전 진짜 그 앨…… 최선을 다해서 사랑했으니까요. 부모가 자식을 사랑하는 것처럼."

그 사실만 놓고 본다면 네로는 참 복 받은 애였다. 한 사람의 사랑을 온전히 다 받고 죽었으니까. 그 말에 조금도 부끄러움 없이, 나는 그 애를 정말 애틋하게 사랑했다.

"영애는……."

레이놀즈가 조용히 입을 열었다.

"멋진 부모가 될 거야."

"……제가요?"

"그래."

나는 대답하지 못했다. 누구보다도 잘 알고 있었기 때문이다. 내가 멋진 부모가, 그러니까 좋은 부모가 될 수 없으리라는 사실을.

"……감사합니다."

하지만 사실대로 말할 수 없었다. 지금의 나는 권유린이 아니라 유리네트 조셋 엘 사토르디고, 태어나자마자 양친에게 버림받은 권유린과는 다르게 유리네트는, 부모에게 사랑받으며 지금까지도 행복하게 지내고 있으니까.

그러니 사실대로 말할 수도 없고, 내 생각에 대해 이해를 구할 수도 없다. 그래서 내가 할 수 있는 말은 고작 그것뿐이었다. 진실과 속내를 숨기기 위한, 무난하고 형식적인 한마디의 답변.

"내 부모가 유린 같은 사람이었더라면 좋았을 텐데……."

"네?"

그 말을 듣고 나는 조금 당황한 얼굴로 레이놀즈를 쳐다보았다. 순간 잘못 들었나 싶어서.

"내 부모 말이야."

그러니까, 지금은 고인이 된 선황제와 선황후의 이야기였다. 나는 조금 당혹스러워졌지만, 애써 내색하지 않고 침묵했다.

"좋은 부모가 아니었거든."

"……."

"난 좋은 부모는 못 될 거야. 아이 낳을 생각도 없고."

"후계는 어쩌시려고요."

"괜찮아. 동생 하나 있어."

나는 말문이 막힌 사람처럼 아무 말도 하지 못했다. 함부로 위로해 주기가 어려웠다. 결국 본질은 부모에게 태어나면서부터 버림받은 내가, 사랑받고 자란 아이의 껍데기를 쓴 내가, 좋은 부모를 두지 못하여 좋은 부모가 될 수 없다고 말하는 이에게 뭐라 말해줄 수 있을까. 결국 나는 한참 후에나 입을 열 수 있었다.

"……그래도 언젠가 부모가 되신다면."

"좋은 부모가 되어 주세요."

"방금까지 한 말은 못 들었나 봐."

"들었어요. 전부."

나는 작게 고개를 끄덕였다.

"그래도 그런 식으로 일반화하실 필요는 없다고 생각해요."

"어디에나 예외는 있으니까."

"그게 내가 될 확률은?"

"폐하께서 만들어나가시는 거죠."

나는 어깨를 으쓱였다.

"그리고 부'모'잖아요."

"부부가 같이 노력하면 돼요. 그럼 될 거예요."

"……그런가."

"네."

그게 내가 그에게 말해줄 수 있는 최선이었다. 솔직히 여기서 더 나아가 말해줄 자신은 없었다. 그럴 자격이 되는지도 모르겠고. 그래도 이 정도 이야기는 원론적인 거니까 할 수 있지 않을까.

"계속 이야기가 다른 곳으로 새네요."

벌써 한 시간도 넘게 흘렀다. 고개를 돌려 시계를 확인하자 벌써 1시를 넘긴 시각. 아침을 늦게 먹고 와서 다행이었다. 아니었다면 지금 이 시간쯤 산통 깨게 배꼽시계가 울렸을 테니까.

"시간이 많이 흘렀네."

"그러게요."

"내가 이틀 전에 한 말 기억하나?"

"무슨 말⋯⋯."

물음이 채 끝나기도 전에, 머릿속으로 스치듯 대화가 떠올랐다.

'재미있어.'

'뭐가요?'

'영애랑 대화하는 거.'

그랬⋯⋯었지. 나는 관자놀이를 긁적이며 살짝 민망하다는 눈을 했다.

"시간이 금방 가긴 하네요."

"내 말이 맞지? 영애랑 대화하는 거 재밌다고."

"재밌는지는 모르겠지만 시간은 빨리 가네요."

"그게 재미있는 거야. 시간 가는 줄 모르고 대화하는 거."

"몰입하고 있다는 증거니까."

부정할 수 없는 말이라, 나는 아무 대꾸도 하지 못했다. 그저 느릿하게 눈알만 굴릴 뿐.

"자꾸 화제가 다른 길로 새고 있어요."

"알아."

"저녁 되기 전에 정할 수 있을까요?"

"뭘?"

"내일 일정."

"아직 저녁 먹기 전까지 5시간 넘게 남았어."

그가 느릿하게 입꼬리를 끌어 올리며 중얼거렸다.

"5시간이면 그 안에 충분히 정하겠지."

"……5시간이나 더 이야기하자고요?"

"왜. 무리인가?"

……당연하지. 어떻게 5시간 동안이나 수다를 떨어?! 생각만 해도 입 아프네.

"저도 좀 쉬어야죠."

"늦잠 잔 거 아니었어?"

맞기는 한데……. 나는 잠시 말을 잇지 못했다가, 곧 반박할 거리를 찾아냈다.

"늦잠은 어제 일 때문에요."

"어제 많이 피곤했어?"

"오래 돌아다녔으니까요."

나는 당연하다는 목소리로 답한 다음 물었다.

"폐하께서는 피곤하지 않으셨어요? 언제 일어나신 거예요?"

"나도 방금."

"……똑같잖아요."

"사실 오전까지만 해도 피곤했는데."

그가 나른한 목소리로 말을 이었다.

"지금은 전혀."

"멀쩡해. 아주."

"……다행이네요."

"왜. 계속 피곤하다고 하면 걱정하려고?"

"요양 오셔서 피곤하시면 안 되니까요."

"부정을 안 하네."

의미심장한 목소리와 의미심장한 미소. 그가 조용히 내게 말했다.

"그래서 내가 영애를 좋아해."

"……네?"

"나 진심으로 걱정해주는 사람들이 몇 없거든. 다 죽어라 죽어라 할 거야, 아마."

"……."

"그 몇 없는 사람들 중 하나라."

"제가 진심일 거라고는 어떻게 확신하세요?"

"진심이야."

"확신해."

"증거라도 있나요?"

나는 레이놀즈의 눈동자를 가만히 응시하며 물었다. 진심으로 궁금했다. 뭘 보고 그렇게 확신하는 어조로 말하는 건지. 무슨 근거로 내가 그를 진심으로 걱정하고 있다고 믿는 건지.

나도 나를 잘 모르는데, 나도 내가 어떤 마음으로 그런 말을 하는 건지 정확히는 모르는데, 타인이, 그것도 말을 듣는 당사자가 어떻게 안다고.

"응."

간결한 대답.

"영애는 거짓말을 못 하거든. 하면 티가 나."

"……그래요?"

"그래."

그가 미약하게 입꼬리를 끌어 올려 웃었다.

"본인은 모르는 것 같지만."

"……몰라요."

거짓말이 아니라 진심으로.

나름 잘한다고 생각했는데, 거짓말 같은 거.

"궁금한 게 있는데, 여쭤봐도 될까요?"

"뭘?"

"거짓말하면 어떻게 티가 나는지."

"뭔가 부자연스러워."

어렵지 않다는 듯, 레이놀즈가 여유로운 목소리로 답했다.

"눈빛, 표정, 말투, 전부 다."

"되게 애매하네요."

"그리고 진심을 이야기할 때는 반짝거려."

"반짝……거린다고요?"

"그래."

"……별처럼요?"

"비슷해."

그가 빙긋 미소 지으며 덧붙였다.

"별처럼 반짝거려. 눈동자가."

"……관찰력이 대단하시네요."

비유는 둘째치고, 그런 걸 알아본다는 건…….

'내가 너무 둔한 건가.'

잘 모르겠다. 나는 한 번도 그런 걸 알아본 적이 없는데.

'내가 둔한 건지, 이 남자가 예리한 건지.'

어쩌면 나는 너무 둔하고, 이 남자는 너무 예리한 걸지도.

"5시간은 무리고, 1시간 안에 빠르게 마무리 짓는 건 어떠세요?"

"어디 가고 싶은 곳은 없고?"

"……그걸 왜 제게 물으시는지."

내 요양인가? 자기 요양이지.

"폐하께서 결정하셔야 할 사안이라 사료됩니다."

내 말에 레이놀즈는 입을 다물었다. 무언가를 생각하는 듯했다. 나는 차분히 그의 입이 열리기를 기다렸고, 내 귀에 다시 무언가가 들린 건 한 30초 정도가 지난 후였다.

"고양이 많이 모인 데."

"어때?"

"……원하신다면요."

썩 달갑지는 않았지만, 애당초 이게 나를 위한 일정도 아니고.

"사토르디에 고양이 정원이 있어요."

나는 조용히 입을 열었다.

"공식적인 고양이 정원은 아니고…… 그냥 고양이가 많이 모인 정원이에요."

"그곳에 가실래요?"

"유린이 원한다면."

"그럼 갈게."

"……전 원하지 않아요."

진짜 나한테서 진심과 거짓을 알아본다면, 이게 진심이라는 것쯤은 알겠지.

"고양이 싫어해요."

"네로 죽은 이후로."

정확히는 못 봤다, 고양이를. 모든 고양이에 네로를 투영하고 만 것이다. 빌어먹을 펫로스 증후군. 진짜 빌어먹을⋯⋯.

"하지만 폐하께서 원하신다면 갈게요."

그가 나를 응시했다. 나는 계속 말했다.

"원하신다면요. 트라우마 같은 건 아니에요."

아닌가. 엄밀히 따지자면 이것도 일종의 트라우마인가. 네로가 죽은 이후에는 고양이 꼬리만 보는 것도 꺼려 했으니까.

아, 모르겠다.

"왜?"

"네?"

"왜 내가 원하면 가려는 건데?"

"⋯⋯절 위해 짜는 일정이 아니잖아요."

나는 간단하다는 듯 답했다.

"폐하를 위한 일정이에요. 폐하의 요양을 위해 지금, 여기 계시는 거고. 저도 폐하를 위해 여기 있는 거고."

그러니까요. 나는 간단명료하게 이 상황을 정리했고, 그는 말이 없어졌다. 그 조용한 침묵이 불편해졌다.

"하나만 물어도 되나?"

그 목소리가 들려온 건, 우리 사이의 침묵이 한 3분쯤 지났을 때.

정말 숨 막혔던 그 정적이 지나가고 찾아온 첫 소요가, 나는 놀랍게도 반가웠다. 그래서 더 망설임 없이 고개를 끄덕였던 것 같다.

"네로를 만나기 전에."

"……"

"그때도 고양이를 좋아했어?"

"생각해본 적이 없어요."

나는 잘 모르겠다는 목소리로 답했다.

"고양이를 좋아해서 네로를 키운 건 아니었거든요."

"그럼?"

"새끼 고양이가 비를 맞고 있는 걸 외면할 수가 없어서, 그래서 주워왔어요."

"……그것 봐."

그가 미소 지었다.

"유린은 좋은 부모가 될 거야. 이렇게 착한걸."

"……그런가요."

"응."

그가 고개를 끄덕였다.

"착해. 엄청."

"……감사합니다."

나도 미소 지으며 답했다. 이상하게 마음이 따뜻해지는 기분이다.

"고양이 정원은 나중에 가자."

"나중에요?"

"그래. 나중에. 언젠가 유린이, 고양이를 다시 좋아하게 된다면."

"그러기에 한 달은 너무 짧은걸요."

내 지적에도 레이놀즈는 그저 웃기만 했다. 무슨 생각을 하는 건지 참, 모를 미소.

"그럼 내일은 어디 갈까요?"

"내일은……."

레이놀즈가 고민하는 소리를 냈다. 나는 그를 빤히 쳐다보았다.

"아마나의 꽃집?"

"네?"

"이틀 전에 영애가 갔다는, 아마나 양의 꽃집."

"거기 한번 가보고 싶은데."

"꽃집을요……?"

내가 조금 이해가 가지 않는다는 표정으로 미간을 좁혔다.

"꽃 좋아해, 나."

"……."

"한번 가보고 싶은데."

안 되나?

물어오는 그에게, 차마 안 된다고 말할 수가 없었다.

# 7

## *Get rid of*

"그래서 진짜 아마나의 꽃집에 간다고?"

그날 저녁 식사를 마친 다음 오드리가 놀랍다는 목소리로 물어왔고, 나는 고개를 끄덕였다.

"가고 싶으시다는 데 뭐. 어떻게 해."

"너무 의외잖아. 아마나 뒤로 넘어가는 거 아냐?"

"그럴지도."

나는 키득거리며 웃었다. 확실히 그럴지도 모르겠다고 생각하면서.

"어쨌든 내일 일정은 참 널찍해서 좋아."

"사실 그래야 해. 지난 나흘이 너무 빡빡했던 거야."

오드리가 맞장구를 쳤다.

"요양 오신 거지 여행 오신 게 아니잖아."

"맞아. 앞으로는 좀 이렇게 지내야겠어."

"그보다 오늘은 언니더러 같이 저녁 먹자고 안 하셨나 봐?"

"음……. 그러게."

"'그러게'는 뭐야. 아니면 아닌 거지."

"그런가."

나는 고개를 갸웃거리다 물었다.

"근데 갑자기 왜? 내심 폐하와 저녁 식사하는 거 기대했어?"

"그럴 리가 있나. 그냥 궁금해서 물어본 거야."

오드리가 뒷머리를 긁적이며 화제를 돌렸다.

"근데 고작 나흘밖에 안 됐는데, 뭐랄까 되게 익숙한 느낌이야."

"뭐가?"

"폐하께서 여기 지내시는 거."

"그런가……."

"그러다 완전히 익숙해질 즈음 되면 떠나시겠지?"

"그렇겠지."

나는 성의 없이 말을 받아주다가, 이내 이상하다는 듯 고개를 갸웃거렸다.

"근데 넌 폐하를 직접 대면한 적은 처음 인사드릴 때 빼고 없지 않아? 익숙해질 수가…… 있나?"

"그냥 그런 존재가 한 집에 있다는 것만으로도 익숙함을 느끼는 거지."

"하긴…… 그런가."

그럴 수도 있겠다는 듯 나는 고개를 끄덕였다.

❧ ❧ ❧

그리고 다음 날이 되었을 때, 나는 어제와 다름없이 느지막하게 침대에서 일어났다. 오늘 일정이 매우 간소했기 때문에 조금 늦게 일어나는 것쯤은 아무 문제도 되지 않았다.

'레이놀즈가 나 늦잠 자는 거 알고 있기도 하고……'

부스스한 머리카락을 정돈하고, 드레스를 갈아입고, 간단히 아침 겸 점심을 먹고 나자 시간이 벌써 정오. 아, 어제보다 더 게으름을 피워버렸다.

"애슐리 경."

그리고 본채로 건너갔을 때, 나는 어제와 똑같이 요리가 담긴 쟁반을 들고 2층으로 가려는 애슐리 경과 마주쳤다. 저 쟁반에 담긴 요리들은 아마 레이놀즈의 점심일 것이다. 나를 발견한 애슐리 경이 반가운 표정으로 내게 인사했다.

"아, 레이디 유리네트."

"안녕하세요. 오늘도 폐하께서 드실 점심 식사 준비하시는 건가요?"

"네. 오늘은 적양배추 샐러드와 문어 카르파치오랍니다."

애슐리 경이 해맑게 웃으며 메뉴를 설명했고, 나 또한 환하게 웃으며 놀라는 모습을 보여 주었다.

"와, 맛있겠네요."

"그렇죠? 혹시 원하신다면 드릴까요?"

"오, 아뇨. 저는 괜찮아요."

내가 손사래를 치며 그에게 말했다.

"이미 점심을 먹었어요."

엄밀히 말해 그건 아침이었고, 좀 더 엄밀하게 말하자면 브런치였지만.

"배가 부르답니다. 마음만 감사히 받을게요."

"원하신다면 언제든 말씀하세요."

"네. 감사해요."

나는 씩 웃은 다음 애슐리 경에게 물었다.

"그보다 폐하께서는 방 안에 계신가요?"

"네. 늘 그렇듯이요."

"보통 혼자 계실 때 뭘 하시나요?"

"주로 책을 읽으시죠. 폐하께서는 소문난 독서광이시랍니다."

"아아……."

전쟁광에 이어 이제는 독서광이라. 뭐 하나에 미치는 걸 좋아하는 사람인가.

"폐하께서 펼치시는 훌륭한 전술들은 전부 그 방대한 독서량에서 기인하지요. 다 노력의 산물이랍니다."

"그렇군요."

"그보다 오늘 폐하와 꽃집에 방문하기로 하셨다면서요?"

"아아, 네."

나는 고개를 끄덕이며 첨언했다.

"제가 주로 방문하는 꽃집에 가기로 했답니다. 믿을 만한 곳이에요."

"물론 안전상의 문제에 대해서는 걱정치 않습니다, 레이디 유리네트. 저희 모두 폐하를 믿으니까요."

"하지만 너무 무방비하신 것은 아닌지 걱정도 되어요."

"그건……."

애슐리 경이 소리 죽여 웃으며 말을 이었다.

"영애께서는 아직 한 번도 폐하께서 검을 빼 드시는 모습을 보신 적이 없지요?"

"네. 저야 뭐…… 그럴 일이 없었습니다. 다행스럽게도 그간 불미스러운 일이 생기지 않아서요."

"불미스러운 일이 생기기를 바라는 것은 결코 아닙니다만, 폐하께서는 대단한 무인이시랍니다. 한 번쯤은 그 실력을 직접 보신다면 좋을 텐데……."

"그 정도인가요?"

"말로는 다 설명 못 합니다. 폐하께서 괜히 전장의 사신이라 불리우시는 것이 아니지요."

애슐리 경이 빙긋 웃으며 내게 말했고, 그런 말을 들으니 정말로 뭔가 있긴 있는 건가 하는 생각이 들었다. 그렇지 않고서야 이렇게 신하된 도리로서 천하태평일 수는 없는 거니까. 레이놀즈야 그렇다고 쳐도 말이다.

'그래도 이왕이면 별일 없는 게 좋지.'

설령 레이놀즈의 검술 실력을 한 달 내내 보지 못하게 되더라도 말이다. 이러니저러니 해도 안전한 게 최고였으니까.

"······둘이 지금 거기서 뭐 하는 거지?"

그때, 옆쪽에서 익숙하고도 낮은 목소리가 들려왔고, 나와 애슐리 경은 동시에 옆을 돌아보았다.

"아······ 폐하."

미간을 좁힌 채 우리 둘을 바라보는 레이놀즈가 그곳에 서 있었다. 나는 이번에는 어제처럼 당황하지 않고, 자연스럽게 미소 지으며 그에게 예를 차려 인사했다.

"제국의 태양, 황제 폐하를 뵙습니다."

하지만 레이놀즈는 내 인사를 무시하고 애슐리 경에게로 시선을 돌렸다.

"애슐리 경, 식사가 이렇게 늦어서야 되겠나? 내가 기다리다 못해 직접 움직일 지경까지 지연되는 건 좀 아닌 것 같은데."

레이놀즈가 심기 불편함을 넌지시 드러내자, 애슐리 경이 '헉' 하는 소리를 내며 재빨리 허리를 굽혔다.

"송구합니다, 폐하. 제가 경솔했습니다. 부디 용서를……."

"저와 담소를 나누시느라 지연된 것입니다, 폐하."

괜히 나랑 얘기하다 애슐리 경이 혼나게 된 상황인 것 같아서, 나는 빠르게 끼어들었다.

"제 탓입니다. 송구합니다, 폐하."

"……담소를 나누다 지연됐다고?"

"그렇습니다, 폐하."

"……."

내 대답에 레이놀즈가 눈을 가늘게 뜨고 우리 둘을 쳐다보았다.

그러더니 한참 후에 물었다.

"무슨 담소."

"네?"

"무슨 담소를 그렇게 재미있게 나눴길래 식사가 늦어진 거지?"

"어, 그게……."

나는 빠르게 머리를 굴리며 입을 열었다.

"제가 폐하의 호위가 너무 허술하다고 걱정했더니, 애슐리 경께서 폐하의 검술 실력이 아주 훌륭하시다고, 너무 걱정할 필요 없다고 안심시켜주셨습니다."

"……."

"그냥…… 그런 이야기였습니다. 식사가 늦어진 점에 대해서는 다시 한번 사과드립니다."

변명은 이쯤 하고, 나는 다시 고개 숙여 사과했다. 옆에서 애슐리 경이 자신과 같이 혼나는 나를 보고 어쩔 줄 몰라 하는 기색이 보였지만, 그렇다고 해서 의리 없게 혼자 빠져나가는 것도 좀 아닌 것 같았다. 그래도 엿새 동안 – 만으로 치면 닷새지만 – 같이 얼굴 본 정이 있는데.

하지만 내 사과에도 레이놀즈는 말없이 우리 두 사람을 그저 빤히 바라보기만 할 뿐이었다. 그리고 그가 입을 연 것은 사과를 하느라 굽히고 있던 허리가 슬슬 아파오기 시작할 즈음이었다.

"그만 일어나지. 허리 아플 텐데."

……일찍도 말해준다.

나는 속으로 불평하면서도, 입 밖으로는 '감사합니다' 소리를 내뱉으며 천천히 허리를 펴 올렸다. 아, 이제야 좀 살 것 같네.

"그보다 여긴 웬일이지, 레이디 유리네트?"

"준비가 다 끝나서, 폐하를 모시러 왔습니다. 식사 다 마치실 때까지 기다리겠습니다."

"……같이 먹지."

"어제와 마찬가지로, 아침을 먹은 지 얼마 되지 않아서요."

"괜찮습니다, 폐하."

내 말에, 그가 짧게 한숨을 내쉬며 입을 열었다.

"그럼 내 앞에 앉아만 있어."

"그건 해줄 수 있잖아. 그렇지?"

"원하신다면요."

어려운 일도 아니라 나는 그러겠노라고 고개를 끄덕였다. 다행스럽게도 애슐리 경은 거기서 더 혼나지 않았고, 우리는 2층 그의 방으로 향했다. 물론 애슐리 경이 나중에 내가 없는 사이 혼날 수도 있겠지만, 그것까지는 내가 어쩔 도리가 없었다. 그래도 같이 혼난 사이에 괜히 책임감이 느껴져서, 나는 그의 방에 들어와 테이블 앞에 앉자마자 그 이야기부터 꺼냈다.

"거듭 말씀드리는 것 같아 죄송하지만…… 애슐리 경을 혼내지 않아 주셨으면 좋겠습니다, 폐하."

"……."

"저랑 이야기 나누느라 늦어진 것뿐이니까요……. 정, 벌을 내리셔야겠다면 저도 같이……."

"영애."

그때 레이놀즈가 내 말을 끊고 들어왔고, 순식간에 말이 가로막힌 나는 순간 아무 말도 하지 못했다. 하지만 곧 아무렇지 않게 그의 부름에 답했다.

"네, 폐하."

그리고 그 뒤로 들려오는 한 마디는 정말 예상치도 못했던 내용이었다.

"애슐리 경을 좋아하나?"

"……네?"

나는 순간 잘못 들은 줄 알고 어벙한 표정을 지었다. 하지만 질문의 진실성을 의심할 수 없을 정도로 레이놀즈의 표정이 진지해서, 나는 당연하게 당황했다. 지금 이게 도대체 무슨 질문인 건지.

'누가 누굴 좋아해?'

내가, 애슐리 경을? 만난 지 고작 닷새 넘은 남자를?

'첫눈에 반한 것도 아닌데?'

날 뭘로 보고!

"제가 잘못 들은 것이지요, 폐하?"

나는 그의 질문 의도가 짐작이 안 가서, 레이놀즈에게 다시금 물었다. 하지만 그는 진지하게 고개를 저어 보일 뿐이었다. 어쩐지 기분 나빠 보이는 얼굴로.

"아니."

"제대로 들은 게 맞아, 영애."

"그럼 왜 제게 그런 질문을 하셨는지 여쭤봐도 될까요?"

"무슨 뜻이지?"

"이해가 안 가서요."

나는 고개를 갸웃거리며 말했다.

"왜 제가 애슐리 경을 좋아한다고 생각하신 건가요?"

"아까 둘이 가깝기 붙어 있기에."

고작 그런 걸로……? 황당하기 이를 데 없구만.

"가깝게 붙어 있는 걸로 친다면."

나는 잠깐 고민하다 말을 이었다.

"폐하와 제일 오랜 시간을 가깝게 붙어 있는데요."

"……음?"

"그렇게 따진다면 폐하를 좋아하느냐고 물으시는 게 더 합리적이지 않을까요?"

"……."

"폐하?"

레이놀즈가 아무 말도 하지 못하자, 나는 이상하다는 듯 눈살을 구기며 그에게 물었다.

"왜 그러세요?"

"……."

"폐하?"

"……아."

두 번이나 부르고 나서야 레이놀즈는 정신 차린 소리를 냈다.

나는 미간을 좁히며 그에게 물었다.

"괜찮으세요?"

"……그래. 괜찮아."

그는 가볍게 마른세수를 한 다음 정신을 차렸고, 나는 아까 하려던 말을 이어서 계속했다.

"어쨌든 말도 안 되는 질문이셨습니다. 전 애슐리 경과 만난 지

고작 닷새밖에 안 되었는걸요."

"그렇다면 애슐리 경을 좋아하는 건 아니라는 말이지?"

"아닙니다, 폐하. 왜 그런 질문을 하셨는지 저로서는 도통 이해가 가질 않네요."

"그렇군."

그가 만족스럽게 고개를 끄덕였다.

"다행이야."

"그런데 왜 그렇게 생각하셨어요?"

여전히 이해 가지 않는다는 목소리로 묻자, 레이놀즈의 눈빛이 살짝 당황으로 흔들렸다. 그가 이런 눈빛을 보이는 건 처음이라고 생각하면서, 나는 가만히 대답을 기다렸다.

"그게……."

"……."

"둘이 사이가 좋아 보여서."

"고, 고작 그런 이유였던 거예요?"

나는 황당함에 말까지 더듬었다.

"그냥 대화 나눈 것뿐인데요."

"……내 눈엔 그렇게 보였어."

헐. 나는 절레절레 고개를 저으며 말했다.

"나중에 황후 되실 분이 힘드시겠어요."

"……갑자기 왜?"

"폐하, 의처증 있으실 것 같아요."

그렇게 말한 뒤에, 나는 빠르게 말을 좁혔다.

"물론 제가 폐하와 남녀관계에 있는 건 아니지만, 저한테 그런 질문을 하시는 걸 보면 충분히 그럴 만한 소지가⋯⋯."

"의처증 같은 건 없어."

레이놀즈가 단호하게 말을 끊었다.

"질투는 좀 많아도."

"그게 발전하면 의처증이 될지도 몰라요."

"선은 지키니 너무 걱정하지 말고."

"네? 아, 네. 뭐⋯⋯ 제가 걱정할 일은 아니지요."

나는 대수롭지 않은 말투도 덧붙였다.

"제가 폐하의 아내 될 사람도 아닌걸요."

"⋯⋯뭐?"

"그렇잖아요. 황후가 된다면 또 모를까, 그게 아닌데 군이 제가 걱정할 필요는 없겠죠."

내 대답을 들은 레이놀즈의 표정이 순간 어두워졌다. 나는 무슨 대답을 잘못했나 싶어 한 말을 더듬어 보았지만, 딱히 그럴 만한 것은 없었다. 그래서 더 미스터리한 순간.

"너무 확신하지는 마."

의아해 하고 있는 내게 레이놀즈의 목소리가 들려왔다. 하지만 나는 그 말을 듣고 난 뒤에도 계속 의아한 얼굴이었다.

"네?"

"확신하지 말라고."

"그 어떤 것이든, 미래는 확신하는 것이 아니야."

"물론 그렇지요."

하지만 내가 황후가 된다는 건 정말 그럴 리 없다고 확신할 수 있었다. 상식적으로 말이 안 되는 이야기였으니까. 사토르디 가문은 경제적으로 부유할지언정 정치적으로 황가에 도움을 줄 만한 위치는 못 되니까.

'그렇다고 해서 레이놀즈가 날 사랑할 일도 없을 거고.'

그러니 내가 황후가 된다는 건 불가능한 미래일 텐데.

'그 정도면 아무리 훗날의 일이라도 확신할 수 있지 않나?'

하지만 더 말했다가 괜히 레이놀즈의 심기를 건드릴까 봐, 나는 은근슬쩍 다른 쪽으로 화제를 틀었다.

"음식이 식겠습니다, 폐하."

"어서 드시지요."

내 재촉에 레이놀즈는 더 말하지 않고 조용히 포크를 들었다. 그제야 나는 마음이 편해져서 배시시 미소 지었다.

❧ ❧ ❧

나는 약속대로 레이놀즈가 식사를 다 끝마칠 때까지 기다려 주었다. 나갈 준비까지 다 마치자 시간은 어느덧 1시에 가까워졌는데, 지금 출발하면 도착할 때 즈음에는 한 2시쯤 될 터였다. 그 정도면 아마나도 다 식사를 마치지 않았을까?

"폐하께서는 무슨 꽃을 좋아하세요?"

마차 안에서 무심코 던진 질문에, 멍하니 앞만 바라보던 레이놀즈가 나와 눈을 맞추었다.

"꽃?"

"네."

"갑자기 그런 질문은 왜?"

"사드리려고요."

물론 그가 원하는 꽃이 아마나의 꽃집에 있어야 가능한 일일 테지만.

"흐음."

레이놀즈가 깊이 생각하는 표정을 지었다.

"꽃이라……."

"설마 좋아하시는 꽃이 없는 건 아니죠?"

"글쎄."

모호한 대답이었다.

"그렇다기보다는, 그런 걸 생각해본 적이 없어."

"그게 무슨 뜻이세요?"

"그런 걸 생각해볼 여유가 없었다는 뜻이지."

그 말과 함께 살짝 끌어 올리는 입꼬리가, 어쩐지 쓰게 느껴졌다.

"꽃같이 평화로운 건 어울리지 않는 삶이었으니까."

레이놀즈의 대답은 내 말문을 막히게 했다.

그 순간 나는 어떤 말을 해야 할지 도무지 판단이 안 서서, 바보처럼 입술만 달싹거리다 아무 말도 하지 못했다. 그리고 그런 나를 바라보면서, 레이놀즈는 의미를 알 수 없는 미소를 지었다. 그 미소를 보자 기분이 더 이상해졌다.

"폐하의 나이가 올해로 스물여덟이라 하셨습니다."

"그랬지."

"앞으로 살아가실 시간이, 지금까지 살아오신 시간보다 훨씬 길어요."

"그러니까, 앞으로 그런 삶을 살아가시면 돼요."

꽃처럼 평화로운 것들이 어울리는 삶. 편안함이 깃든 꽃 같은 삶.

"그럴까?"

"그럼요."

나는 여부가 있겠냐는 듯 대답했다.

"아직 한참 젊으신걸요. 미혼이시고, 슬하에 자녀도 없으시고."

"……."

"꽃은 가서 결정해 봐요. 아마나의 꽃집이 그렇게 작진 않으니까, 분명 폐하의 마음에 들 만한 꽃이 있을 거예요."

"영애가 사주는 건가?"

"오늘은 그러려고요."

나는 씩 웃으며 고개를 끄덕였다.

"지난번에 목걸이도 사주셨으니까."

"……목걸이."

레이놀즈가 가라앉은 목소리로 입을 열었다.

"안 했던데, 오늘."

"네? 아니에요."

나는 억울해져서 빠르게 끼어들었다.

"했어요, 지금."

"안 보이잖아."

"아."

나는 빠르게 입고 있던 망토를 벗었고, 안에 있던 붉은 오프숄더 드레스가 드러났다. 동시에 내 목에 자리한, 망토에 가려져 있던 푸른 목걸이까지. 그 모습을 본 레이놀즈의 눈살이 기묘하게 휘었다.

"이제 보이시죠?"

"했잖아요, 목걸이."

"……알았으니까."

"네?"

"그만 입어."

"뭘요?"

"망토."

레이놀즈는 아까보다 얼굴이 붉어진 채, 나를 똑바로 바라보지 못하며 말했다.

"입으라고, 그만."

"안 어울리나요?"

나는 살짝 당황한 목소리로 물었다. 목걸이 안 해서 서운해 하는 줄 알았는데, 막상 보여주니까 다시 망토로 가리라니.

"안 어울리는 게 아니라……."

레이놀즈의 미간이 살짝 좁혀졌다.

"너무 노출이 심한데."

그러면서 손가락으로 내가 입은 드레스를 가리키는 것이었다.

"지금 입은 거."

"이 옷이요?"

나는 더 당황한 목소리를 냈다. 이게 노출이 심하다고? 진짜 노출 심한 옷을 못 보셨네, 이분이.

"되게 건전한데요, 지금 이 정도는."

"평소에도 그렇게 입나?"

"네."

그 말을 들은 레이놀즈의 표정이 더 안 좋아졌다.

'뭐야? 뭐가 문제인 거야?'

나는 억울하다는 얼굴로 물었다.

"수도에서는 이보다 더 심하게 파인 드레스도 흔하지 않나요?"

"그런 걸로 아는데."

사실이었기 때문에 그는 반박하지 못했고, 자연스럽게 침묵이 찾아왔다. 그리고 나는 도통 이해가 가지 않는 그의 행동에 의아한 얼굴로 고개를 갸웃거릴 뿐이었다. 잠시 후에 그가 큼큼 헛기침을 하며 말을 돌렸다.

"그보다, 꽃집까지는 얼마나 남았지?"

"한 삼십 분 정도? 혹시 멀미 나시나요?"

"아니. 괜찮아."

그 대화를 끝으로 다시 정적이 찾아왔다. 이상하게 어색해진 분위기에 내가 무슨 말을 꺼낼지 고민하던 찰나, 레이놀즈의 목소리가 다시 들려왔다.

"앞으로도 계속 하고 다녀줄 수 있나?"

나는 고개를 들어 올려 그를 쳐다보았다.

"그 목걸이."

"아."

나는 무의식적으로 천돌 아래에 놓인 목걸이를 만지작거렸다. 차가운 돌의 촉감이 왠지 모르게 기분 좋다.

"그러겠습니다."

"정말?"

"네. 폐하께서 직접 사주신 거잖아요."

나는 싱긋 웃으며 고개를 끄덕였다.

"가문의 영광이지요."

"그렇게 높게 칠 정도는 아닌데."

어쩐지 쑥스러워하는 목소리였다.

"비싼 것도 아니고."

"선물에 가격만 중요한 건 아니니까요."

나는 어깨를 으쓱이며 말했다.

"정성과 마음도 충분히 중요하다고 봐요."

"다음번에 더 비싼 걸로 사줄 거야."

그가 나를 가만히 응시하며 말했다.

"그때까지만 차고 있도록 해. 알았지?"

"다음번에요?"

"그래."

입가에 설핏 미소가 걸렸다.

"다음번에."

"언제……."

"그건 비밀."

미소가 짙어졌다.

"예상치 못한 재미도 있어야 할 테니까."

"뭐, 좋아요."

나는 아무렴 어떻냐는 듯 고개를 끄덕였다.

"그런데 사실 저는 이것도 마음에 들어요."

"그래도."

그가 씩 웃었다.

"나는 값어치도 중요하게 여기는 사람이라."

"마음 편하실 대로 하세요. 받는 입장에서는 아무래도 좋으니."

"기대하고 있어도 좋아."

의미심장한 미소와 함께 말을 맺는 동시에, 마차가 멈추어 섰다. 내 시선은 자연스럽게 그에게서 창밖으로 옮겨갔다. 창 너머로 아마나의 꽃집이 보였다. 나는 자연스럽게 미소가 지어졌다.

아마나에게는 어제 폐하와 함께 방문하겠다는 기별을 해두었다. 지금쯤 두근두근한 마음으로 나를, 그리고 레이놀즈를 기다리고 있을 것이다.

'깜짝 놀라겠지.'

알고 기다리고 있다고 해도 말이다.

나는 싱긋 웃으며 레이놀즈에게 말했다.

"아마나는 유일하게 저택 바깥에서 폐하의 존재를 아는 사람이에요. 하지만 다른 사람들은 모르니까, 모쪼록 그 부분만 유념해 주세요."

"걱정하지 마. 영애를 곤란하게 만들 일 없을 테니."

"믿어요."

나는 씩 웃은 다음 마차의 문을 열었다. 그리고 레이놀즈와 함께 마차에서 내린 뒤에, 설레는 마음으로 아마나의 꽃집 문을 열었다.

딸랑-.

경쾌한 종소리와 함께 문이 열리고, 아마나의 목소리가 들려왔다.

"어서 오세요!"

그리고 곧바로, 나를 발견한 아마나의 눈이 동그랗게 커졌다.

"앗…… 아가씨!"

"안녕, 아마나."

나는 방긋 웃으며 조심스럽게 안으로 들어갔다.

"들어오세요."

물론, 레이놀즈와 함께. 나와 함께 가게 안으로 들어서는 레이놀즈를 본 아마나의 얼굴이 하얗게 질렸다.

"서, 서, 서, 설마 지금 뒤에 계신 분……."

"맞아."

나는 머쓱하게 웃으며 고개를 끄덕였다.

"내가 말씀드렸던 그분."

"마, 마, 맙소사……."

꽃집 안에 사람이 없어 다행이었다. 아마나는 대놓고 놀란 표정을 지으며 나와 레이놀즈를 번갈아 쳐다보다가, 이내 '핫' 소리를 내며 서둘러 허리를 90도로 굽혔다.

"아, 아, 안녕하세요."

"……."

"무, 무, 무엇을 도와드릴까요."

"아마나, 너무 부담스러워하지 않아도 돼."

말을 심하게 더듬는 게 안쓰럽기까지 해서 나는 조용히 끼어들 었다. 하지만 여전히 아마나의 태도는 나아질 기미가 보이지 않 았다.

"그냥 편하게…… 굴어줘."

그 말에 아마나는 금방이라도 까무러칠 듯한 얼굴로 변하더니, 냉큼 나를 제 쪽으로 끌어당겨 귀에 대고 속닥거렸다.

"어떻게 편하게 굴어요! 다른 사람도 아니고 폐하신데……!"

"널 이렇게 불편하게 만들려고 모시고 온 건 아니었단 말이야."

"감히 거절할 수가 없어서 받아들이기는 했지만, 그렇다고 불편 하지 않을 리가요."

다른 누구도 아닌 폐하신데! 아마나의 반응에 나는 시무룩한 목 소리로 사과했다.

"미안해."

"아니, 미안해하실 필요는 없고……. 그러라고 꺼낸 이야기는 아 닌데……."

아마나가 난처한 목소리로 물었다.

"저 이제 어쩌죠? 그냥 조용히 저기 숨어 있을까요?"

"너무 부담스러우면 그렇게 해."

"그럴게요. 저 진짜 지금 오금이 저려서……."

"불편하게 만들었다면 유감이군."

그때, 속닥거리는 우리 사이로 낯선 목소리가 끼어들었다. 우리 둘 다 멍한 얼굴로 옆을 돌아보았다.

"편하게 있어도 돼."

"유린의 친구라면."

말을 끝내고 레이놀즈는 싱긋 웃어 보였는데, 누가 봐도 그건 억지로 웃는 모양이라 나는 당황스러워졌다. 그건 아마나도 마찬가지였는지 얼굴이 여전히 새하얬지만, 자신을 안심시켜주려는 레이놀즈의 의도를 눈치챘는지 아까보다는 한결 편안해진 모습이었다.

"네, 폐하……."

아마나는 개미가 기어가는 듯한 목소리로 대답한 뒤, 슬며시 다음 말을 꺼냈다.

"차를…… 내올게요. 입맛에 맞으실지는 모르겠지만."

"뭐든 괜찮다. 그리 까다로운 입맛은 아니라."

"네, 네."

아마나는 차를 끓이기 위해 서둘러 발을 움직였고, 그 때문에 홀로 남겨진 나는 슬며시 다시 레이놀즈의 곁으로 다가갔다. 그리고 생긋 미소 지으며 한 마디를 했다.

"감사해요, 폐하."

"뭐가?"

"아마나 안심시켜 주셔서요."

"날 보고 너무 떨길래."

"일반 사람들에게는 그게 당연한 거예요. 살면서 폐하를 뵐 일이 없으니까."

"영애는?"

궁금하다는 목소리로 그가 물어왔고, 나는 머쓱하게 웃었다.

"저도 그랬죠. 당연히."

"지금은 안 그런 거 같은데?"

"그러게요."

나조차도 꽤 신기했다. 레이놀즈가 이상하게 낯설고 무섭게 느껴지지 않는달까. 신분을 떠나 고작 엿새 동안, 만으로 따지면 닷새 정도밖에 함께 지내지 않았던 사람인데도 말이다.

'꼭 예전에 많이 만나본 사람처럼.'

아니, 그걸 넘어서 되게 가깝게 지냈던 사람처럼.

'그럴 리가 없는데 말이야.'

그럼에도 이상하게, 그에게서만 느낄 수 있는 편안함이 있었다. 말로 정확하게 설명할 수는 없지만.

"지금은 폐하가…… 이런 말씀 무례하게 들릴 수 있지만, 처음보다는 편하게 느껴져요."

"다행이네."

레이놀즈가 빙긋 웃으며 말했다.

"영애에게 내가 편안하게 느껴져서."

"혹시 기분 나쁘셨다면……."

"아니."

그가 빙긋 웃으며 고개를 저었다.

"안 나빠. 하나도."

"……."

"외려 기분 좋은걸. 내가 영애에게 그런 존재라니."

그 말과 함께 내게 보여 주는 미소가 꽤 다정하게 보여서, 나는 순간 기분이 야릇해졌다. 마음속에서 무언가가 몽글몽글 피어오르는 느낌. 그 기묘함에 내가 아무 말도 못 하고 있는 사이, 저편에서 아마나의 목소리가 들려왔다.

"차가 다 준비되었습니다, 폐하."

"아."

나는 그제야 멍한 표정에서 벗어나 레이놀즈에게 말했다.

"이만 가시지요, 폐하. 차가……."

하지만 나는 말을 다 끝맺지 못하고 그 자리에서 그대로 굳을 수밖에 없었다. 누군가가 돌연 내 손을 잡아왔던 탓이다.

그게 레이놀즈라는 사실은 굳이 고개를 돌려 보지 않아도 알 수 있었지만, 나는 입술을 파르르 떨며 고개를 돌려 보았다. 가만히 웃는 레이놀즈의 모습이 눈에 들어왔다. 그 미소가 너무 편안하게 보여서, 그리고 또 아름다워서 나는 아무 말도 하지 못하고 멍한 얼굴로만 바라보고 있었다.

왜 내 손을 말없이 잡고, 왜 내게 그렇게 웃어주느냐고 묻고 싶었는데, 입이 떨어지지 않았다. 마치 시간이 멈춘 것처럼.

"무슨 문제 있나?"

외려 뻔뻔하리만치 아무렇지 않게 물어오는 그였다. 나도 모르게 고개가 저어졌다.

.

.

.

"입에 맞으실지 모르겠어요."

티 테이블로 온 우리에게 아마나가 눈치를 보며 말했다. 자리에 앉기도 전에 맡아지는 향긋함의 정체는 로즈메리였다.

'늘 과일차를 내오더니만.'

손님이 손님이라 이번에는 특별히 허브차인 듯했다. 아마나가 나름 신경 썼음을 보여주는 대목.

나는 코 밑으로 느껴지는 차향처럼 은은하게 미소 지으며 말했다.

"맛있을 것 같아, 아마나. 향이 너무 좋아."

"그래요, 아가씨?"

내 말을 들은 아마나가 환한 표정으로 물었다가, 슬며시 레이놀즈의 눈치를 보았다.

"폐하께서도…… 그렇게 생각하셔야 할 텐데."

그 말에 나는 슬그머니 레이놀즈를 쳐다보았다. 내 시선을 의식했는지 그가 급하게 입을 열었다.

"아."

"차향이 좋군."

"감사합니다, 폐하."

레이놀즈의 한마디에 아마나의 표정이 단박에 환해졌고, 그 모습을 보는 나는 킥킥거리며 웃었다. 조심스럽게 찻잔을 들어 올려 한 모금을 마시자, 아까 말한 것처럼 정말로 좋은 맛이 났다. 나는 빙긋 웃으며 레이놀즈에게 차를 권했다.

"드셔 보세요, 폐하. 맛있어요."

내 말에 레이놀즈가 말없이 찻잔을 들어 올려 차를 홀짝거렸고, 나와 아마나 두 사람 모두 긴장한 얼굴로 그의 평가를 기다렸다. 레이놀즈는 나를 흘긋 바라보았다가, 천천히 말문을 뗐다.

"그렇네."

"뭐, 뭐가……."

"맛있어, 차."

그가 억지로 입꼬리를 끌어 올려 웃었다.

"고맙군, 레이디 아마나."

레이놀즈의 그 한마디에, 긴장으로 잔뜩 굳어 있던 아마나의 표정이 단박에 환해졌다.

"가, 감사합니다, 폐하. 가문의 영광이에요!"

"가문의 영광까지야."

"아닙니다, 폐하. 정말로 가문의 영광……!"

"그만해도 돼, 아마나."

나는 어색하게 웃으며 아마나를 제지했고, 그제야 아마나는 수줍게 입을 다물었다. 그러다 곧 깜빡 잊었다는 듯 손뼉을 치며 다시 입을 열었다.

"아, 맞다. 제가 눈치가 없었네요."

"응……? 무슨 눈치?"

"저는 이만 자리 비켜 드릴 테니까, 두 분 말씀 나누세요."

"어? 왜…… 여기 있지, 아마나도."

하지만 내 말에도 아마나는 아니라는 듯 고개를 절레절레 저었다.

"두 분 시간 보내시는 데 끼어들기가 좀 그래서요. 마침 할 일도 있고……. 필요하신 것 있으시면 저쪽에 있을 테니 언제든 불러주세요."

"아…… 그럴게, 아마나."

"그럼 저는 이만."

아마나는 생글생글 웃으며 자리에서 일어났고, 그 바람에 테이블에는 우리 둘만 남게 되었다. 나는 갑작스럽게 전환된 상황에 당황해하면서도 태연하게 입을 열었다.

"아, 쿠키도 같이 드셔 보세요, 폐하. 이거 아마나가 직접 구운 건데, 되게 맛있어요."

그 말과 함께 나는 접시 위에 담겨 있던 쿠키를 들어 올려 바삭하게 한 입에 베어 물었다. 달콤한 버터 향이 입안에서 로즈메리 향과 함께 어우러져 조화를 이루었다. 허브차에 버터 쿠키라니, 최고의 조합이다.

하지만 레이놀즈는 접시로 손을 뻗는 대신 가만히 앉아 나를 응시하기만 했고, 나는 그가 쿠키를 먹지 않자 의아해진 얼굴로 물었다.

"쿠키 싫어하세요?"

"아니."

"그런데 왜 안 드세요?"

"먹여주면 안 될까?"

전혀 예상치 못한 한마디에, 나는 얼빠진 표정이 되어 물었다.

"……제가요?"

"그래."

그는 뻔뻔하리만치 당연한 태도로 말했고, 나는 고개를 갸웃거리며 물었다.

"원래 그런 것까지 시종들이 해주나요?"

"영애는…… 굳이 따지자면 시종이 아니라 시녀지."

"아니, 그런 걸 논하자는 게 아니라요."

나는 황당한 목소리로 다시 질문했다.

"원래 그런 시중까지 받으시는지 궁금해서요."

"아."

레이놀즈는 더 말하는 법 없이 조용히 고개만 끄덕였고, 나는 솔직히 그때 좀 많이 당황했다.

'아니, 손이 없는 것도 아닌데 혼자 쿠키도 못 먹어?'

하지만 따지고 보면 손이 없는 것도 아닌데 목욕도 혼자 못하고, 옷도 혼자 못 입는 걸 보면…… 쿠키를 먹여주는 것도 전혀 이상할 일은 못 되었다. 나는 스스럼없이 쿠키를 집어 들어 레이놀즈의 입 가까이게 가져다 댔다.

"'아' 해보세요, 폐하."

그가 별말 없이 천천히 입을 벌렸고, 나는 무리 없이 그의 입안에 쿠키를 골인시켰다. 엄지와 검지를 합한 둘레만큼의 크기를 가지고 있던 그 쿠키는 무리 없이 한입에 들어갔고, 레이놀즈는 만족스러운 얼굴로 우물거리며 쿠키를 씹기 시작했다. 그걸 보면서 나는 이유 없이 보람찬 감정을 느끼고는, 자연스럽게 쿠키 하나를 더 집어 들어 그의 입가로 가져갔다.

"하나 더 드세요."

그렇게 한 개, 두 개……

"하나 더요."

마침내 쿠키가 접시 위에서 바닥을 드러내기 시작했다. 그리고 쿠키가 딱 한 개 남았을 때, 나는 잊고 있었다는 듯 말을 꺼냈다.

"참, 아까부터 말씀드리고 싶었는데."

"응?"

"감사해요, 폐하."

"갑자기?"

"아마나를 배려해주셔서요."

나는 설핏 웃은 뒤 덧붙였다.

"덕분에 아마나가 처음보다 많이 편안해하는 것 같아요."

"눈치 있는 친구를 뒀던데."

"네?"

"눈치가 꽤 빠르더라고."

"무슨…… 눈치요?"

내가 고개를 갸웃거리며 묻자, 레이놀즈가 키득거리며 웃었다.

"거봐, 없잖아."

"아니, 그러니까 뭘……."

"모르면 됐어. 언젠가는 알겠지."

영 알 수 없는 소리에 그를 영문 모를 얼굴로 쳐다보았지만, 아무리 쳐다보아도 대답해줄 마음은 별로 없어 보였다.

"아니면 친구에게 물어보던가."

"아마나는 안다고요?"

"아는 것 같던데."

"근데 왜 저만 모르죠?"

"그러니까."

레이놀즈가 피식 웃음을 흘렸다.

"나도 답답해. 그러니까 물어봐."

"꼭. 알았지?"

"네……."

조용히 고개를 끄덕이다가, 나는 별생각 없이 그에게 물었다.

"아, 꽃은 혼자 보시겠어요?"

"……나 아무것도 모르는데?"

"느낌이 중요한 거죠. 배경지식 설명 없이."

"……."

하지만 반응이 썩 좋아 보이지 않았다. 나는 어두워진 레이놀즈의 얼굴을 보며 빠르게 말을 돌렸다.

"배경지식도 중요하죠! 아는 게 많아야 보이는 것도 더 잘 보이는 법이니까요."

"그렇지?"

"아마나가 잘 설명해 드릴 거예요. 너무 걱정하지 마……."

"……영애가 아니라?"

갑작스럽게 끼어든 한마디에, 나는 하려던 말도 까먹고 멍한 표

정으로 레이놀즈를 쳐다보았다. 그러다 잠시 후에 어벙한 얼굴로
다시 입을 열었다.

"전 꽃에 대해 아는 게 많이 없어서……."

"뭐가 뭔지는 알 것 같은데, 그래도."

"그건 그렇지만……."

"그럼 됐어. 영애가 해."

"제가요?"

"그래."

"그래도 이왕 들으시는 거 좀 전문적인 사람이 해주는 설명이 더
낫지 않을까요?"

"너무 과한 설명은 필요 없어."

"그렇지만……."

'그래도 아마나가 좀 더 낫지 않을까요'라고 물으려던 나는, 순간
발견한 레이놀즈의 좋지 못한 표정에 빠르게 입을 다물었다. 아이
고, 폐하께서 싫으시다면 싫으신 거지, 무슨 말이 이렇게 많담! 나
는 어색하게 웃으며 말을 바꿨다.

"원하시는 대로 하셔야죠. 제가 해드릴게요."

"정말?"

"네. 물론이죠!"

나는 냉큼 답했고, 그제야 레이놀즈의 얼굴도 밝아졌다. 변하는
표정이 인상적일 만큼 빨라서, 나도 모르게 피식 웃음이 나왔다.

그러다 우연히 접시에 담겨 있던 쿠키가 딱 하나 남은 것이 시야로 들어왔다. 남은 하나를 집어 든 내가 레이놀즈에게 물었다.

"하나 더 드실래요?"

그가 고개를 저었다.

"영애가 먹도록 해."

"아, 감사합니다."

나는 냉큼 입안에 마지막 쿠키를 집어넣은 다음 우물우물 씹었다. 그리고 쿠키가 입안에서 거의 다 녹아 사라졌을 때, 레이놀즈에게 물었다.

"쿠키 좀 더 가져올까요?"

"그래 주면 고맙고."

"네. 잠시만요."

나는 빙긋 웃으며 자리에서 일어난 다음, 빈 접시를 집어 들고 집어 들어 아마나가 있는 곳까지 갔다. 오늘 새로 들어왔을 게 분명한 꽃들을 손질하던 아마나는 기민하게 인기척을 느끼고선 뒤를 돌아보았다.

"아가씨, 뭐 필요한 것 더 있으세요?"

"쿠키가 떨어져서. 조금 더 가져갈 수 있을까?"

"물론이죠. 잠시만 기다리세요."

"같이 가."

나는 설핏 웃으며 아마나와 팔짱을 꼈고, 아마나는 거부하지 않

은 채 빙긋 웃었다. 그렇게 주방까지 간 아마나가 상자에서 쿠키를
꺼내며 물었다.

"쿠키가 입에 맞으셨나 봐요?"

"아마나가 구워준 쿠키 되게 맛있잖아. 사실 나 쿠키 먹으러 여기
오는 거야."

"하하하."

아마나가 까르르 웃으며 접시 위에 쿠키를 담았다. 그러면서 조
용히 다른 이야기를 꺼냈다.

"폐하와 많이 친해지신 것 같아요."

"어?"

갑작스러운 화제 변경에 당황한 내가 물었다.

"내가?"

"네."

아마나가 고개를 끄덕이며 답했다.

"이곳에 들어오시고 나서 폐하께서 처음에 말씀하셨던 것."

"기억 안 나세요?"

"무슨 말?"

"'유린'의 친구라면 괜찮다고 하셨잖아요."

아마나가 얼떨떨하게 들리는 목소리로 말했다.

"전 솔직히 그거 듣고 좀 놀랐어요…… 많이."

"으음……."

나는 어색하게 시선을 돌리다 입을 열었다.

"이틀 전에 시내에 갔을 때 신분을 숨기려고 서로 이름으로 불렀거든. 그래서 그런가 봐."

"하루 그러신 것 치고는 되게 자연스러우시던데요."

"……."

"폐하 말이에요."

"원래 스스럼없는 성격이신가 보지."

"아니에요. 제 촉은 그렇다기보다는……."

"그렇다기보다는……?"

"폐하께서 특히 아가씨께만 친절하고 다정하신 것 같아요."

"그런가……."

나는 잘 모르겠다는 얼굴로 고개를 갸웃거렸다. 그 모습을 가만히 바라보던 아마나가 짧게 한숨 쉬며 입을 열었다.

"아가씨는 눈치가 너무 없어요."

"내가……?"

"네."

"아까 폐하께서도 그런 말씀을 하셨어."

나는 신기하다는 목소리로 덧붙였다.

"그리고 네가 눈치가 되게 빠르대."

"그럼 역시 아가씨가 눈치 없으신 거네요."

"그러니까 내가 왜? 나 뭐 잘못했니?"

도통 이해 못 하겠다는 목소리로 묻는 나를 아마나가 곤란한 표정으로 쳐다보았다. 하지만 말할 생각은 별로 없어 보여서, 나는 답답함을 느꼈다. 아까 레이놀즈가 보였던 것과 비슷한 모습이다.

"아뇨. 잘못한 건 없으신데……."

"그럼?"

"……이건 제가 말씀드릴 부분이 아닌 것 같네요."

"뭐야, 그럼. 폐하께서는 네게 물어보라 하셨단 말이야."

"폐하께서요?"

내 말을 듣고 아마나는 퍽 난감해 보였다.

"이런, 곤란한데. 아무리 그래도 이런 건 당사자가 말해야……."

"그러니까 대체 뭘?"

"……몰라요. 전 대답해 드리지 않을 거예요."

"진짜 말 안 해줄 거야?"

"어휴, 저는 못 하겠어요."

그 말과 함께 아마나는 내게 쿠키 접시를 내밀었다.

"어서 가세요. 폐하 기다리시겠어요."

"아마나, 정말 말 안 할 거야?"

"저 잠깐 밖에 좀 나갔다 올게요. 급하게 필요한 게 생겨서."

냉정하기도 하지. 결국 끝끝내 아마나는 말하지 않았고, 나는 쿠키가 가득 담긴 접시만 든 채로 되돌아왔다. 우아하게 앉아 차를 마시고 있던 레이놀즈가 테이블 쪽으로 들어서는 나를 발견하고 물었다.

"오래 걸렸네?"

"아마나에게 뭐 좀 물어보느라고요."

"뭘?"

"아까 그러셨잖아요. 폐하께서 아마나한테 물어보라고."

"……아아."

그는 의미심장한 표정을 지으며 내게 물었다.

"그래서, 물어봤나?"

"네."

"대답은?"

"못 들었어요. 자기는 말 못 해주겠다고 하더라고요."

"……거봐. 눈치 빠르다니까."

"저 지금 소외감 들어요."

나는 못마땅하다는 얼굴로 그에게 하소연했다.

"폐하께서는 아마나에게 물어보라시고, 아마나는 자기가 대답해 주는 건 아닌 것 같다 그러고."

"그래?"

"당사자가 말하는 게 맞는 거라네요. 전 도대체 누구에게 대답 들어야 해요?"

"……"

내 대답에 레이놀즈는 잠시 입을 다물고 미소 지어 보였다. 그 미소는 하필 쓸데없이 아름다운 구석이 있어서, 나는 순간 넋을 잃고 그를 바라보았다. 왜 이런 별것 아닌 순간에까지 저 잘생김은 빛을 발하는 거죠……?

"아직은 말할 수가 없어서."

내가 정신을 차린 것은 그 말이 들려올 즈음이었다. 눈을 두 번 깜빡인 뒤에, 나는 그에게 물었다.

"그럼 언제 말씀해 주실 건데요."

"언젠가?"

"목걸이 선물만큼이나 부질없는 기약이네요."

"기다리는 재미가 있겠지."

"뭐에 대한 답인지조차 모르는데."

"그건 대답을 들으면 금방 알게 돼."

미소 띤 한마디와 함께, 레이놀즈가 느릿하게 쿠키를 집어 들었다. 그 모습을 본 내가 얼른 그에게 말했다.

"제가 먹여 드릴게요."

"영애가?"

"아까도 제가 먹여 드렸잖아요."

나는 스스럼없이 쿠키를 집어 들어 레이놀즈에게 내밀었다. 그리고 나와 쿠키를 번갈아 쳐다보던 그는 입을 벌리는 대신 엷게 미소 지었다.

"영애는 참 순수하고 해맑아."

"……갑자기요?"

"처음 만났을 때부터 생각했던 거야."

"감사합니다."

나는 조금 민망하다는 얼굴로 대꾸했다.

"나쁜 사람은 아니에요, 제가."

레이놀즈가 피식 웃으며 입을 벌렸고, 나는 조심스럽게 입안에 쿠키를 넣어 주었다. 쿠키 한 접시를 전부 비우고도 그는 맛있게 새 쿠키를 먹었다.

<br>

❦ ❦ ❦

<br>

차와 쿠키를 전부 없앤 뒤에, 나는 약속대로 레이놀즈에게 꽃집을 구경시켜 주었다.

"이 꽃은 이름이 뭐지?"

"……장미도 모르시는 건 너무한 거 아니에요?"

그는 당황스러울 정도로 꽃에 무지해서, 나는 유치원 선생님이 된 기분으로 그에게 하나하나 전부 설명해 주었다. 그런데 사실 이 정도는 유치원생들도 알 것 같은데…….

"그럼 이 꽃은?"

"아, 이건."

충분히 모를 수 있는 꽃이었다. 나는 그 꽃을 유심히 살펴보다 입을 열었다.

"아스포델이에요."

"아스포델?"

"네. 그리고 꽃말은……."

하지만 나는 말을 다 잇지 못하고 멈칫했다. 이 꽃의 꽃말이 무엇인지 몰라서가 아니다. 그 내용 때문이었다.

"나는……."

"나는?"

"나는 당신의 것."

말을 내뱉은 뒤에, 나는 조금 쑥스러워했다.

"그게 꽃말이에요. 로맨틱하죠?"

"그렇네."

레이놀즈의 입꼬리가 씩 올라갔다.

"좋아지려고 해."

"꽃말 때문에요?"

"그래."

"뭐…… 매력적인 꽃말이긴 하죠."

나는 어깨를 으쓱이며 첨언했다.

"그리고 꽃도 예쁘고요. 그래서 물어보신 것 아니에요?"

레이놀즈가 말없이 고개를 끄덕이다가 이내 물어왔다.

"유린이 가장 좋아하는 꽃은 뭐야?"

"아, 저는……."

나는 두리번거리며 내가 가장 좋아하는 꽃을 찾았다. 한 20초 정도를 헤매다 마침내, 가장 좋아하는 꽃이 시야에 잡혔다. 나는 방긋 웃으며 손가락으로 그것을 가리켰다.

"저기 있네요."

"저게 뭐지? 아까 본 것 같은데……."

레이놀즈가 눈을 가늘게 뜨며 무언가를 기억해 내려는 표정을 지었다. 그 모습을 바라보던 내가 빙긋 미소 지으며 고개를 끄덕였다.

"맞아요. 아까 보셨던 거랑 모양은 똑같아요."

"저게 뭐였지?"

"장미요."

"아, 맞다."

그가 기억났다는 듯 고개를 끄덕였다.

"기억나."

"전 특히 붉은 장미를 좋아해요."

"저건 꽃말이 뭔데?"

"평범해요. 사랑, 아름다움, 용기, 존경, 열망, 열정…… 뭐 이런 뜻이요."

"별로 평범하진 않은데."

"그래요?"

"다 좋은 뜻이잖아."

"그렇긴 하죠."

내가 빙긋 웃으며 설명을 보탰다.

"참, 그중에서도 붉은 장미 한 송이의 꽃말은 '당신을 사랑합니다'예요. 붉은 장미는 꽃말이 전부 사랑과 관련된 거라, 고백할 때 가장 많이 사랑받는 꽃이죠. 정말 많은 여자들이 좋아하는 꽃이기도 하고요."

"흐음……."

그때 레이놀즈가 돌연 기묘한 표정을 지어 보였고, 나는 그 모습을 보고 물었다.

"왜 그러세요?"

"그냥."

어느새 그의 입가에는 미소가 둥실 떠오르고 있었다.

"좋은 생각이 떠올라서."

"왜요. 나중에 황후 되실 분께 붉은 장미로 프러포즈하시려고요?"

내가 웃는 목소리로 그에게 묻자, 레이놀즈가 나를 빤히 쳐다보다 고개를 끄덕였다.

"아무래도 그래야 할 것 같아."

"붉은 장미 싫어하는 여자분은 드무니까, 아마 좋아하실 거예요."

"내 생각도 그래."

"어쨌든 폐하께서 좋아하시는 꽃은 아스포델이라는 거죠?"

"그래."

그가 고개를 까딱였다.

"꽃말이 참 마음에 드네."

"꽃말 때문에 좋아하시는 거예요?"

"꽃도 예쁜 것 같고."

"그럼 몇 송이 정도……."

딸랑-.

그때 문 위에 달린 종소리가 들려왔다. 자연스럽게 말이 끊겼고, 나는 문 쪽으로 시선을 빼앗겼다. 그리고 문을 열고 들어오는 익숙한 남자의 모습에, 내 몸은 빳빳하게 굳었다.

"왜 그래?"

그 모습을 이상하게 여긴 레이놀즈가 물어왔지만, 내가 입을 열기도 전에 그는 답을 찾은 모양이었다. 알겠다는 듯한 얼굴로 '아' 하고 소리를 냈으니까.

"그때 그……."

"레이디 유리네트!"

곧이어 듣기 싫은 목소리가 내 이름을 불렀다. 말콤 호로웨이였다. 그는 세상 반가운 듯한 얼굴을 한 채 내 쪽으로 다가오다가, 낯선 얼굴 - 레이놀즈 - 을 발견하고선 오만상을 찌푸렸다. 정확히는 낯선 남자라는 사실이 그의 심기를 건드렸을 것이다.

"옆의 남자분은 누구십니까?"

말콤의 질문에 나는 차가운 목소리로 그에게 되물었다.

"제가 그런 것까지 일일이 밝혀야 하나요?"

"영애……!"

"여긴 또 무슨 일이시죠?"

진절머리가 났다. 사람이라도 붙이는 건가.

'그렇지 않고서야 이렇게 내 일정을 잘 알 리가 없는데.'

하지만 그렇다면 지금 내 옆에 있는 이가 레이놀즈 황제라는 사실을 모르고 있을 리 없잖아. 아, 그럼 정말 말콤 말대로 이건 빌어먹을 우연인 걸까. 차마 '인연'이라는 말은 붙이기가 싫어서, 나는 미간을 좁히며 그에게 말했다.

"놀라울 정도로 자주 마주치네요, 저희 두 사람."

"그러니 저희가 운명이라는 것이지요."

하긴, 악연도 운명이라면 운명이다. 나는 살포시 눈살을 구기며 쏘아붙였다.

"우연이든 운명이든 상관없어요. 전자라면 그냥 제가 운이 없었던 것이고, 후자라면 우린 악연일 테니까요."

"영애, 어떻게 그런 심한 말씀을……!"

"호로웨이 군."

나는 목소리에 힘을 주며 말콤을 불렀다.

"거듭 말씀드리지만 저는 군과 이성적인 관계를 맺을 생각이 전혀 없습니다. 그 점 오늘 다시 확실하게 말씀드릴게요."

"왜 저는 안 됩니까? 도대체 왜요?"

말콤은 억울하고 속이 타는 목소리로 내게 물어왔다. 하지만 나는 거기에서 간절함보다는 폭력성만을 느껴서, 무의식적으로 움찔 몸을 떨었다. 그 순간, 따뜻한 온기가 나를 감싸 주었다.

"아……."

살짝 놀란 얼굴로 위를 올려다보자, 무표정한 얼굴의 레이놀즈가 내 어깨를 그의 팔로 감싸주고 있는 모습이 보였다. 하지만 다시 바라보니 그건 무표정이 아니었다.

'화가 난 얼굴…….'

게다가 그의 얼굴에 스며든 분노는 어쩐지 섬뜩한 느낌을 주어서, 나는 말콤의 말에 내재된 폭력성보다 그의 적막한 분노가 더 무섭다고 느꼈다.

"괜찮나?"

그래서 그의 말에 대답하지 못하다가, 잠시 후에 천천히 고개만 끄덕였다. 그리고 그 모습을 본 말콤은 더욱 날뛰기 시작했다.

"감히 어디에 손을 대는 거야?"

그 말을 듣고 나는 경악하지 않을 수 없었다. 말콤 저자가 정녕 목숨이 아깝지 않은 게다. 나는 조마조마한 마음으로 고개를 들어 레이놀즈의 표정을 살폈다.

무슨 생각을 하고 있는 건지 도통 모를 얼굴은 지독히도 무표정했다. 그리고 나는 저 무표정이 금방이라도 터져버릴 활화산처럼 아슬아슬하게 느껴졌다. 왠지 큰일이 날 것만 같은 불길한 예감이 엄습했다.

"저놈 때문입니까? 저놈 때문에 저를 받아들이지 못하시는 겁니까?"

왜 갑자기 화제가 그쪽으로 새는 건지. 나는 미간을 좁힌 채 황당한 얼굴로 그에게 물었다.

"이분과 상관없이 저는 군이 싫다니까요? 그리고 이분께 감히 그런 식으로 말하지 마세요."

"지금 이놈을 편드시는 겁니까?"

아니…… 엄밀히 말하자면 그쪽 목숨을 걱정하는 건데요. 이분이 누구신지 알면 그딴 식으로 행동 못 하실 텐데.

하지만 차마 솔직하게 다 말할 수가 없어서 나는 계속 레이놀즈를 싸고돌기만 했다.

"편을 드는 게 아니라요……. 아이 참, 미치겠네. 어쨌든 이분께 함부로 하지 않으시는 편이 좋을 거예요."

목숨이 아까우시다면요.

"영애, 어떻게 감히 제 앞에서 다른 남자 편을……."

……감히? 나는 황당해져서 그에게 쏘아붙였다.

"그러는 군이야말로 어떻게 제게 '감히' 그런 말을 쓰실 수 있죠?"

억눌러 왔던 분노가 쏟아져 나왔다.

"이런 식으로 자기감정을 원치도 않는 상대에게 강요하는 것, 상당히 무례하신 일이에요. 계속 절 따라다니시면서 귀찮게 하시는 행동도 상당히 불편하고요. 이미 몇 번이나 말씀드린 것 같은데요."

"지금 제가 귀족이 아니라고 그러시는 겁니까? 그런 거예요?"

자꾸만 말이 다른 데로 새는 게 짜증 나서, 나는 결국 폭발해 버렸다. 그리고 눈앞의 꼴도 보기 싫은 이 남자를 떼어 내기 위해 아무 말이나 닥치는 대로 내뱉었다.

"제가 귀족이 아닌 남자가 싫다고 말하면 제게서 관심 꺼주실 건가요? 네! 저는 귀족이 아닌 남자와는 만나고 싶지 않습니다."

"영애!"

내 말을 들은 말콤이 갑자기 소리를 버럭 질렀고, 크기가 꽤 컸던 탓에 나는 움찔 놀랐다. 그리고 그 순간, 조용히 내 어깨만 감싸고 있던 레이놀즈가 천천히 내게서 멀어졌다.

나는 그 갑작스러운 상황에 두 번째로 놀랐지만, 말콤은 그런 레이놀즈가 안중에도 없는지 계속해서 소리를 질러댔다.

"어떻게 제게 그러실 수 있습니까! 제가 영애를 얼마나 사랑하는데, 제가 영애를 얼마나……!"

그러나 땍땍거리던 말콤의 외침은 다 끝맺어지지 못하고 그대로 끊겼다. 그리고 나는 믿을 수 없다는 얼굴로 경악하며 눈앞의 광경을 바라보았다.

피를 분수처럼 쏟아내며 목이 잘린 말콤. 그리고 그 옆에서 우직하게 서 있는 레이놀즈. 손에는 검을 들고 있었고, 그 검에서는 피가 뚝뚝 떨어지고 있었다. 말콤의 것이 분명한 핏자국에 나는 아연실색한 표정을 지었다.

'……지금 내가 뭘 보고 있는 거지?'

나는 완전히 얼어붙었다.

'진짜…… 죽은 거야?'

아까, 아니 방금까지만 해도 내게 소리를 질러 대던 사람이, 지금은 피를 흘린 채로 죽어 있었다. 나는 몸을 덜덜 떨면서 그 옆에 서 있는 레이놀즈를 쳐다보았다. 그는 여전히 무표정한 얼굴이었고, 나는 그것이 더 무서웠다. 떨리는 몸을 진정시키려고 했는데, 몸이 모터를 단 것처럼 멈추지 않고 계속 떨렸다.

그리고 그 모습을 바라보던 레이놀즈가 이내 천천히 내게 다가왔다.

"……"

나는 아무 말도 하지 못하곤 겁에 질린 눈으로 레이놀즈를 바라보기만 했다. 그러면서도 내 발은 계속해서 뒷걸음질 쳤다. 그가 내게 다가오는 것이 무섭다는 듯. 그가 나와 가까워지는 것을 원치 않는다는 듯. 그리고 그런 나를 바라보던 레이놀즈는 어느 순간 우뚝 그 자리에서 멈추어 섰다. 자연스럽게 내 발 역시 더 움직이는 것을 멈추었고, 나는 떨리는 눈으로 그를 쳐다보았다.

"영애도."

"……."

"내가 무섭나?"

나는 고개를 끄덕이려고 했다. 무서웠기 때문이다. 지금 이 상황이, 그가, 전부 다.

하지만 이상하리만치 고개가 쉽게 움직여지지 않았다. 그게 대답한 후에 닥쳐올 보복이나 그런 것들을 걱정했기 때문은 결코 아니었다. 그보다는, 나의 대답이 그를 상처 입힐 것 같아 두렵다는 생각이 들어서였다. 우스운 생각이었지만 분명 그랬다.

그가 나를 바라보는 시선이 딱 그것이었기 때문이었다. 제게 그런 대답을 하지 말아 달라는, 그럼 자신은 상처받을 것 같다는 말을 하고 있는 것 같아서. 정확히는, '너까지' 나를 그런 눈으로 보지 말아 달라는 말을 하고 있는 것 같아서.

'잊고 있었어.'

문득, 내 머릿속으로 오랫동안 숨겨 두었던 말 한 조각이 떠올랐다.

'저 남자는 폭군이랬는데.'

마음에 들지 않으면 사람 목숨을 파리 목숨처럼 죽이는 난폭한 남자라고 소문에서도 익히 말하지 않았는가. 다만 나는 그동안 그의 그런 모습을 볼 기회가 없어서 인지하지 못했을 뿐이다.

이것이 그의 진면목일지도 모른다. 수틀리면 사람을 죽이고, 대수롭지 않게 사람을 죽이고…….

'그렇지만…….'

하지만 왜 나는 이런 생각이 드는 것일까. 그가 말콤 호로웨이를 죽인 게, 그의 심기를 거스르게 했다기보다는 내게 함부로 대해서 그런 것일지도 모르겠다는, 내게 함부로 하는 말콤 호로웨이를 더 두고 볼 수 없어서 죽였다는, 그런 생각.

'하지만 말로 타이를 수도 있었잖아.'

그렇지만 나는 곧바로 생각을 접어야만 했다.

'내가 아무리 말로 해도 듣지 않았던 남자인걸.'

레이놀즈가 폭력을 쓰지 않는 이상 그의 말을 들을 리가 없지. 내가 혼란한 머릿속을 정리하지 못하고 침묵하고 있는데, 다시금 레이놀즈의 목소리가 들려왔다.

"내가 무서워서."

"피하는 거야?"

나는 거기에 뭐라고 대답해야 할지 몰라서 한참 머뭇거렸다. 그러다 무의식적으로 입을 열었다.

"……왜 죽이셨어요?"

그렇게 물은 뒤에 나는 깜짝 놀랐는데, 첫 번째는 그의 질문에 답하기 이전에 질문하는 대범함을 보였기 때문이고, 두 번째는 내 목소리가 사시나무 떨듯 떨리고 있었기 때문이었다. 둘 다 내가 얼마나 놀랐는지 짐작할 수 있는 대목이어서, 나는 여전히 잘게 진동하

316

는 내 몸을 스스로 꼭 감싸 안았다.

그 모습이 애처롭게 보였을까. 레이놀즈의 미간이 좁혀졌다.

"왜, 사람을……."

"그게 궁금해?"

그가 나를 빤히 응시하며 물었다.

"내가 왜 이 자를 죽였는지가."

"그렇게 궁금한가?"

나는 느릿하게 고개를 끄덕였고, 레이놀즈는 그런 나를 여전히 응시하다 입을 열었다.

"유린을 귀찮게 하잖아."

그리고 나온 대답은 놀라우리만치 간단해서, 나는 순간 멍해졌다.

"유린에게 소리를 지르잖아."

"……."

"감히."

그렇게 말하는 레이놀즈의 눈에서는 아까의 상처 받은 기색이 조금도 보이지 않았다. 다만 이미 죽어 버린 말콤 호로웨이에 대한 적의만 흉흉하게 빛나고 있을 뿐이었다.

그 눈빛을 보며 나는 아무 말도 하지 못하고 얼빠진 표정만 지었다. 그가 어째서 저런 얼굴을 하고 있는지, 저런 눈빛을 하는 건지 알다가도 모르겠다는 생각이 들었다. 동시에, 내 가슴이 쿵쿵 뛰기 시작했다.

"그래서 죽였어."

"고작 그런 이유로……."

"'고작' 그런 이유?"

끝맺어지지 못한 내 말끝을 레이놀즈가 잡았다. 그는 못마땅한 얼굴로 그 말을 반복하다가, 이내 느릿하게 고개를 저었다. 이제는 적의도, 다른 무엇도 찾아볼 수 없이 그저 서늘한 눈빛이었다.

"감히 너를 귀찮게 했어."

"그것도 1년 남짓한 시간 동안."

그 말을 듣고 나는 멈칫했다. 그 사실을…… 레이놀즈가 어떻게 알고 있지?

'난 말해준 적이 없는데.'

말콤이 날 따라다닌 게 1년 남짓한 시간이라는 걸, 단 한 번도 말해준 적이 없다. 아니, 말콤에 대해 그에게 말해준 정보 자체가 적었다.

'그런데 어떻게 그 사실을…….'

나는 너무 당황한 나머지 아무 말도 하지 못하고 입만 벌린 채 그를 빤히 쳐다보았다. 어느새 그는 내 앞까지 가까이 다가온 상태였다. 그리고 내가 그 사실을 알아차렸을 때는 정말로 나와 그의 사이가 좁혀져서, 뒷걸음질 치기에도 너무 늦어 버린 뒤였다.

레이놀즈가 나를 향해 몸을 숙여오는 사이에도 나는 그에게서 시선을 떼지 못했고, 그 상황에서 미친 듯이 박동하는 심장 소리가 그대로 전해져 왔다.

"그런 버러지를 이틀 전에 죽이지 않은 게."

"내가 태어나서 베푼 첫 자비였어."

그걸 알아야 해, 유린. 그가 속삭였고, 나는 파르르 떨리는 눈동자를 천천히 들어 올렸다.

"꺄아아악!"

그때 날카로운 비명이 우리 사이로 파고들었다. 나는 깜짝 놀란 얼굴로 비명이 난 곳을 향해 재빨리 고개를 돌렸다. 우습게도 그때 든 생각은, 다른 것보다 '우리 이외의 다른 목격자가 생기면 곤란하다'였다.

"이, 이게 도대체……!"

그리고 앞의 생각대로라면 다행스럽게도, 비명을 지른 사람은 손님이 아니었다.

"아아……!"

바깥에 나갔다 들어온 아마나였던 것이다. 나는 굳어진 얼굴로 아무 말도 하지 못하다가, 이내 아마나를 진정시켜야 한다는 생각으로 빠르게 입을 열었다.

"아마나."

그리고 그건 참 우스운 생각이었다. 정작 나 자신조차 나를 진정시키지 못했는데, 타인을 어떻게 진정시킨단 말인가. 하지만 그때

의 나는 나보다 아마나가 더 우선이라고 생각해서, 재빨리 레이놀
즈에게서 벗어나 아마나에게로 걸어갔다.

아마나는 처음의 내가 그랬던 것처럼 몸을 부들부들 떨면서 금
방이라도 혼절할 것 같은 표정을 지었다. 아마나도 나처럼 이런 광
경이 처음일 테니, 충격이 상당할 것이다.

그녀가 믿을 수 없다는 목소리로 입을 열었다.

"아, 아가씨, 이게 도대체 무슨……."

"아마나, 그러니까 이건……."

……도대체 이 상황을 어떻게 설명해야 할지 감이 잡히지 않
았다.

'말콤 호로웨이가 이곳에 들어와 늘 그렇듯 내게 추근댔고, 그
상황이 몹시도 거슬렸던 우리의 황제 폐하께서 날 위해 그를 죽이
셨어.'

……정말 그렇게 말할 순 없잖아. 나는 쉽사리 입을 열지 못하고
머뭇거렸고, 그러는 사이 아마나는 저도 모르게 고개를 돌려 레이
놀즈를 쳐다보았다. 그리고 피를 잔뜩 뒤집어쓴 그의 검과, 그 아래
에 있는 말콤 호로웨이의 시체를 번갈아 바라보더니 손 쓸 틈도 없
이 곧바로 정신을 잃었다. 아마나의 몸이 물에 젖은 솜처럼 축 늘어
졌고, 나는 당황한 얼굴로 그녀를 부축했다.

"아, 아마나!"

"……."

"아마나, 내 말 들려?"

나는 애타는 목소리로 그녀를 불렀지만, 들려오는 대답은 없었다.

충격에 정신을 잃어버린 듯했다. 잔뜩 당황해서는 어찌해야 할 바를 모르고 서 있는데, 누군가가 이쪽을 향해 걸어왔다.

그리고 내가 그 사실을 알아차린 것은 그의 긴 키가 내게 드리운 그림자를 발견한 뒤였다.

"……."

나는 말 없이 고개를 들어 올려 레이놀즈를 쳐다보았다.

그는 아까보다 훨씬 더 속을 알 수 없는 얼굴로 내 앞에 서 있었다. 그리고 나와 몇 초 정도 시선을 공유하다가, 곧 말없이 내게서 아마나를 받아 들었다.

처음에 나는 머뭇거리며 그에게 아마나를 넘기지 않으려 했지만, 어쩌다 그와 눈이 마주친 뒤에는 마법에라도 걸린 사람처럼 순순히 그녀를 건네주었다. 그와 눈이 마주치면 이상하게, 몸의 힘이 전부 풀리는 것 같은 느낌이다.

"쉬고 있어."

그는 짤막한 한마디만 남긴 채 아마나를 데리고 가게 안쪽으로 들어갔다. 근거는 없었지만 그가 아마나에게 해코지를 할 거라는 생각은 들지 않았다. 아마 예전에 그가 했던 약속이 어렴풋하게 기억났던 탓이리라. 나와 내가 사랑하는 사람들, 내가 아끼는 사람들에게는 해를 가하지 않겠다는.

"하아……."

그가 내 앞에서 자취를 감춘 뒤에야, 나는 파리해진 얼굴이 되어 힘을 잃고 그대로 주저앉았다. 십 년 정도 갑작스레 늙어버린 사람처럼 피로함이 느껴졌다.

"……."

어느새 내 시선은 죽은 말콤에게로 향했다. 주검이 된 싸늘한 모습은 아까 전가지 내게 바락바락 소리를 질렀던 사실과 대치되어 이 상황을 완전히 비현실적으로 만들었다. 나는 몇 초 정도 더 그 시선을 유지했다가, 이내 속에서 올라오는 역한 느낌에 빠르게 고개를 돌렸다. 하지만 이미 속은 불편해진 뒤였다. 헛구역질을 할 것 같아서 나는 급하게 입을 틀어막았다.

"유린."

불편한 속과 불편한 감정으로 괴로워하고 있는데, 누가 나를 불렀다. 확인해보지는 않았지만, 분명히 레이놀즈일 것이다.

나는 해쓱해졌을 것 같은 얼굴로 그를 쳐다보았고, 그는 그런 내 모습을 보고 흠칫 놀라는 모습을 보였다. 하지만 이내 아무렇지 않게 내 쪽으로 다가와 상황을 말해주었다.

"아마나 양은 저기에 눕혀뒀어."

"유린도 좀 쉬어야 할 것 같은데."

"……이 상황은 정리를 하고 쉬어야죠."

나는 순간 울컥해져서 그에게 쏘아붙였다.

"어떻게 하실 거예요, 이 상황."

"아무런 문제도 없어, 유린."

"……아무런 문제도 없다고요?"

도대체 어떻게 지금 이 상황에 아무런 문제도 없을 수가 있지? 작게는 시체 처리부터 크게는 호로웨이 가문에 이 사실을 알려야 하는데? 하지만 나는 곧 빠르게 그의 말뜻을 알아차렸다.

그는 황제다. 설령 그가 지금 죽인 사람이 말콤 호로웨이가 아니라 자작의 딸인 나라고 해도 문제 될 것은 없다. 아무런 문제도 되지 않는다. 그는 엘스워드의 최고 통치자였으니까.

그 사실을 깨닫자, 나는 다행이라는 생각이 드는 대신 온몸에서 힘이 쭉 빠져나가는 것을 느꼈다. 공허한 느낌이 나를 가득 지배했고, 난생처음 마주하는 상황에 혼란스럽기만 했다.

그런 나를 레이놀즈가 기묘한 눈으로 쳐다보았다. 그건 나를 이상하게 바라보는 눈빛이라기보다는, 생소하고, 신기하고, 처음 보는 어떤 것을 바라보는 눈빛이었다. 그리고 나는 레이놀즈의 그런 눈빛을 이해할 수 없었다.

'왜 저런 눈으로 날 보지.'

하지만 그 이유에 대해 더 생각하기에 난 너무 지친 상태였다.

잠시 후 꽃집 안으로 사람들이 들어왔다. 놀라는 것도 잠시, 그들이 레이놀즈의 시종이라는 사실을 알아차리기까지는 그리 오래 걸리지 않았다. 그들은 이 상황이 한 편의 연극이라도 되는 것처럼 짜 맞춰진 움직임으로 일을 진행했다. 나나 레이놀즈에게 상황에 대해 꼬치꼬치 묻는 대신 말없이 말콤의 시체를 치우고, 흩뿌려진 피를 닦고, 아마나의 꽃집을 깨끗하게 청소할 뿐이었다.

그리고 그 모든 일은 고작 한 시간 만에 전부 해결되었다.

"……."

나는 단정하게 정리된 아마나의 꽃집 내부를 가만히 둘러보았다. 모르는 사람이 본다면 여기서 무슨 일이 일어났는지 짐작조차 하지 못할 정도로 깨끗한 모습이었다. 그러나 티끌 하나 없는 완벽한 내부를 보면서 기분이 좋다는 생각이나 편안하다는 생각은 조금도 들지 않았다. 그저 얼떨떨하고 믿기지 않을 뿐.

이 모든 게 전부 꿈같았다. 그 감정이 내게 오랫동안 귀찮게 굴던 말콤 호로웨이에 대한 애도의 결과물은 절대 아니었다. 그저 이상했던 것이다. 사람이 죽었는데 이렇게 아무 일도 없다는 듯 모든 것이 정리된다는 게.

물론 이곳의 배경이 중세와 다름이 없고, 그렇기에 사람 하나 죽는 것쯤 이상한 일도 아니라는 걸 잘 알고 있었다. 하지만 나의 정신은 여전히 21세기의 대한민국에 있었기 때문에 거기까지 적응하려면 아주 오랜 시간이 걸릴 터였다.

'그래서 아까 날 그런 눈으로 본 걸까.'

나 같은 사람을 처음 봐서? 하지만 그렇다고 말하기에는 아마나의 반응 역시 나와 별반 다르지 않았다. 그렇다면 도대체 왜…….

"유린."

레이놀즈의 목소리가 상념을 깨뜨렸고, 나는 말 없이 고개를 돌렸다. 그는 아까와는 달라진 분위기, 그러니까 좀 더 가라앉은 듯한 분위기로 나를 바라보고 있었다.

"이만 갈까?"

"……아마나가 아직 깨어나지 않았어요."

그는 살짝 귀찮아하는 듯한 얼굴이었지만, 내 말에 토를 달지는 않았다. 나는 아마나가 깨어날 때까지 그녀의 곁을 지키기로 마음먹고, 레이놀즈에게는 기다리기 힘들면 먼저 돌아가라고 말했다. 하지만 레이놀즈는 돌아가지 않았고, 나는 그에게 먼저 가라고 더 강요하지 않았다.

.

.

.

"으음……."

아마나가 혼절 상태에서 깨어난 것은 대략 6시가 다 될 즈음이었다. 일어나려는 기척이 보이자, 나는 빠르게 아마나의 이름을 불렀다.

"아마나."

"……아가씨?"

"그래, 나야."

나는 그녀가 깨어난 것에 기뻐하면서 다시 빠르게 물었다.

"정신이 들어?"

"네에……."

그녀는 아직 정신을 다 차리지 못한 목소리로 대답했고, 나는 아마나에게 미안한 마음이 들었다. 괜히 평화로웠던 그녀의 공간을 엉망으로 만든 기분이다.

"많이 놀랐지?"

"아니라고 하면 거짓말이겠죠."

대답하는 내용치고 아마나의 목소리는 꽤 덤덤했다.

"아가씨께서도 많이 놀라셨죠?"

"……응."

"제가 얼마나 이러고 있었죠? 지금 몇 시인가요?"

"여섯 시야."

"오래도 누워 있었네요."

그녀는 떨떠름한 목소리로 내게 물었다.

"아까는 도대체…… 어떻게 된 거예요?"

나는 잠깐 동안 어떻게 말해야 할지에 대해 고민했고, 아마나는 그런 나를 차분히 기다려 주었다. 결국 나는 최대한 간결하게 앞선 상황을 설명했다.

"네가 나가 있던 사이 말콤이 가게로 들어왔고, 나는 계속 그와 마주치는 상황이, 그 지나친 우연이 못 견디게 짜증스러웠어. 화가 나서 쏘아붙이다가 언쟁을 벌였는데, 폐하께서…….”

“……”

“폐하께서…….”

나는 거기서 잠깐 말을 멈추었지만, 아마나는 재촉하는 기색 없이 또 나를 기다려 주었다. 그리고 나는 마른 침을 한 번 삼킨 뒤에야 다시 입을 열었다.

“그를 죽이신 거야. 직접.”

“……아가씨를 위해서요?”

나를 위해서.

그 대답을 듣자, 순간 가슴 속이 꽉 막히는 느낌이 들었다. 그래서 이번에는 빠르게 대답하지 못했다. 하지만 이내 정신을 차리고 느릿하게나마 입을 열었다.

“그런 것 같아.”

“폐하께서…….”

“말하지 못했는데, 이틀 전 시내 구경을 갔을 때도 말콤이 날 쫓아왔었거든.”

아마나가 미간을 좁혔다.

“지독하군요. 그래서 그때 폐하께서 말콤에 대해 알게 되신 건가요?”

“그런데 난 말콤에 대해 자세히 말씀드리지 않았단 말이야.”

나는 혼란스러워하는 목소리로 말을 이었다.

"그냥 날 쫓아다닌다고만 말했어. 그런데 아까 말씀하시는 걸 들어보니까, 구체적인 시기까지 알고 계시더라고."

"……."

"그게 어떻게 가능하지? 난 정말 너무 놀랐어. 불가능한 일이잖아."

"폐하께서 말콤 호로웨이의 뒷조사를 하신 건 아닐까요?"

"뒷조사를?"

나는 이해 가지 않는다는 목소리로 물었다.

"왜?"

"……그야."

아마나는 머뭇거리다 입을 열었다.

"……그야."

"그야, 뭐?"

"그야……."

하지만 그녀는 쉽사리 입을 열지 않았고, 나는 답답해져서 아마나를 재촉했다.

"뭔데, 아마나."

"아가씨를 아끼시니 그러시는 것이겠죠."

"……날?"

"아가씨를 아끼시니 말콤 호로웨이를 심상찮게 여기셨겠죠."

"그래서 뒷조사를 하셨다고?"

"그리고 그가 아가씨를 괴롭게 만든다는 사실을 알아내셨을 거예요."

"아⋯⋯."

"그러니 그를 죽이실 수 있으셨던 걸 테고."

"물론 뒤의 일은 과한 감이 없잖아 있지만요."

"⋯⋯날 아껴서 그런 짓을 하셨다고?"

"지금 그것 외에 이 상황을 설명할 길이 있나요?"

아마나의 되물음에 나는 순간 할 말을 잃었다. 그리고 멍한 표정으로 그 자리에서 굳었다. 그런 나를 가만히 바라보던 아마나가 어느 순간 천천히 입을 열었다.

"일단 오늘은 이만 돌아가시는 게 좋겠어요. 뒤처리는⋯⋯."

"폐하께서 다 하셨어."

나는 메마른 목소리로 중얼거렸다.

"꽃집은 깨끗해."

"⋯⋯그럴 줄 알았어요."

아마나는 그리 놀라지도 않으며 말을 이었다.

"시간이 늦었으니 다음에 다시 이야기해요, 아가씨."

"그래, 알았어."

"오늘 일은 누구에게도 말하지 않을게요."

"⋯⋯고마워."

왜 내가 고마워해야 하는지는 모르겠지만.

그렇다고 해서 레이놀즈에게 그 말을 하라고 할 수도 없는 노릇이었다. 나는 속으로 한숨을 내쉬며 아마나에게 말했다.

"또 올게, 아마나. 나오지 마."

푹 쉬라는 말을 남기고 꽃집에서 나오자, 레이놀즈가 바깥에서 나를 기다리고 있는 모습이 보였다. 그리고 나는 일순 가슴 속에서 뜨거운 무언가가 올라오는 것을 느꼈다. 내 눈치를 보는 듯한 그의 표정이 이상하게 보기 불편했다.

물론 내 착각일지도 모르겠지만, 아무리 애를 써도 그가 내 눈치를 살피고 있다는 느낌을 지울 수가 없었다. 나는 건조한 목소리로 그에게 말했다.

"이만 돌아가시지요, 폐하."

누가 들어도 냉랭한 목소리는 정중했고, 무례하지도 않았으나 마음이 담기지는 않은 듯했다. 그것을 눈치챘는지 레이놀즈의 표정이 한층 이상해졌다. 참 이상한 묘사였지만 정말 '이상한' 표정이었다. 난 그의 그런 표정을 본 적이 없다. 그러니까 나한테 무슨 상처라도 받은 듯한…… 그런 표정 말이다. 왜 지금 상황에서 저런 표정을 짓는 사람이 내가 아닌 그인지 대관절 모르겠다.

·

·

·

돌아오는 마차 안은 고요하기 그지없었다. 나나 그, 누구도 먼저 입을 열지 않고 창밖만 바라보았기 때문이었다. 나는 정신적으로 많이 지쳐 있는 상태였고, 머릿속이 너무 복잡했다.

무엇보다도, 레이놀즈에게 어떻게 말을 걸어야 할지 가늠이 되지 않았다. 나는 우리 사이에 침묵과 거리가 필요하다고 믿었다. 새삼스럽게도, 나는 그와 아무 관계도 아니라는 사실을, 지금의 나는 그저 그의 임시 시녀에 불과하다는 사실을 다시 한번 자각하면서.

'그리고 그게 맞는 일이겠지.'

어쨌든 레이놀즈 역시 내게 말을 걸지 않아서, 우리는 결국 한마디도 하지 않은 채로 저택에 도착했다.

"도착했습니다."

늘 그렇듯 밝은 얼굴로 황제를 마중 나온 그의 시종들은 우리 사이의 냉랭한 분위기를 빠르게 눈치챘는지 아무도 입을 열지 않았다. 그리고 나는 끝까지 예의를 갖추어 그를 대해야 한다는 생각만으로, 레이놀즈에게 정중히 허리 굽혀 인사했다.

"오늘 피곤하셨을 텐데, 푹 쉬시는 게 좋겠습니다."

"……."

"그럼 저는 이만."

그 형식적인 인사를 끝으로 나는 뒤를 돌았다.

그는 나를 잡지 않았고, 그런 생각을 하고 있다는 사실을 자각한 순간, 나는 스스로를 향해 비소를 보냈다.

'내가 뭐라고 나를 잡아.'

착각도 어지간히 해야지. 고작 엿새 만난 사이에. 황제와 신하 관계에서.

'정신 차려.'

꾹 입술을 깨물면서 나는 고개를 저었다. 나도 모르는 사이에 그에게 무슨 유대감이나 정서적 친밀감이라도 느끼고 있었던 모양이었다. 다른 사람도 아닌 엘스워드의 황제에게, 전쟁광에 폭군이라는 그 남자에게 말이다.

'아무래도 내가 제정신이 아닌 모양이야.'

그런 사람이라는 소문을 숱하게 들었으면서도 믿지 않으려 했을 때부터, 그런 사람이 아닌 것 같다고 말하고 다닐 때부터 뭔가 이상하다 느낌은 들었지만……

'아냐, 그만 생각해.'

더 생각해 봤자 안 그래도 복잡한 머릿속, 더 복잡해질 뿐이다. 오늘은 말콤 호로웨이의 갑작스러운 죽음만으로도 충분히 정신없었다. 나는 의식적으로 머릿속을 텅 비워내려 애쓰며 별채까지 저벅저벅 걸어갔다.

❧ ❧ ❧

"무슨 일이 있으셨습니까?"

두 사람의 미묘한 기류를 눈치챈 애슐리가 조심스럽게 물었다. 그는 아직 낮에 아마나의 꽃집에서 있었던 일에 대해 모르고 있는 상태였다. 그런 그에게 꽃집까지 동행했던 시종이 빠르게 다가와 속닥거렸고, 사정을 알게 된 애슐리는 조용히 입을 다물었다.

동료들에게 먼저 물어보기부터 할걸. 드물게 하는 실수를 하필이면 이런 순간에 저질러 버린 것이다.

"이만 들어가시는 게 좋겠습니다."

애슐리는 더 묻는 대신 빠르게 말을 돌렸고, 레이놀즈는 아무 말도 하지 않았다. 그저 지독히도 씁쓸해 보이는 눈으로 그 자리에 멈추어 서서, 떠난 유리네트의 자리를 가만히 응시할 뿐이었다.

.

.

.

"표정이 왜 그래?"

별채 안으로 들어오자마자 가장 먼저 들은 질문이었다. 나는 멍한 얼굴을 들어 올렸다. 걱정하는 얼굴의 오드리가 나를 응시하는 모습이 눈에 들어왔다.

"……응?"

멍청하게 되묻자, 오드리는 순간 말문이 막힌 표정을 지었다가 내게 물어왔다.

"무슨 일 있었어?"

없지는 않았다. 있다면 꽤 큰일이 있었고.

'……나만 큰일이라고 생각하는 걸지도 모르겠지만.'

하여튼 나는 이 이야기를 오드리에게 해야 하나 말아야 하나 고민했다. 아직은 어린애고, 굳이 이런 이야기를 그녀에게 해주고 싶지 않아서.

내 짧은 소견으로, 말콤 호로웨이의 죽음은 공식적으로 레이놀즈 황제에 의한 살인이 아니게 될 가능성이 아주 높았다. 그렇다면 오드리는 그의 죽음에 얽힌 진실을 굳이 알 필요가 없는 것 아닐까? 나는 그런 생각을 했다.

"언니."

하지만 그런 내 생각이 무색하게도, 나의 표정이 '무슨 일이 있음'을 말해주었나 보다. 오드리가 심각한 표정으로 물어왔다.

"무슨 일이 있었구나. 그렇지?"

자, 이제 여기서 거짓말을 하느냐 마느냐는 나의 선택이었다. 그리고 그 고민이 무색하게도 나는 괴롭기 짝이 없는 표정을 지어 버렸다. 오드리는 내가 심상치 않은 일을 겪고 왔음을 눈치챘는지 빠르게 에이미에게 지시 내렸다.

"일단 언니를 목욕시키는 게 좋겠어, 에이미. 언니가 너무 피곤해 보여."

"네, 아가씨."

"저녁 식사는 언니가 목욕을 마칠 때에 맞춰서 준비될 거야. 천천히 씻고 나와."

아무래도 이야기를 뒤로 미룰 심산인 듯했다. 그때 나는 문득 오드리가 나보다 더 어른스러운 것 같다는 생각을 했다. 어쨌든 나는 에이미의 도움을 받아 따뜻한 목욕을 했고, 깨끗한 드레스로 갈아입었다. 그 일련의 행위들이 내 심신을 진정시키는 데 크게 기여했다.

그리고 식당으로 내려오자, 오드리의 말대로 저녁 식사가 준비되어 있었다. 보아하니 방금 전에 다 완성된 듯했다.

"왔어? 얼른 앉아."

오드리는 태연자약하게 웃으며 나를 앉혔다. 나는 늘 그렇듯 그녀의 맞은편에 앉았다.

"오늘은 미트소스 파스타랑 오리 가슴살 구이. 맛있겠지?"

"응."

나는 연하게 미소 지은 다음 천천히 요리에 손을 댔다. 식사는 상당히 조용한 분위기에서 이루어졌는데, 나는 계속 입을 다물고 있었고 오드리는 예상외로 내게 무언가를 꼬치꼬치 물어보지 않았다. 식사 후로 모든 질문을 미뤄둔 사람처럼. 그리고 예상대로, 후식이 나왔을 때가 되어서야 오드리는 내게 물어왔다.

"무슨 일이야?"

짧은 한마디가 묵직하게 다가왔다. 나는 사과 콤포트에 찔러 넣던 포크를 잠시 멈춘 다음 머뭇거렸다. 그러면서 다시 정적이 찾아왔고, 그것이 깨진 것은 꽤 한참 뒤였다.

"놀라지 마, 오드리."

하지만 이렇게 미리 경고해도 왠지 놀랄 것 같다는 생각이 들었다. 어쨌든 오드리는 고개를 끄덕였다.

"말콤 호로웨이가 죽었어."

내 말에 오드리는 한동안 믿기지 않는다는 표정으로 있다가, 멍한 목소리로 물었다.

"죽어?"

"응."

"말콤…… 호로웨이가?"

"응."

"내가 아는 '그' 말콤 호로웨이? 언니 쫓아다니는 '그' 말콤 호로웨이?"

"그래. '그' 말콤 호로웨이."

"왜……? 아니, 그래서 안색이 안 좋았던 거야?"

나는 머뭇거리다 아마나의 꽃집에서 있었던 일을 전부 말했다. 아마나와 나누었던 이야기까지 함께. 애당초 긴 이야기는 아니었는 데다, 내가 말을 고르고 골라 입 밖으로 냈기 때문에 오드리로서는 짧은 시간 동안 듣게 된 충격적인 말이 생각보다 더 쇼킹하게 다가온 모양이다. 어버버 말을 잇지 못하다가 한참 후에야 더듬더듬 내게 물은 것을 보면 그랬다.

"와, 잠시만……. 너무…… 당황스럽다. 그래서 언니가……."

"응, 그랬어."

그리고 나는 이 화제에 대해 별로 더 이야기하고 싶지 않아져서, 의도적으로 입을 다물었다. 그걸 눈치챘는지는 모르겠지만, 오드리는 얼빠진 얼굴로 '와, 세상에'만 방언 터진 사람처럼 반복했다.

"으음…… 언니 많이 놀랐겠네."

"응."

"그리고 혼란스러워 보여."

"넌 안 그래?"

"놀라긴 했지만 혼란스럽지는……."

오드리가 순간 할 말을 잃었다가 이내 빠르게 이었다.

"그보다는 당황스러워. 폐하께서 왜 그런 행동을 하셨을까?"

그 말에 나는 꽃집에서 아마나가 했던 말을 떠올렸다.

'아가씨를 아끼시니 그러시는 것이겠죠.'

오드리는 이 말을 들으면 어떻게 반응할까. 오드리도 아마나처럼 생각하고 있을까?

'아니야.'

어쩌면 그녀는 다른 생각을 가지고 있을지도 모른다. 나는 그것에 대해 조그마한 기대를 가지고 오드리에게 물었다.

"넌 왜 그러셨다고 생각하는데?"

"으음……."

쉽지 않은 문제인 듯 오드리는 오래 고민하다, 천천히 입술이 열어 내게 물어왔다.

"당사자는 뭐라고 했어?"

"어?"

"말콤 호로웨이를 죽인 당사자."

레이놀즈.

"폐하는 왜 그랬다고 하셨는데?"

"……."

"설마 그 일이 있고 아무 말도 안 하셨어?"

그건 아니었다. 나는 이미 한 번 그에게 왜 그랬는지 물어본 적이 있었다.


'유린에게 소리를 지르잖아.'

'…….'

'감히.'


감히 내게 소리를 지르고.


'감히 너를 귀찮게 했어.'

'……'

'그것도 1년 남짓한 시간 동안.'

1년 남짓한 시간 동안 나를 귀찮게 하고.

'무엇보다……'

적의 서렸던 그 눈빛. 여전히 뇌리에 강하게 잔존하는 그 서늘함.

'싫어했어. 말콤 호로웨이를.'

그렇다면 정말로…….

"언니?"

오드리가 나를 불렀다. 말이 없어진 채 심각해지는 내가 걱정스러웠던 모양이었다. 나는 그제야 정신을 차리고 오드리를 쳐다보다가 천천히 입을 열었다.

"폐하께서는……."

그를 몹시 싫어하셨던 것 같아.

나를 귀찮게 만드는 그 사람을. 나를 괴롭게 만드는 그 사람을.

"나한테 소리를 지르고, 나를 1년이나 귀찮게 해서 죽이셨대."

"말콤 호로웨이가?"

나는 고개를 끄덕였다.

하지만 여전히 오드리는 의문에 사로잡힌 얼굴이었다.

"근데 1년이나 언닐 괴롭힌 건 어찌 아셨대?"

"폐하께서……."

나는 마른 침을 꿀꺽 삼킨 다음 대답했다.

"뒷조사를 하신 모양이야."

"말콤 호로웨이를?"

"응."

"어째서?"

"지난번에 내가 말했지? 이틀 전 시내 구경을 나갔을 때 말콤 호로웨이와 마주칠 뻔했는데…… 내가 싫어하는 기색을 엄청 보이면서 숨었거든."

"그런 이유 때문에 호로웨이의 뒷조사를 하고, 그를 죽이기까지 하셨다는 건……."

어쩐지 아마나와 비슷한 대답이 나올 것 같아서, 나는 다시 한번 마른 침을 삼켜 넘겼다.

"어지간히 말콤 호로웨이가 꼴 보기 싫으셨던 거겠지."

"……."

"그리고 그만큼 언니를 아끼시는 것 같아."

하지만 무엇으로서? 나는 그렇게 묻고 싶었지만, 함부로 묻지 못했다. 이 이상으로 나에 대한 그의 마음을 알기를 두려워했던 탓일까.

"일단 언니, 충격받은 거 같은데 가서 좀 쉬는 게 좋겠어."

나를 토닥이는 오드리를 향해, 나는 고개를 끄덕였다.

# 8

## *Fond*

말콤 호로웨이가 죽었다는 사실은 사토르디 전역에 금방 알려졌다. 그의 공식적인 사인은 변사였고, 사람들은 모두 호로웨이 가문이 이 사건을 샅샅이 파헤칠 거라 여겼다.

그러나 모두의 기대를 깨고, 호로웨이 가문은 조용했다. 그저 말콤의 장례식만을 묵묵히 치를 뿐이었다. 죽음을 규명하려는 움직임은 없었다. 마치 사인이 자살이라도 되는 것처럼 행동했다.

모두가 그 이유에 대해 궁금해했지만 답을 알지 못하는 사이, 말콤 호로웨이의 죽음은 점점 잊혀졌다. 그는 원래부터 그 악랄한 행실로 사토르디 전역에서 소문이 나쁘게 도는 남자였고, 그에게 해코지를 당한 사람이 수두룩했기 때문에 죽음이 잊히는 것은 더욱 쉬웠다.

그리고 나는 그 일이 있은 후 별채 밖으로 나가는 법이 없었다. 원래 그로부터 이틀 후 레이놀즈와 함께 온천에 갈 계획이었지만,

그를 다시 보는 게 두려워 결국 피해 버리고 만 것이다.

그가 내게 나쁜 짓을 할까 봐 그런 것이 아니었다. 그 일이 있고 그와 다시 마주했을 때 겪게 될 어색한 분위기가 두려웠다.

그래서 나는 별채에서 계속 칩거 중이었다.

.

.

.

정확히는 방 안에만 틀어박혀 있었지만.

"폐하께서 요즘 방 안에서만 계신다네요."

에이미가 김이 오르는 찻잔과 함께 그 사실을 전해주면서 덧붙였다.

"듣기로는 폐하의 기분이 많이 가라앉으셨고, 좋지 않으시대요."

그게 나 때문일 거라고 유추하는 건 어렵지 않은 일이었다.

'물론 내 착각일지도 모르겠지만……'

정황상 그랬으니까.

그래서 그 말을 듣는 내 기분도 자연스럽게 가라앉았다.

"요즘은 본채에 안 가세요, 아가씨?"

에이미가 샌드위치가 담긴 접시를 건네주면서 내게 물어왔다. 말이 '요즘은 본채에 안 가세요?'지 실상은 '요즘은 폐하를 만나러 안 가세요?'라는 걸 나는 빠르게 눈치챘다.

'참. 에이미는 꽃집에서 있었던 일을 모르는구나.'

그러니 그녀로서는 내가 레이놀즈와의 사이에서 마찰이라도 있었다고 생각한 모양이었다. 나는 으깬 달걀이 잔뜩 들어간 샌드위치를 우물거리며 대꾸했다.

"폐하께서도 내가 자주 가면 귀찮아하실 거야."

그게 앞뒤가 안 맞는 말이라는 걸 나 스스로도 잘 알고 있었다.

지금 레이놀즈가 저러는 이유는 나 때문일 가능성이 컸기 때문에.

'하지만 그걸 내 입으로 말하는 것도 좀…… 그래.'

나는 그렇게 생각하며 샌드위치를 한입 더 베어 물었다. 그때 에이미가 내게 단호하게 말해왔다.

"그럴 리 없어요."

그 말을 듣고 나는 잠깐 멈칫했다가, 에이미를 똑바로 바라보며 물었다.

"어째서 그렇게 생각해?"

"폐하께서는 아가씨를 보지 못해 심심해하시는 것 같아요."

나는 잠시 할 말을 잃고 에이미를 쳐다보았다. 정곡이 찔려서 그런 건데, 에이미는 내가 그 대답을 황당하게 여겨 침묵한다고 여기기라도 한 건지 빠르게 덧붙였다.

"정말이에요. 그렇지 않고서야 폐하께서 갑자기 활기를 잃으실 리 없잖아요."

"원래도 활기와는 거리가 있으신 분이셨어."

"하지만 시종들 말을 들어보면, 폐하께서 아가씨와 계실 동안에는 생기 있으셨다고 하던걸요."

"……요즘 어딜 그렇게 돌아다니나 했더니. 본채에서 폐하의 시종들과 시간을 보낸 거였어?"

내가 눈을 가늘게 뜨며 묻자, 에이미가 뜨끔한 얼굴로 내 시선을 피했다. 그러다 이내 멋쩍게 입을 열었다.

"어쨌든요. 아가씨께서 한번 가보시는 게 좋을 것 같은데."

"……."

나는 아무 말도 하지 않았고, 에이미도 내게 더 권유하지 않았다.

하지만 내 마음속에서는 이미 변화가 일어나고 있었다.

❧ ❧ ❧

결국 그다음 날 이른 오전.

"어머니."

나는 오랜만에 본채를 찾았다.

"유리네트."

나를 발견한 사토르디 자작부인이 기쁜 소리를 냈다.

"요즘 통 본채에 발걸음이 뜸하더구나."

그녀가 눈살을 폭 구기며 나를 걱정했다.

"혹시 아픈 건 아닐까 하고 내가 직접 가볼까 했단다."

"아니에요, 어머니. 저는 건강했어요."

나는 어색하게 웃으며 대답했다.

"그냥…… 책을 좀 읽느라고요."

"넌 너무 책을 좋아해, 얘야. 그래도 가끔은 바깥바람도 쐬고 그래야지."

자작부인의 말 나는 머쓱하게 웃으며 대꾸했다.

"안 그래도 이제 그러려고요."

"그래야지. 폐하를 만나 뵈러 왔니?"

"네."

나는 어색하게 고개를 끄덕였다.

"어디 계신가요?"

"위층 방에 계신단다. 요 며칠은 칩거하시는 분처럼 통 바깥에 나오지를 않으셔서 걱정이야."

"……"

"무슨 근심이라도 있으신 분 같단다. 너무 방에만 계시는 것도 좋지는 않을 텐데……. 내가 다 걱정이야."

"그럼 저는 이만 가볼게요, 어머니."

사토르디 자작부인의 걱정스러운 중얼거림을 뒤로 하고, 나는 천천히 2층으로 올라갔다. 그러다 나는 애슐리 경과 눈이 마주쳤다.

"아……!"

오랜만에 만나는 친구를 보는 것처럼 반가운 표정이 시야로 보였다.

"레이디 유리네트."

"오랜만입니다, 애슐리 경."

"네. 정말 그렇네요. 요즘 발길이 뜸하셨습니다."

애슐리 경은 내가 이곳에 오지 않던 이유를 알고 있을 것이다. 그래서 '그간 아프셨나요?' 따위의 질문은 나오지 않았고, 나는 그걸 편안하게 여겨야 하는지 불편하게 여겨야 하는지 감이 잘 잡히지 않았다. 사실, 중요한 건 애슐리 경이 나를 배려하며 대화를 시도했다는 점이겠지만.

"폐하께서도 요즘은 방 안에만 계신답니다."

필연적으로 나올 수밖에 없는 주제가 바로 나왔고, 나는 움찔했다.

"물론 충분한 휴식이 중요하긴 하지만…… 너무 바깥으로 출입하지 않으셔서 이제는 좀 걱정이에요."

"……그렇군요."

나도 모르게 힘없는 목소리로 대답이 나왔다. 그런 내 눈치를 보던 애슐리 경이 얼른 다른 이야기를 꺼냈다.

"실은 뒤늦게 말씀드리는 거지만……."

"네?"

"폐하께서 이곳에 오신 이후로 많이 밝아지셨습니다."

"밝아……지셨다니요?"

"원래도 어둡고 가라앉으신 분이었지만, 혼수상태에서 깨어나신 이후로는 어딘가 모르게 더 음울하고 공허하신 모습이었는데…….'

여기까지 말하고 애슐리 경은 잠깐 멈칫했다. 아무래도 자신의 주군 되는 자에 대해 너무 불경스럽게 말한 것 같다고 생각한 것 같았다. 하지만 그것도 잠시, 그는 계속 말을 이어 나갔다.

"사토르디에 오고, 영애와 시간을 보내신 뒤부터는 묘하게 밝아지신 모습이라, 모시는 입장으로 몹시 기뻤습니다."

"요양을 오셔서 그러신 걸 거예요."

"단순히 그런 문제로 보기에는."

애슐리 경이 낮게 웃으며 고개를 저었다.

"영애가 이곳에 오지 않으시는 동안, 다시 우울해지셨는걸요."

일리 있는 추론을 듣고 난 뒤, 나는 아무 대꾸도 하지 못했다. 그리고 애슐리 경은 내 심란한 상태를 인지했는지 자연스럽게 말을 돌렸다.

"폐하를 뵈러 오셨나요?"

그 질문에 대답하지 못하는 사이, 애슐리 경의 목소리가 이어졌다.

"영애를 보시면 기뻐하실 겁니다."

그러니 한번 들어가 보라는 이야기였고, 나는 주저했다. 하지만 애당초 내가 여기 온 이유는 고작 레이놀즈의 안부나 묻기 위함이 아니라는 걸 우리 두 사람 모두 잘 알고 있었다.

애슐리 경은 내게 더 이상 말을 걸지 않았다. 그저 내 다음 행동을 기다리겠다는 듯 나를 빤히 쳐다볼 뿐이었다. 자신이 할 말은 다 했고, 이제 남은 것은 내 선택일 뿐이라는 듯이.

"……."

나는 한참 동안 아랫입술을 지그시 깨물었다. 그리고 어느 순간, 어딘가를 향해 천천히 걸어가기 시작했다. 내 발걸음이 멈춘 곳은 레이놀즈의 방문 앞이었다. 주변에서 대기하던 시종들은 관심 없는 척하면서도 내 다음 행동에 대단히 주의를 기울이고 있었다. 나는 그 사실을 빠르게 눈치채고 부담감을 느꼈다. 다들 내가 이곳으로 와주기를 몹시도 기대한 모양이었다.

'후우……'

나는 속으로 심호흡을 작게 한 다음 문을 두드렸다.

똑똑똑.

"……무슨 일이지?"

한참 후 방 안에서 목소리가 들려왔다. 오랜만에 들어보는 목소리에 나는 멈칫했다가, 빠르게 입을 열어 신원을 밝혔다.

"유리네트 조셋 엘 사토르디."

"……."

"……입니다, 폐하."

그리고 방 안에서 다시 목소리가 들려오기를 기다렸지만, 아무리 기다려도 허가가 떨어지지 않았다. 나는 당황스러워졌다.

'레이놀즈는 내가 찾아오는 걸 바라지 않았던 걸까?'

다시 돌아가야 하나 진지하게 고민하고 있는데, 갑자기 문이 벌컥 열리고 레이놀즈가 모습을 드러냈다. 그리고 아주 오랜만에 그와 마주한 나는 깜짝 놀랄 수밖에 없었다. 울기 직전처럼 붉게 물든 눈동자가 금방이라도 쏟아낼 것 같이 잔뜩 품고 있는 감정은 분명……

"아……."

그리움.

그리고 그 너머로 갈증과, 갈망과, 괴로움의 감정도 엿보였다.

마지막으로 그를 보았을 때보다 더 깊고 어두워진 눈동자가 나를 당황시켰고, 나는 한참 동안 아무 말도 하지 못한 채 그를 빤히 바라보기만 했다.

인사를 하는 것마저 까먹었다. 그것이 불경한 행동이라고 아무도 말해주지 않았고, 레이놀즈 본인 역시 지적하지 않았다. 그저, 금방이라도 사라져 없어질 수수께끼의 힌트라도 보는 것처럼 내게서 시선을 떼지 않았을 뿐이었다.

"보고 싶었어."

잔뜩 억눌려 있던 한마디가 툭 튀어나왔다.

그 갑작스러운 고백에 내 심장은 빠르게 뛰기 시작했다.

"⋯⋯잠시 들어가도 될까요?"

그는 대답보다 빠르게 몸을 옆으로 비켜 주었고, 나는 그때까지도 입술을 꾹 앙다문 채 방 안으로 들어갔다. 오랜만에 찾은 그의 방은 마지막으로 보았을 때와 크게 달라진 점이 없었다. 나는 어색하게 방 안에서 배회하다가 테이블 앞에 자리를 잡고 앉았다.

레이놀즈는 그런 나를 붉은 눈으로 빤히 쳐다보고 있을 뿐이었다. 처음과 달라지지 않는 행동에 조금 당황하면서, 나는 천천히 말문을 뗐다.

"그간 방 밖으로 나오지 않으셨다고 들었습니다."

추궁하려는 의도가 결코 아닌 것처럼, 나는 최대한 조곤조곤하게, 그리고 조심스럽게 말했다. 그럼에도 레이놀즈는 여전히 나를 물끄러미 바라보기만 할 뿐, 이런저런 말이 없었다. 그로 인한 침묵을 견디는 것이 어려워 나는 다시 말을 걸었다.

"혹 어디 편찮으셨나요?"

그런 게 아니라는 걸 직접 듣지는 않았지만 이미 알고 있어서, 모르는 척 묻는 스스로가 좀 우습게 느껴졌다. 그리고 질문에는 대답해야 한다고 생각했는지 레이놀즈의 입이 마침내 열렸다.

"아니."

단답형일 줄 알았던 대답은 놀랍게도 장문의 형태를 띠고 있었다.

"그런 게 아니야."

"……그럼요?"

"날 찾아오지 않았잖아."

"……."

"유린이."

그간 자연스럽게 넘기고 있었는데, 나를 '영애'라고 '정상적으로' 부르던 레이놀즈는 어느 순간부터 '유린'으로 호칭을 바꾸었다. 나를 애칭을 부르기에는 그리 친한 사이가 아닌데도.

그래서 내 기분은 그 순간 더 어색해졌다. 하지만 그것을 지적하기에는 너무 '불경'한 것 같아서, 나는 언급하는 대신 그다음 이야기로 넘어갔다.

"그냥……."

나는 할 말이 없어져서 공연히 말꼬리나 늘였다.

"그날 이후로 피곤하실 것 같아서요."

내가 들어도 참 빈약한 변명이라 찔렸다. 결국 나는 곧바로 한마디를 더 덧붙였다.

"약속을 지키지 못해서 죄송합니다."

사과였다. 하지만 레이놀즈의 표정은 사과 따위나 듣고 싶었다는 얼굴이 아니었다.

"그런 게 아니잖아."

방금 한 대답들이 전부 거짓이라고 말하는 듯해서, 나는 뜨끔했다.

"날 피한 거 아닌가?"

레이놀즈는 누군가의 앞에서 아쉬운 소리를 하거나 눈치를 볼
필요가 없었을 것이다. 그는 황제였으니까.

'그러니 굳이 우회적으로 돌려 말할 필요도 없었겠지.'

결국 방금의 직설적인 질문은 그 결과물이었다. 어쨌든 나는 그
가 이렇게 곧바로, 돌리지 않고 물어올 줄은 몰라서 꽤 놀라고 말
았다. 그러는 동안에도 그의 목소리는 멈추지 않고 내게 흘러들어
왔다.

"그날 일 때문에."

"폐하, 그건……."

나는 어떻게 대답해야 할지 몰라서 우왕좌왕하다가, 결국 항복
한 사람처럼 고개를 푹 숙이고 입을 열었다.

"……맞아요."

진실을 말하지 않을 수 없는 상황이다. 그 대답에 나를 빤히 쳐다
보던 레이놀즈가 다시 물었다.

"내가 무섭나?"

거기에는 아니라고 자신 있게 대답할 수 있었다. 그가 무서워서
피한 게 아니었다. 이 상황의 어색함을 걱정해 피한 것이다. 미봉책
이라는 걸 누구보다도 잘 알고 있었음에도 어쩔 수 없어서.

나는 고개를 저었고, 그의 눈빛은 조금 달라졌다. 레이놀즈가 세
상 밖으로 처음 나온 어린아이처럼 물어왔다.

"그럼?"

그 이유가 아니라면, 왜 자신을 피했느냐는 질문이었다.

"왜?"

"……."

"왜 날 보러 오지 않았지?"

그 질문이 어린애 같다고, 그게 아니면 애완동물 같다고 나는 생각했다. 보호자를 기다리며, 그의 애정과 관심을 갈구하는……. 그 생각에 잠시 머뭇거리다가 입을 열었다.

"그건……."

답이 나와 있는 문제임에도 말이 잘 나오지 않는 건, 무언가를 기대하는 눈으로 나를 바라보는 그의 눈빛 때문일까. 늘 내게 당당하고, 강인하고, 절대 무너지지 않을 것처럼 각인되었던 그의 눈빛이 평소와는 많이 다르게 느껴졌다. 그래서 나는 어색했고, 그가 낯설었다. 좋은 의미라면 좋은 의미로.

"이렇게 폐하와 마주했을 때."

"무슨 말을 먼저 꺼내야 할지 몰라서요."

나는 솔직하게 대답했다.

"어색할 게 분명한 이 상황이 무서웠어요."

"……단지 그것 때문이야?"

"네."

"내가 무서워서 피한 게 아니지?"

나는 고개를 끄덕였고, 순간 그의 눈동자에 안도의 빛이 스쳐 지나갔다. 그리고 나는 그가 왜 안도했는지 궁금해졌다. 그래서 물어보려는 찰나, 그가 갑자기 내 앞에 무릎을 꿇고 앉았다.

자연스럽게 우리의 눈높이는 동등해졌고, 나는 당황했다. 그리고 왜 그러시냐고 물어보기도 전에, 그가 나를 덥석 안음으로써 내가 하려던 말은 한 글자도 시작되지 못했다.

"아……"

그 대신 당황스러운 작은 소리가 입 속에서 튀어나왔다. 나는 당황한 얼굴로 눈이 잔뜩 커진 채, 그가 무슨 표정을 짓고 있는지 보기 위해 애썼다. 하지만 생각처럼 되지 않아 답답해졌다.

그리고 다른 말을 내뱉기도 전에 그의 목소리가 다시 들려왔다.

"……나 버리지 마."

당황스러운 한마디였다. 나도 모르게 물음표가 튀어나왔다.

"……네?"

"버리지 않겠다고 약속해줘."

모르는 사람이 본다면 어린아이가 엄마에게 떼를 쓰는 줄로 알지도 모른다. 나는 당황해서 그 이상 말을 내뱉지 못했고, 그래서 레이놀즈는 계속 나를 안고 있었다. 나는 그의 품 안에서 여전히 당황하면서, 한참 후에야 그에게 이유를 물었다.

"왜 그런 말씀을 하세요?"

"유린이 날 버릴까 봐."

갈라지고 건조해진 목소리가 고백했다.

"무서웠어."

무서……웠다고?

"……제가요?"

내가 당신을 버릴까 봐?

상식적으로 이해가 가지 않는 이야기였다. 드넓은 엘스워드를 통치하는 황제와, 그에게 충성을 약속한 시골 영주의 딸. 누가 봐도 버리는 쪽은 전자여야 했다. 보잘것없어 보이는 후자가 아니라.

애당초 그를 버릴 만큼 소유한 적도 없고, 그 역시 내게 소유된 적 없다고 생각했던 나로서는 당황스러운 말.

나는 진심으로 궁금해져 물었다.

"제가 폐하를 버릴 수 있는 위치의 사람인가요?"

내 질문에, 그가 마침내 내게서 몸을 떼어냈다. 나는 드디어 그의 얼굴 표정을 볼 수 있었다.

"……유린은 모르고 있는 것 같지만."

하지만 금방이라도 울 것 같은, 아까보다 더 붉어진 눈동자가 나를 향하고 있어서…… 내 기분은 다시 이상해졌다.

"내게 그럴 수 있는 유일한 사람이야."

그게 나라는 게 믿기지 않았다. 나는 이해할 수 없어서 물었다.

"제가 왜요?"

"지금 말해줘?"

그가 나를 빤히 바라보며 되물었다.

"그 이유?"

'네'라고 대답하려는데, 그가 갑자기 이렇게 말했다.

"들으면 돌이킬 수 없어."

뭘……요? 나는 눈을 동그랗게 뜨고 그를 쳐다보았다.

"그래도 정말 지금 들을 거야?"

왜 돌이킬 수 없다는 건지……. 나는 혼란스러운 얼굴을 했다가 고개를 저었다. 뭔지는 모르겠지만 지금 들으면 큰일이 날 것 같은 분위기다.

내가 고개를 젓자, 레이놀즈는 아주 희미하게 미소를 지어 보이며 내 무릎 위로 얼굴을 묻었다. 나는 당황한 눈으로 아래를 내려다보았다.

기분이 이상했다. 이유는 잘 모르겠지만.

"약속해 줄 거야?"

"뭘요?"

"날 버리지 않겠다고."

"이해가 잘 안 돼요."

나는 떨떠름한 목소리로 물었다.

"제가 폐하를 버린다는 건 무슨 의미죠?"

"나를 외면하지 말라는 이야기야."

그는 여전히 내 무릎에 얼굴을 묻은 채 이야기했다.

"오늘 아침까지 내게 그랬던 것처럼."

"……."

"나를 피하지 말라는 이야기야."

나는 움찔거리며 그를 쳐다보았다. 고개를 숙여서 그의 얼굴이 보이지 않았다. 답답함이 느껴졌지만 그를 함부로 떼어 낼 수도 없는 노릇이었다.

그러다 어느 순간, 그가 몸을 일으켜 자세를 바로 했다. 하지만 여전히 내 앞에 무릎을 꿇은 채로, 나를 물끄러미 쳐다보았다.

'이건 분명…….'

애정을 갈구하는 눈이다. 내가 당황하는 사이 그가 입을 열었다.

"무엇보다도."

"……."

"나를 미워하지 마."

부탁이야, 하고 그는 덧붙였다. 나는 아무 말도 하지 못하고, 결국 눈물을 떨어뜨리는 레이놀즈의 눈만 뚫어질 듯이 응시했다.

그는 왜 눈물을 흘렸을까. 왜 아까까지 계속 울 것 같은 얼굴이었을까. 내게 이런 말을 하고, 이런 행동을 보이는 그의 속내가 궁금했다. 무엇 때문에 그는, 나에게……

"약속해줘."

이렇게 간절하게 굴지? 없으면 안 될 것처럼 구는 걸까?

'……내가 뭐라고.'

나는 혼란스러워졌다. 하지만 내 앞에서 금방이라도 두 번째 눈물을 떨굴 것 같은 얼굴로 간절히 말하는 미남에게 그런 걸 꼬치꼬치 물어볼 만큼 매정하지는 못했다. 나는 홀린 듯 고개를 끄덕였고, 드디어 슬프게 나를 바라보던 얼굴에 실낱같은 미소가 나타났다. 그제야 나는 알 수 없는 죄의식을 해소하고 안도감을 느꼈다.

"대신 조건이 있어요."

레이놀즈는 무엇이든 말하라는 얼굴을 했고, 나는 머뭇거리다 입을 열었다.

"……좋은 군주가 되겠다고 약속해 주세요."

내 말에 그가 한쪽 눈살을 찡그렸다. 내 말이 잘 이해가 가지 않는다는 투였다.

"무슨 뜻이지, 그건?"

"말씀드린 그대로예요. 좋은 군주가 되시겠다고 제게 약속해 주세요."

내게 보여 주는 다정하고 친절한 모습이 내게만 국한되지 않기를 바랐다. 그래서 내가 그에게 느끼는 이 감정을, 설명할 수 없는 이 애틋함을 다른 사람도 똑같이 느껴주기를 바랐다.

"폐하께서 좋은 군주로 남아 계시는 이상, 폐하께서 걱정하시는 일은 일어나지 않을 거예요."

그가 필요 이상으로 타인에게 미움과 공포를 주는 사람이 되지 않기를 바랐다. 그러나 왜 그가 그런 존재로 인식되기를 바라는지까지는 스스로도 여전히 알지 못했다.

"그걸 지켜주세요. 그럼 폐하께서 염려하시는 일은 일어나지 않을 거예요."

하지만 상관없었다.

'중요한 건 그게 아니니까.'

중요한 건, 내가 그가 그렇게 되기를 원한다는 사실 그 자체다. 이 남자가 내가 아닌 타인에게도 온화해지면 좋겠다고 생각하는 것, 내게 보이는 따뜻함이 다른 사람에게도 적용되기를 바라는 것. 그걸 위해 지금 기회를 이용하고 싶어졌다.

"약속해 주시겠어요?"

나는 물었고 그는 머뭇거렸다. 무엇에 대한 머뭇거림인지는 모를 일이다. 하지만 어쨌든 그는 고개를 끄덕였고, 내 얼굴에도 그제야 미소가 떠올랐다. 나는 아까보다 밝아진 목소리로 그에게 물었다.

"괜찮으시면 내일 온천에 같이 가실래요?"

❧ ❧ ❧

나는 저녁이 되어서야 별채로 돌아왔다.

마중 나온 에이미가 어쩐지 들뜬 듯한 목소리로 내게 물었다.

"어딜 그렇게 다녀오셨어요?"

답을 알고 있는데도 묻는 것 같아 나는 눈을 가늘게 뜨고 반문했다.

"이미 알고 있는 것 아니었어?"

"아이참."

들켰다는 표정으로, 에이미는 수줍게 얼굴을 붉혔다.

"폐하와는 화해하셨어요?"

역시.

'내가 레이놀즈와 싸운 줄로 알고 있었던 거야.'

나는 어색하게 웃으며 시치미를 뗐다.

"누가 언제 싸웠다고."

"싸우신 거 아니셨어요?"

"아니야, 그런 거."

"네, 뭐."

에이미는 속아 넘어주겠다는 듯한 얼굴로 어깨를 으쓱였다.

"아가씨가 그렇다면 그런 거죠, 뭐."

"안 믿네."

"그게 중요한가요? 중요한 건 아가씨가 폐하와 다시 사이를 회복하셨다는 거죠!"

에이미가 기분 좋은 목소리로 결론을 냈고, 나는 피식 웃었다.

'하긴. 그 말이 맞아.'

에이미가 빙긋 웃으며 내게 사근사근하게 말했다.

"얼른 식당으로 가세요, 아가씨. 오늘 저녁은 아가씨가 좋아하시는 바닷가재 요리랍니다."

※ ※ ※

그다음 날 아침, 나는 본격적으로 온천에 갈 준비를 했다.

이번에는 저번과는 다르게 어제저녁만 먹고 에이미에게 별장의 관리인 부부에게 미리 연락을 해두라고 시켰다.

'물론 하루 전날 연락하는 것도 급한 건 마찬가지지만……'

그래도 갑자기 들이닥치는 것보다는 나을 터였다.

"이만 가자, 에이미."

"아. 잠시만요, 아가씨."

방 바깥으로 나서려던 나를 에이미가 불러 세웠고, 나는 의아한 얼굴로 그녀에게 물었다.

"왜 그래?"

"모자에 리본이 살짝 풀어지려고 하서서요."

그렇게 말한 에이미가 내 앞으로 다가와 내가 쓰고 있던 모자에 달린 리본을 꼼꼼하게 다시 매주었다.

잠시 후, 그녀가 다 됐다는 듯 뿌듯한 목소리로 말했다.

"자, 이제 다 됐어요. 나가셔도 좋아요."

"고마워, 에이미."

나는 싱긋 웃으며 바깥으로 나갔고, 계단을 내려가면서 1층에서 올라오던 오드리와 마주쳤다. 오드리가 반가운 얼굴로 내게 물었다.

"어디 가, 언니?"

"폐하와 온천."

"아아."

오드리가 여전히 입가에 미소를 띤 얼굴로 내게 말했다.

"잘 다녀와, 언니. 내가 다 기분 좋다."

……무엇 때문에 기분이 좋은 건데?

나는 순간 당황했지만 오드리는 뭐에 대해 기분이 좋은지는 끝까지 말하지 않은 채, 나를 지나쳐 계단을 올라갔다. 뭔가 이상하게 부끄러워져서 나도 모르게 얼굴이 붉어졌다.

그리고 별채 밖으로 나가 본채까지 도착한 뒤에는, 늘 그렇듯 애슐리 경과 다른 시종들의 환대를 받으며 2층으로 들어섰다.

"안녕하세요."

"레이디 유리네트."

"모자가 참 예쁘네요."

나는 다른 시종들과 함께 화기애애한 분위기로 간단하게 담소를 나누었다.

'어제 일 때문에 이렇게 분위기가 좋아진 건가?'

그 사실에 묘한 뿌듯함을 느끼며 레이놀즈의 소재를 물으려던 찰나였다.

"왔어?"

누군가가 문을 열고 벌컥 밖으로 나왔고, 모두의 시선은 자연스럽게 그들이 모시는 주인에게로 향했다. 나는 별생각 없이 고개를 돌렸다가, 순간 보이는 모습에 당황했다.

"어……."

레이놀즈가 활짝 웃는 얼굴로 나를 바라보고 있었던 것이다. 이런 식으로 미소 짓는 건 처음이라고 느낄 정도로 환한 미소에 나는 당황할 수밖에 없었다. 입꼬리가 올라가면서 언뜻 보이는 유백색의 치아가 눈을 멀게 하는 듯했다. 나는 눈동자를 파르르 떨면서, 과하지 않게 차려입은 레이놀즈의 모습을 빤히 응시했다.

……잘생겼다.

'저런 얼굴로 저렇게 웃으면 어쩌자는 거야.'

새삼스럽게 말하는 것이긴 했지만, 레이놀즈는 심각하게 수려한 얼굴이었다. 얼마간 보면서 어느 정도 적응이 되었다고 생각했는데, 요 며칠 못 봐서 그런지 다시 적응력이 무너졌나 보다.

나는 갑작스럽게 빨리 뛰는 심장을 부여잡고 재빨리 그에게서 시선을 돌린 다음, 얼굴에 열이 오르는 사람처럼 볼 위로 부채질을 작게 했다. 덥다, 더워.

"황제 폐하를 뵙습니다."

나는 작게 고개를 숙인 뒤 웅얼거리는 목소리로 그에게 인사했다. 거센 심장 박동 탓에 목소리도 같이 떨리는 느낌이었다.

그리고 그런 내게 그는 다시 한번 방긋 웃어 주었다. 나는 빠르게 가슴 속의 흥분을 가라앉히기 위해 애쓰며 말을 걸었다.

"일찍 준비 마치셨네요."

"평소에는 내가 늑장이라도 부린 것처럼 이야기하네."

"하하."

사실 그의 행동이 대단히 느리다고 생각한 적은 없어서, 나는 머쓱하게 웃고 말았다.

"이만 가실까요?"

그렇게 물으며 별생각 없이 몸을 계단 쪽으로 돌리려던 찰나였다.

어깨에 그의 손길이 닿는 것이 느껴졌고, 예상치 못한 접촉에 나는 그 자리에서 그대로 굳어 버리고 말았다.

'망토…… 둘러준 거지, 지금?'

예상치 못한 상황에 어안이 벙벙해진 채로 있는데, 귓가에 낮고 우아한 목소리가 들려왔다.

"날씨가 추운데."

"……"

"조금 얇게 입은 것 같네."

덧붙여지는 뜨거운 숨결은 어깨에 닿는 냉기와 대조적이었다. 나는 멍한 상태로 조금 더 있다가, 잠시 후 퍼뜩 정신을 차리며 뒤

를 돌았다. 나를 바라보며 빙긋 미소 짓는 레이놀즈의 모습이 아까
와는 또 다른 색채를 띠고 있었다.

'……기분이 묘하네.'

나는 들릴락 말락 한 작은 목소리로 그에게 말했다.

"이 정도면 괜찮다고 생각했는데……."

모자도 썼고……. 이유는 모르겠는데 말끝이 자꾸 흐려졌다. 그
런 나를 가만히 바라보던 레이놀즈가 돌연 낮게 소리 내어 웃었
다. "감기 걸릴까 봐."

"괜찮습니다, 폐하."

"이만 가지."

그는 내 말을 무시하고 앞서 나갔고, 당황해서 멍하니 서 있는 내
게 애슐리 경이 다가와 말해주었다.

"그냥 입고 계시지요, 영애. 폐하께서는 한 번 결심하신 일을 바
꾸시는 법이 없답니다."

❧ ❧ ❧

망토는 황제가 입는 것답게 고급이었다.

마차 안에서 나는 그가 입혀준 망토를 그대로 입고 있었다. 함부
로 벗기가 조심스러웠기 때문이었다. 늘 스스로 상기시키는 사실.
그는 엘스워드의 지고하신 황제 폐하였다.

"날씨가 많이 춥네요."

마차 안에서, 나는 정적을 깨기 위해 가장 무난한 화제를 꺼냈다.

"눈이 내려도 이상하지 않을 것 같은 날씨에요."

그 말에 레이놀즈가 고개를 창밖으로 돌렸다. 하늘에는 구름이 가득했고, 내 말마따나 금방 눈이 내려도 이상하지 않을 것 같은 날씨였다. 그는 가만히 바깥을 응시하다 입을 열었다.

"내렸으면 좋겠는데."

"눈이요?"

"그래."

"그러다 저희 고립이라도 되면 어떻게 해요."

그 말에 레이놀즈가 내 쪽으로 천천히 고개를 돌렸다. 갑작스럽게 받게 된 시선에 나는 살짝 당황했으나 내색하지는 않았다.

"고립되면."

그가 내게 물어왔다.

"어떻게 되는 거지?"

"어떻게 되기는요……."

깊게 생각할 필요도 없이, 금방 답이 나오는 질문이었다.

"오늘 하루는 산장에서 머물러야겠지요."

"그래?"

"네. 눈이 내리면 이래저래 곤란해요. 마차가 미끄러질 수도 있어서, 함부로 움직일 수도 없거든요."

"흐음……."

내 말을 들은 레이놀즈가 무언가를 생각하는 표정을 지었고, 나는 갑자기 진지해진 그의 모습에 의문을 느꼈다.

'무슨 생각을 하는 거지?'

잠시 후 그가 입가에 실낱같은 미소를 띤 채 웃었고, 나는 그 웃음의 의미가 궁금해져서 물었다.

"왜 웃으세요?"

"아무것도 아니야."

김빠지는 대답이다. 하지만 눈치 상 그가 '아무 생각도 하지 않았다'는 건 거짓말처럼 보였다. 그럼 도대체 뭐 때문에 웃은 거지?

'눈을 좋아하나?'

나는 그런 단순한 생각밖에는 하지 못했다.

.

.

.

"어서 오세요, 아가씨!"

정오가 다 되었을 즈음 마차에서 내리자 관리인 부부가 우리를 반갑게 맞아주었다. 어제 연락을 받은 데다 레이놀즈와도 구면이어서 처음 왔을 때보다는 많이 편안해하는 모습이었다.

나는 관리인 아주머니를 안아 주며 다정한 목소리로 인사했다.

"오랜만이에요."

"네, 정말이요."

그녀는 내 뒤로 보이는 레이놀즈를 곁눈질하다가 내게 속삭
였다.

"저번에 그분도 함께 오셨네요."

"아아, 네."

나는 낮게 웃음소리를 내며 말했다.

"우리 온천을 아주 좋아하세요."

"아, 연상이신가요?"

"네?"

"존대를 하시기에."

"아아."

나는 빠르게 내 실수를 수습했다.

"저보다 여덟 살 더 많으시거든요."

물론 진짜 이유는 따로 있었지만, 그 사실까지는 당연히 말하지
않았다.

우리는 잠시 후 별장 안으로 들어섰다. 지난번과 다름없이 내
부는 깨끗했고, 나는 에이미와 함께 방 안으로 들어와 짐을 풀었
다. 짐이라고 해봐야 온천욕을 마치고 갈아입을 옷이 전부이긴 했
지만.

짐을 푼 다음에는 식당으로 모였다. 시간이 벌써 정오라 점심 먹
을 때였다. 점심 메뉴는 따뜻한 치킨 수프와 후추 양념으로 구운 닭

다리와 알감자였다. 산장 특성상 채소로 된 메뉴는 없었고, 레이놀즈는 채식을 즐기는 편이었기에 나는 그 사실이 조금 걱정스러워졌다. 다행스럽게도 별 불만의 기색은 없는 듯했지만.

"어쩌면 오늘 눈이 내릴지도 모르겠습니다."

치킨 수프에 든 치킨 조각을 꼭꼭 씹고 있는데, 관리인 아저씨가 말을 걸어왔다. 나는 스푼을 든 채 당황한 얼굴로 물었다.

"눈이요?"

"네."

"어떻게 아세요, 그걸?"

"경험상으로요. 아까 아가씨를 마중 나갈 때 보니 구름이 새털 모양이더군요. 그리고 아침노을이 서쪽에 생기면 보통 눈이 오더라고요."

"이런."

나는 곤란하다는 얼굴로 중얼거렸다.

"그럼 오늘 이곳에서 하루 묵게 될지도 모르겠어요."

눈이 내리는 미끄러운 산비탈을 마차가 내려가기란 여간 어려운 일이 아니리라. 무엇보다도 중요한 게 안전이었기 때문에 함부로 움직이기가 어려웠다. 그런데 심각한 표정인 나와는 다르게 레이놀즈는 꽤나 태평한 얼굴이었다. 내가 어이없어져서 물었다.

"레이, 아무렇지도 않아요?"

"눈 내리는 온천에 몸을 담그는 것처럼 매력적인 일은 없지."

"영식께서 뭘 좀 아시는군요."

관리인 아저씨까지 한술 더 뜨셨다. 나는 황당해졌다.

"저택에서 걱정할 거예요."

"너무 걱정하지 않으셔도 됩니다, 아가씨. 눈이 내려서 하산 일정이 미뤄지는 게 흔한 일이라는 걸 누구보다도 자작 부부께서 잘 알고 계실 테니까요."

그건 그렇지만……. 내가 난처한 표정을 짓고 있는데, 뒤쪽에서 관리인 아주머니의 목소리가 들려왔다.

"다들 저기 보세요. 눈이 내려요!"

그 말에 모두가 몸을 돌려 뒤쪽에 난 창을 바라보았다.

아주머니의 말마따나 눈이 내리고 있었다. 나는 어쩔 수 없다는 듯 웃음 섞인 한숨을 내쉬었다. 올해의 첫눈이었다.

❧ ❧ ❧

식사를 마치고 나니 눈은 아까보다 더 펑펑 내리기 시작했다.

'첫눈부터 이렇게 많이 내릴 줄이야.'

만약 눈이 쌓일 정도까지 내리게 된다면 하루가 아니라 눈이 녹는 시간까지 기다려서 며칠을 더 묵어야 할지도 모른다.

"아가씨, 옷 갈아입으셔야죠."

나는 흰색 점이 흩날리는 창밖을 바라보다가 에이미의 목소리에 뒤를 돌았다. 그녀는 얇은 실크로 된 목욕 가운을 들고 있었다.

나는 천천히 자리에서 일어났고, 에이미가 드레스를 탈의하는 것을 도와주었다. 목욕 가운을 걸치면서 나는 물었다.

"눈이 오는데, 감기 걸리시면 어쩌죠?"

"괜찮아. 나는 튼튼하니까."

"아, 아가씨도 그렇지만 폐하도요."

그 말에 나는 그녀를 빤히 쳐다보았다.

"요양하러 오셨다가 감기라도 걸리시면 어떻게 해요."

"설마. 그렇게 연약하실 리가."

그렇게 말한 뒤에 나는 그가 애당초 사토르디에 요양차 왔다는 사실을 뒤늦게 인지했다.

"……연약하실까?"

"젖은 채로 오래 밖에 계시지만 않는다면 괜찮으실 거예요."

"온천 안에 최대한 있어야겠어."

잡담을 마치고 우리는 방 밖으로 나왔다. 모습이 보이지 않는 것을 보니 레이놀즈는 아직인 듯했다. 나는 잠시 복도에서 기다렸지만, 시간이 길어지자 쌀쌀함을 느꼈다. 내가 추위를 탄다고 생각했는지 에이미가 나를 불러 권유했다.

"아가씨."

"응?"

"안에 들어가 계세요. 폐하께서 나오시면 제가 말씀드릴게요."

"아냐. 그냥 내가 직접 여쭤보는 게 낫겠어."

그 말과 함께 나는 에이미에게 이만 들어가 봐도 좋다고 덧붙였다. 그리고 레이놀즈의 방문 앞으로 가까이 가 그의 애칭을 불렀다.

"레이?"

대답은 들려오지 않았다. 대신 문이 벌컥 열렸다. 나는 그가 문을 갑자기 열어올 줄 몰랐기에, 당황한 눈으로 문을 열고 선 레이놀즈를 쳐다보았다. 그는 이미 가운으로 환복을 마친 상태였고, 나는 키 차이로 인해 시선이 그의 맨 가슴 위로 가는 것을 느끼고 빠르게 고개를 아래로 내렸다.

그 상태도 이상하게 외설적인 느낌이었지만, 그렇다고 위로 올리는 것은 불경한 행위였으므로 나로서는 선택의 여지가 없는 셈이었다.

'……근데 왜 아무 말도 안 하지?'

이상하게 어색하고 야릇한 분위기라, 나는 빠르게 정적을 깼다.

"준비 다 마치셨으면."

"이만 가실까요?"

어색함의 침묵을 깨는 데는 대화가 최고지. 나는 어색하게 웃으며 고개를 슬며시 들어 올렸다. 그리고 마주한 그의 눈동자에 어색하다 싶을 정도로 몸이 굳었다.

'어…….'

나를 바라보는 시선이 평소와는 달랐다.

특별할 때의 그것. 아무것도 담겨 있지 않은 듯 공허한 시선 같으면서도, 실은 무언가가 꽉꽉 담긴. 너무 가득 눌러 채운 감정이 금방이라도 바깥으로 삐져나올 듯한, 그런 눈빛. 어제 나와 재회했을 때 그가 내게 보였던 눈빛. 다행이라면 그보다는 조금 옅어 보이는 듯했지만.

하지만 나는 그 상황에서 레이놀즈에게 '왜 그렇게 보세요?' 하고 물을 수가 없었다. 그렇게 물음으로써 그가 나를 그런 눈으로 바라보고 있다는 사실을 확실하게 만들고 싶지 않아 하는 사람처럼.

"제 얼굴에 뭐라도 묻었나요?"

그래서 나는 그와는 다르게 직접적으로 말하지 않았다. 대신 돌려 돌려 물었다. '왜 나를, 그렇게 쳐다보시나요?' 하고. 그는 내 질문을 들은 뒤에도 나를 물끄러미 쳐다보다 입을 열었다.

"아니."

부정의 탈을 쓴 긍정의 대답을 나는 믿을 수가 없었다.

❧ ❧ ❧

바깥으로 나오니 눈발이 더 거세졌다.

나는 약간 쌀쌀함을 느끼며 레이놀즈에게 물었다.

"춥지 않으세요, 폐하?"

"레이."

대답은 안 하고 갑자기 자기 이름을 부른다. 이 무슨 동문서답인가 싶다가, 나는 얼마지 않아 그가 내 말을 정정해준 것이라는 사실을 깨달았다. 황당해진 내가 대꾸했다.

"주변에 아무도 없잖아요."

"그래도 이름으로 불러."

"왜요?"

"듣기 좋으니까."

이 황당하고도 간단한 이유에 나는 그만 할 말을 잃고 말았다. 문제는 그는 나의 침묵을 그의 말에 동의하는 것으로 알아들은 모양이다. 빙긋 미소 짓는 것을 보면 그랬다. 아니, 그거 아닌데…….

"폐하가 편해요, 사실."

"왜?"

아니, 당신이 폐하니까 폐하가 편하다는데 거기에 이유를 물으시면 뭐라고 대답해야 하나요? 나는 순간 할 말을 잃었다가 그에게 말했다.

"폐하시니까요."

"그게 내 이름은 아니잖아."

"원래 군주는 자기 이름으로 불릴 일이 드물대요."

그 말을 듣고 레이놀즈는 걷고 있던 발걸음을 멈추었다. 갑자기 멈춘 발걸음에 나도 따라서 그 자리에 멈추었다. 그는 눈을 그대로 맞으면서 나를 물끄러미 바라보았고, 나는 무슨 말실수라도 했나 싶어 의아해졌다.

하지만 그럴 만한 것은 없었다. 그저 지극한 사실을 읊어 주었을 뿐이다. 당신은 군주이고, 본래 군주는 제 이름으로 불릴 일이 드물다, 고. 심지어는 자신의 가족, 그러니까 낳아준 부모와 사랑하는 아내에게까지도.

침묵하며 나만 가만히 응시하던 그가 어느 순간 입을 열었다.

"그걸 당연시하기 시작하는 순간부터."

아까보다 조금 더 낮고 진중해진 목소리에는 울림이 있었다.

"나는 몹시 불행해지는 거야, 유린."

나는 그 말을 듣고 아무 말도 하지 못했다.

'그러니까 이 사람은 지금…… 불행하다는 건가?'

나는 돌려 묻지 못하고 곧바로 물었다.

"불행하세요, 폐하?"

"영애가 내 이름을 불러주지 않는다면."

뭔가 비약 같은 한마디에 말문이 다시 막혔다. 아니, 그런 말씀을 하시는 저의는 제게 죄책감을 심어 주시기 위함인가요? 만약 그런 의도라면 성공이었다. 나는 미간을 좁혔다가 결국 그가 원하는 대로 해주었으니까.

"……얼른 가요, 레이."

더 서 있다가는 감기에 걸릴지도 모른다. 그런 내 속도 모르고, 그는 목적 달성이 기쁘다는 듯 그제야 환하게 미소 지었다. 불행한

자의 그것이라고는 절대 생각할 수 없을 것 같은 미소에, 내 마음은 그제야 편안해졌다. 레이놀즈와 함께 온천 근처까지 도착한 나는 지난번의 일을 기억하고선 조심스럽게 발을 물에 담갔다.

"아, 뜨거워!"

하지만 조심스럽게 넣든 그냥 넣든 뜨겁기는 매한가지다. 여기에 몸을 담그면 감기 걸릴 일은 없을 것 같다고 긍정적으로 생각하면서, 나는 조심스럽게 종아리까지 몸을 담갔다. 그제야 조금 익숙해졌다 싶어서 나는 완전히 온천 안으로 들어갔다. 그러자 아까와는 비교도 할 수 없는 뜨거움이 나를 덮쳤다.

결국 나는 참지 못하고 자리에서 일어섰다. 그런 나를 보고 뒤따라 안에 들어온 레이놀즈가 의아한 표정으로 물었다.

"왜 그러지?"

"너무 뜨거워요……."

나는 눈살을 잔뜩 찌푸리며 다시 조심스럽게, 천천히 몸을 담갔다. 아까 일로 적응이 되었는지 이제는 견딜 만했다.

나는 그제야 조금 낫다는 얼굴로 깊게 숨을 내쉬었다. 그런 나를 신기한 듯 바라보던 레이놀즈가 입을 열었다.

"영애는 뜨거운 걸 잘 못 견디는 것 같아."

"극단적인 건 뭐든 싫습니다. 차가운 것도 예외는 아니에요."

그렇게 대답한 뒤에, 나는 레이놀즈를 흘긋 쳐다보았다가 말을 보탰다.

"그러는 폐하께서는 뜨거운 걸 비교적 잘 참으시는 것 같아요."

"비교적 그런 편이지."

"손이 차가우셔서 그런가?"

"내 손이 차가워?"

"네. 모르셨어요?"

나는 그 사실을 그가 처음 알았나 싶어 깜짝 놀랐다.

"되게 차가우신데."

"흐음……."

그 말에 레이놀즈가 천천히 손을 들어 올리더니 별안간 내 볼 위에 가져다 댔다. 뜨거운 온천물에서 그의 손은 더 이상 차갑지 않았다. 그렇다고 완전히 뜨거운 것도 아닌 딱 적당한 온도였지만, 나는 그가 내 볼에 그의 손을 댄 순간 불에 덴 사람처럼 화들짝 놀랐다. 그런 나를 보고 그도 놀란 목소리로 내게 물어왔다.

"아직도 차갑나?"

"아……뇨."

나는 멍한 표정으로 고개를 저었다. 내가 놀란 건 그의 손이 차갑거나, 뜨겁거나, 미지근해서가 아니다.

'그냥 그 갑작스러운 스킨십이…….'

나는 마른 침을 삼킨 다음 긴장한 얼굴로 그를 쳐다보았다. 내 표정을 전혀 읽지 못한 걸까. 그는 태연하게 내 볼 위로 계속 손을 대고 있었다.

"그럼 뜨겁나?"

"아뇨……."

딱 적당한 온도예요. 나는 그렇게 덧붙였고, 내 대답을 들은 레이놀즈의 표정이 미묘해졌다. 나는 그가 왜 저런 표정을 짓는지 모르겠다고 생각하면서, 그가 언제쯤 내 볼 위에서 손을 떼어낼지 궁금해했다.

하지만 아무리 기다려도 그가 손을 움직이는 일은 없었고, 기다림에 지친 내가 결국 천천히 손을 들어 올려 그의 손등 위로 겹쳤다. 그렇게 해서 그의 손을 떼 내려던 순간이었다.

"아……."

그가 천천히 손을 들어 올렸고, 나는 자연스럽게 그의 손등 위에 나의 것을 겹친 채 움직였다. 그의 손이 향한 곳은 내 오른쪽 턱 밑, 그러니까 목덜미 쪽이었다. 아까 물이 튀면서 자연스럽게 머리카락이 달라붙은 듯싶었다.

그가 내 목덜미를 간지럽히듯 만지는 손길이 야릇해서, 나는 말 없이 입술만 축였다. 어느새 머리카락을 깔끔하게 귀 뒤로 넘긴 그가 알 수 없는 미소를 지어 보이며 내게 말했다.

"이제 다 됐어."

그게 손등 위에서 손을 그만 떼 내라는 뜻으로 알아들었던 나는 황급히 손을 떼어 내렸다. 그런 내 행동을 보며 레이놀즈는 낮게 소리 내어 웃었고, 나는 이상하게 부끄러워졌다.

아니, 지금 이 상황이 과연 내가 부끄러워해야 할 상황인가요? 어째 주객이 전도된 것 같은 이 모호한 기분이 이상했다. 그런 것도 잠시, 레이놀즈가 나를 조용히 불렀다.

"유린."

그가 나를 부르는 방식은 두 가지였다. 영애, 아니면 유린. 원래는 '영애'가 맞았다. 그게 서로에게 예의를 지키는 방법이었으니까. 그런데 어느 순간부터 나는 그에게 애칭이자, 엄밀히는 본명인 유린으로 불렸고, 나는 그런 그를 막지 못했다.

그래서 가끔씩 그는 나를 그렇게 불렀다. 유린, 이라고.

대개 진지하거나, 대단히 사적인 이야기를 나눌 때. 물론 그와 공적인 대화를 나눈 적은 내 기억상으로 한 번도 없었지만. 좀 더 친밀하고 격의 없는 이야기를 할 때 그랬다는 이야기였다.

나는 레이놀즈가 또 무슨 진지한 이야기를 할지 걱정 반, 기대 반이 되어 그를 쳐다보았다.

"황궁에 갈 생각 없어?"

그 뜬금없다고 봐도 좋을 질문에 나는 멍해졌다. 황궁에 갈 생각이 없느냐니. 이렇게 갑작스러운 질문은 단언컨대 처음 들어본다.

나는 질문한 의도를 모르겠다는 얼굴로 그에게 되물었다.

"그게 무슨 말씀이세요?"

"문자 그대로의 의미야."

그가 친절하게 아까 한 말을 반복해 주었다.

"나랑 같이 황궁에 갈 생각이 없느냐고."

나랑 같이.

두 마디가 추가되기는 했지만, 그래도 의미 없는 반복이었다. 내가 그 말 자체의 의미를 알아듣지 못할 정도로 어리거나 모자란 사람은 아니니까. 나는 이해를 못 하겠다는 목소리로 말했다.

"왜 그런 말씀을 하시는지 모르겠어요."

"내 옆에 두고 싶어."

훅 들어온 고백이, 가슴을 뛰게 만들었다.

"황궁으로 가자."

"……"

"나랑 같이."

왜 옆에 두고 싶다는 건지는 말해주지 않았다. 나는 아까 그가 내 볼 위에 손을 얹었을 때만큼이나 혼란스러운 기분이었다. 그게 표정에 그대로 드러난 모양인지, 대답을 기다리며 물끄러미 나를 바라보던 레이놀즈가 나직하게 물어왔다.

"싫어?"

대화가 단순한 구조로 흘러갔다. 황궁으로 같이 가자. 대답이 없더니 싫냐고 물어온다. 뭐 이런 대화가 있냐고 생각하다가, 그의 신분적 특수성-황제-을 떠올리자 금방 이해가 되었다.

'아, 이런 거 별로 이해하고 싶지 않은데.'

그래도 어쩔 수 없다. 그는 누차 말하지만 황제니까. 나는 눈살을 구기며 예의 바르게 대답했다.

"그 질문에는 대답이 어렵겠는데요."

"……왜?"

그렇게 물어오는 그의 눈빛이 진동했다. 나는 그 눈동자를 물끄러미 바라보았다.

'이럴 때 보면 정말 어린애 같다니까.'

물론 귀여워서 그렇다는 의미는 절대, 절대! 아니다. 그 단순함이 묻어나는 대답이 그렇다는 것이다.

"너무 갑작스럽고 또……."

"또?"

"뜬금없어요."

나는 구긴 눈살을 펴지 않으며 말을 보탰다.

"제가 무슨 이유로, 어떤 명분으로 황궁에 갈 수 있는지 전혀 설명이 없으셨잖아요."

"아……."

그는 내 말을 듣고 드물게 당황하는 모습을 보였다. 이런 아이 같은 모습은 처음이라고 느낄 정도로 오랜만이다. 아니면 정말 처음이었던가. 나는 헷갈린다는 표정을 지으며 그에게 물었다.

모르면 떠먹여 줘야지, 어떻게 해.

"왜 저한테 그런 말씀을 하시는 건데요?"

"곁에 두고 싶어졌어."

"그러니까 왜……."

"계속 보고 싶어졌으니까."

말끝을 흐리는 사이 훅 치고 들어온 한마디. 나는 멈추었고, 그는 응시했다. 나는 아무 말도 못 하고 굳어 있었지만, 그는 계속 말했다.

"그러니까 같이 가자."

"……."

"황궁으로."

이건 고백이다. 분명 고백이야. 내 가슴이 쿵쿵 뛰기 시작했다.

아, 여기서 어떻게 말해야 할지 당최 모르겠다.

'이런 상황은 처음이라고.'

모든 게 갑작스러웠다. 갑자기 황궁에 같이 가자고 말한다. 이유를 물으니 곁에 두고 싶어졌단다. 그러니까 왜 곁에 두고 싶어졌냐고 물으니 계속 보고 싶어졌단다. 이게 고백이 아니면 뭐냐고.

"폐하."

"이름."

……지금 이 상황에 그게 중요해?

나는 황당해졌지만, 그가 원하는 대로 기꺼이 해주었다.

"레이."

그제야 그는 빙긋 미소 지었다. 어지간히 내 말이 마음에 드는 것처럼.

"말해."

"저 좋아하세요?"

늘 돌려 말하려고 애썼던 나의 노력은 그 순간 완전히 부서졌다.

하지만 내 직설적인 물음에도 그는 조금도 당황하는 법이 없다.

"좋아해."

심지어는 내 수를 전부 앞서가기까지.

나는 그가 이렇게 당당하게 대답해 올 줄, 심지어 그게 긍정의 내용일 줄은 짐작조차 하지 못했다. 그의 마음이 어떻든 상관없이, 내게 이렇게 조금의 망설임 없이 고백할 줄은 몰랐다는 뜻이다. 그래서 나는 많이 당황했다. 누구라도 당황하지 않을까? 제국의 황제에게 고백을 받게 되다니. 그것도 '좋아해'라니!

'……아예 마음이 없을 거라고 생각하진 않았지만.'

오해하면 안 되는 게, 나를 무생물처럼 여기지는 않을 거라고 생각했다는 의미였다. 말콤 호로웨이를 죽였을 때, 그 이유가 '나를 위해서', '그가 나를 괴롭혔기 때문에'라고 말했으니 그 정도는 누구나 눈치챌 수 있는 사안이지 않은가?

'저 남자가 내게 호감은 가지고 있구나.'

꼭 남녀 간의 호감을 말하는 게 아니었다.

'저 남자한테 나는 '싫어하는 사람'은 아니구나.'

'나를 인간으로서 아껴 주기는 하는구나.'

그래, 이런 인간적인 감정들.

"……."

어쨌든 나는 혼란스러웠던 것이다. 그가 말하는 '좋아해'가 '사람이 사람을 좋아해'인지, '남자가 여자를 좋아해'인지. 하지만 그걸 물어보는 건, 아까의 충동적인 질문보다 더 입 밖으로 내기가 어렵다.

'아니, 두려워.'

전자라면 상관없지만, 후자는 감당 못 하니까.

'하지만 레이놀즈라면 후자라도 태연할 것 같은 느낌이긴 해.'

내가 널 좋아해. 그게 뭐 어때서? ……같은 느낌이랄까.

'하긴.'

어찌 보면 당연하다. 그는 황제니까. 내 반응이 어떻든 그에게 별로 중요한 내용은 아니다. 중요한 건 그가 황제라는 거다.

'빌어먹을 신분 제도 같으니라고…….'

왜 이 사람에 대해서만큼은 전부 다 당연해지는 건데?

"무슨 생각해?"

갑자기 들이밀어 오는 그 잘생긴 얼굴에, 나는 작은 비명도 지르지 못하고 커진 눈으로 내 앞에 가까워진 레이놀즈를 쳐다보았다.

'……젠장할. 빌어먹게 잘생긴 얼굴이네.'

이런 얼굴을 보름 넘게 곁에서 봐왔다니. 내 심장도 참 튼튼해.

"……폐하께서 왜 그러시나."

한참 후에야 나는 더듬더듬 입을 열었다.

"그거, 생각하고 있었습니다."

"방금 말해줬잖아."

"좋아해. 그거요?"

나는 눈살을 폭 구기며 덧붙였다.

"그러니까 왜 그런 말씀을 하셨는지 생각하고 있었다는 뜻입니다."

"으음……. 나만 이해가 가지 않는 건가?"

그가 아리송한 얼굴로 갸웃거리며 내게 말했다.

"좋아하니까 좋아한다고 말한 건데."

"……."

"그 이외의 이유가 필요한가?"

이 남자, 원래 이리도 단순했던가. 나는 혼란스러운 얼굴로 말간 레이놀즈의 얼굴을 응시했다. 어린아이 앞에서 그가 이해하지 못하는 음담패설을 지껄인 어른이 된 기분이다.

나만 심각해? 지금 이 상황, 나만 혼란스러워?

'……그런가 보네.'

표정을 보니 그랬다. 나는 허탈한 표정으로 숨을 멈추었다. 그 사실에 대한 허탈함도 있지만, 레이놀즈가 자꾸 가까이 다가오는 통에 숨을 제대로 쉬기가 어려운 탓도 있었다.

미남 앞에서는 생존에 필수적인 호흡 활동조차 문제가 된다. 그러니 미남은 인간에게 유해하다는 쓸데없는 결론을 도출한 내가 천천히 입을 열었다.

'이 이야기까지는 꺼내지 않으려고 했는데.'

하지만 지금 이 상황에서 그 화제를 꺼내지 않으면, 내가 하고 싶은 이야기를 할 수가 없다.

"폐하."

"레이."

"……."

"어서."

"레이."

이 남자의 아내 될 사람에게 심심한 위로를 전한다.

이다지도 사소한 일에 끈덕지게 집착하는 남자라니.

겪어보진 못 했지만, 의처증이 있을지도 모른다.

"저를 좋아하신다고 하셨잖아요."

이상하다. 그 담백한 사실 하나 읊는 데 심장이 왜 이렇게 간질거리지?

"좋아해."

그가 고개를 끄덕이며 답했고, 나는 순간 말문이 막히는 바람에 침묵해 버렸다. 그리고 잠시 후에야 여전히 혼란스러움이 묻어나는 목소리로 물었다.

"……그건 어떤 의미인가요?"

"사람 대 사람으로 좋아한다는 이야긴가요, 아니면……."

"남자 대 여자로서."

그가 내 말을 끊었고, 내 숨은 그 순간 멈추었다. 나는 석고상이
라도 된 것처럼 그대로 굳어서 내게 좀 더 가까이 얼굴을 들이대는
남자를 바라보았다. 그 위험하게 가까운 거리에, 나는 그가 끊고 들
어온, 뒤가 명백한 말에 집중하지 못하고 입술이 닿을 것 같다는 생
각이나 했다.

"좋아해."

"……"

"유린."

너무 가깝다.

말하면서 흘러나오는 숨결이 뜨겁게 내 볼 위를 적실 정도. 그
돌발 상황에 나는 그가 내게 고백한 말까지도 제대로 인지하지 못
했다.

중요한 건 당장의 이 상황이었다. 금방이라도 무슨 일이 벌어질
것 같은, 그렇게 되면 이전과는 확연하게 다른 관계가 될 게 뻔할
이 상황.

심지어는 장소가 장소였던 탓에 야릇하고 후끈한 분위기까지 이
일촉즉발의 상황에 편승했다. 와중에 자연스럽게 시선을 떨어뜨리
자 보이는 탄탄한 상반신은 내 머리를 더 어지럽게 만든다.

'……미치겠네.'

내 인생 최대의 위기상황이다. 나는 단언할 수 있었다. 그렇게 생

각하는 와중에도 그는 내 귓가로 입술을 옮겨 축축하게 속삭였다.

"입술에."

"……."

"키스해도 돼?"

"……아."

나는 금방이라도 픽 끊어져 버릴 것 같은 정신줄을 억지로 부여잡고 입을 열었다.

"안 돼요……."

다행히 내 이성은 아직까지는 그 온전함을 갖추고 있는 모양이었다. 분위기에 휩쓸려 조금만 더 대답이 늦었다면 무슨 일이 벌어질지는 장담할 수가 없었다.

"……."

내 거절에 그는 잠시 멈칫하더니 나를 빤히 바라보았다. 그 시선이 내 목을 감싸 안고 금방이라도 입 맞춰 버릴 것 같아 숨이 더욱 가늘어졌다.

'농담이 아니라…….'

미치겠다, 정말로.

"안 돼요."

단호하게 대답을 반복하자 그의 눈살이 포옥 구겨졌다. 미남은 눈살을 구기는 것마저 아름답다. 나는 정신줄을 부여잡고 끝까지 그를 바라보았다. 내 미약한 시선이, 이 이상 선을 넘지 말라고 말해주었지만, 그가 들을지는 의문이다.

"아……!"

그러다 어느 순간, 나는 짧게 비명을 토해냈다. 오랫동안 바깥바람을 쏘여 하얗게 드러난, 차가운 목덜미에 뜨거운 것이 닿았다 떨어졌기 때문이었다. 그게 그의 입술이라는 사실을 알기까지는 그리 오래 걸리지 않았다.

나는 놀람과 당황이 섞인 눈으로 레이놀즈를 쏘아보았다. 키스하지 말라고 분명히 말했는데, 왜 했느냐는 눈빛으로. 하지만 레이놀즈는 태연자약하게 웃으며 이렇게 대꾸할 뿐이었다.

"입술에다가는 안 했어."

변명 좀 봐. 나는 헛숨을 내쉬며 미치겠다는 표정을 지었다.

그래, 입술에 키스해도 되냐고 물었을 때 아니라고 했으니 목에 했겠지……가 아니라. 보통 그러면 목에다가도 하면 안 되는 거 아닌가요?

심지어 부위가 부위라 입술 위에 대놓고 했을 때보다 더 야릇하게 느껴졌다. 내가 이상한 쪽으로 생각하는 게 아닐 것이다.

'이 남자가 이상하게 행동한 거야.'

나는 눈을 가늘게 뜨고 여전히 느릿하게 입꼬리를 끌어 올린 레이놀즈를 바라보았다. 그 순간에마저 그는 아름답다. 아, 쓸데없이 이런 순간에마저 아름답다니.

'게다가 입술은 또 왜 그렇게 뜨거워.'

손이 차서 입술도 당연히 차가울 줄 알았다. 그런데 웬걸, 온몸의 열기가 다 모여든 건 아닌지 의심이 들 정도로 뜨거운 입술이었다. 그러다가 나는 내가 아까 그의 입술이 내 목덜미에 닿았던 순간을 계속 상기하고 있다는 사실을 떠올리고선 경악했다.

'미쳤어, 미쳤어!'

왜 자꾸 그걸 생각해? 왜 자꾸!

"표정이 재미있네."

와중에 이 모든 일의 장본인은 앞에서 내 얼굴을 관찰하며 싱그럽게 웃을 뿐이었다.

'어째 아까부터 계속 이 남자한테 휘말리고 있는 것 같은데.'

아아, 불쾌해.

"폐하, 잠시만요……."

나는 이마를 손으로 짚으며 진정하기 위해 애썼다. 하지만 좀처럼 진정이 되지 않아서 심호흡까지 해야 했다. 그리고 잠시 기다리자 드디어 내 이성은 아까와 비슷한 수준으로 돌아왔다.

'여기서 무슨 짓을 더 해도 아까처럼 멀쩡해지지는 못할 거야.'

나는 마른 침을 꿀꺽 삼키고 입을 열었다. 정리가 필요했다.

"그러니까 폐하께서 저를……."

"내가 영애를."

그때 레이놀즈가 끼어들었고, 나는 더 말하지 못한 채 동그래진 눈으로 그를 쳐다보았다. 그가 살포시 미소 지으며 내게 말했다.

"좋아해."

"……."

"그래서 키스하고 싶었던 거야."

그 욕망의 표현을 이토록 담백하게 할 수 있다니. 나는 멍한 얼굴로, 소년 만화에나 나올 법한 미소를 짓고 있는 레이놀즈를 바라보았다.

모든 게 다 뒤죽박죽이 되어 버린 느낌이다. 진짜로.

〈2권에서 계속〉

# 집사님은 폭군 사육 중?! **1**

초판 1쇄 인쇄 2020년 5월 6일   초판 1쇄 발행 2020년 5월 13일

지은이 무소
펴낸이 연준혁

웹소설본부 본부장 이진영
책임편집 오가진
디자인 하은혜

펴낸곳 (주)위즈덤하우스   출판등록 2000년 5월 23일 제13-1071호
주소 (10402) 경기도 고양시 일산동구 정발산로 43-20 센트럴프라자 6층
전화 031) 936-4000   팩스 031) 903-3891
홈페이지 www.wisdomhouse.co.kr

값 14,000원
ISBN 979-11-90786-28-7 04810
       979-11-90786-27-0 세트